Minha vida na estrada

Gloria Steinem

Minha vida na estrada

Tradução
Janda Montenegro

1ª edição

Rio de Janeiro | 2017

Copyright © 2015, 2016 by Gloria Steinem
Tradução publicada mediante acordo com Random House, divisão de Penguin Random House LLC

Título original: *My life on the road*

Revisão de tradução: Marina Vargas

Agradecimentos aos seguintes proprietários pela autorização para reprodução de material anteriormente publicado:

Houghton Mifflin Harcourt Publishing Company e The Joy Harris Literary Agency, Inc.: Trechos de "In These Dissenting Times" de *Revolutionary Petunias & Other Poems* por Alice Walker, copyright © 1970 e copyright renovado 1998 por Alice Walker. Direitos eletrônicos e direitos pelo Reino Unido e pela Commonwealth controlados por The Joy Harris Literary Agency, Inc. Reprodução autorizada por Houghton Mifflin Harcourt Publishing Company e The Joy Harris Literary Agency, Inc.

Sony/ATV Music Publishing LLC: Trecho de "Rainy Night in Georgia", escrita por Tony White, copyright © 1969 Combine Music Corp. Todos os direitos administrados por Sony/ATV Music Publishing LLC, 424 Church Street, Suite 1200, Nashville, TN 37219. Todos os direitos reservados. Reprodução autorizada.

Texto revisado segundo o novo
Acordo Ortográfico da Língua Portuguesa

2017
Impresso no Brasil
Printed in Brazil

CIP-BRASIL. CATALOGAÇÃO NA PUBLICAÇÃO
SINDICATO NACIONAL DOS EDITORES DE LIVROS, RJ

S833m Steinem, Gloria, 1934-
Minha vida na estrada / Gloria Steinem; tradução Janda Montenegro. –
1ª ed. – Rio de Janeiro: Bertrand Brasil, 2017.
23 cm.

Tradução de: My life on the road
ISBN 978-85-286-2144-0

1. Steinem, Gloria, 1934-. 2. Feministas – Estados Unidos – Biografia.
3. Autobiografia. I. Montenegro, Janda. II. Título.

16-36485

CDD: 305.4092
CDU: 929:316.346.2-055.2

Todos os direitos reservados pela:
EDITORA BERTRAND BRASIL LTDA.
Rua Argentina, 171 – 2º andar – São Cristóvão
20921-380 – Rio de Janeiro – RJ
Tel.: (0xx21) 2585-2000 – Fax: (0xx21) 2585-2084

Não é permitida a reprodução total ou parcial desta obra, por quaisquer meios, sem a prévia autorização por escrito da Editora.

Atendimento e venda direta ao leitor:
mdireto@record.com.br ou (0xx21) 2585-2002

Este livro é dedicado a:

Dr. John Sharpe, de Londres, que, em 1957, uma década antes de os médicos na Inglaterra poderem realizar um aborto legalmente por qualquer outra razão que não a saúde da mulher, assumiu o grande risco de indicar um aborto para uma norte-americana de 22 anos de idade a caminho da Índia.

Ciente apenas de que ela terminara um noivado em seu país natal para ir em busca de um destino desconhecido, ele disse: "Você precisa me prometer duas coisas. Primeiro, que não vai dizer meu nome a ninguém. Segundo, que vai fazer o que quiser com a sua vida."

Querido Dr. Sharpe, eu acredito que você, que sabia como a lei era injusta, não se importaria de eu dizer isto tanto tempo depois da sua morte:

Eu fiz o melhor que pude com a minha vida.

Este livro é para você.

"A evolução nos destinou a ser viajantes (...) O estabelecimento, por qualquer período, em uma caverna ou em um castelo, é, na melhor das hipóteses, (...) uma gota no oceano da trajetória evolutiva."

Bruce Chatwin,
ANATOMY OF RESTLESSNESS

SUMÁRIO

PRELÚDIO		11
INTRODUÇÃO: Os avisos na estrada		15
CAPÍTULO I:	Os passos do meu pai	27
CAPÍTULO II:	Círculos de conversa	59
CAPÍTULO III:	Por que eu não dirijo	103
CAPÍTULO IV:	Um grande campus	139
CAPÍTULO V:	Quando a política é pessoal	175
CAPÍTULO VI:	O surrealismo no dia a dia	237
CAPÍTULO VII:	Segredos	275
CAPÍTULO VIII:	O que aconteceu uma vez pode acontecer de novo	313
POSFÁCIO: Voltando para casa		359
AGRADECIMENTOS		363
NOTAS		365
ÍNDICE		375
SOBRE A AUTORA		389

PRELÚDIO

*E*mbarco em um avião para Rapid City, em Dakota do Sul, e vejo muitas pessoas vestindo couro preto, com correntes e tatuagens. Os passageiros de um avião em geral se parecem com o lugar para onde estão indo — ternos para Washington D.C., jeans para L.A. —, mas eu não consigo imaginar um encontro de pessoas tão pouco convencionais em Rapid City. É o tipo de cidade onde as pessoas ainda estacionam seus carros alinhados em frente ao cinema. O barbudo da poltrona ao lado está dormindo com sua jaqueta cheia de tachinhas e um piercing no nariz, então eu apenas aceito mais um mistério da estrada.

No aeroporto, encontro cinco amigas de diferentes partes do país. Somos um grupo diverso de mulheres — uma ativista cheroqui e sua filha adulta, duas escritoras afro-americanas, uma musicista e eu. Fomos convidadas para um encontro dos índios Lakota Sioux, povo nativo da América do Norte, com o objetivo de celebrar a posição de poder que as mulheres tinham antes de o patriarcalismo chegar da Europa e os esforços atuais para recuperar essa posição.

Enquanto dirigimos na direção das Badlands, vemos um aglomerado de motocicletas ao redor de cada restaurante e hotel de beira de estrada isolado. Isso resolve o mistério do couro e das correntes, mas cria outro. Quando paramos para tomar um café, a garçonete que nos atende não consegue acreditar que não sabemos o que está acontecendo. Todo mês de agosto, desde 1938, motociclistas do mundo inteiro vão até lá para um festival de motociclistas chamado Sturgis Motorcycle Rally, em homenagem a uma cidade que é apenas um descampado à beira da estrada. Eles são atraídos pela região pouco habitada formada por florestas, montanhas e uma malha de vias expressas tão retas que é possível vê-las do espaço. Naquele momento, cerca de 250 mil motociclistas estavam ocupando cada hotel de beira de estrada e cada camping em um raio de 800 quilômetros.

Nosso grupo de seis mulheres fortes fica atento. A verdade é que estamos com um pouco de medo de tantos motociclistas em um só lugar. Como poderíamos não estar? Todas nós aprendemos com os filmes que os motociclistas viajam em bando, tratam suas mulheres como objetos e podem olhar para outras mulheres como presas sexuais fáceis.

Mas não esbarramos com os motociclistas, pois passamos nossos dias viajando por estradas desconhecidas, para além das últimas árvores, no território indígena. Comemos comida caseira trazida em caminhões, nos sentamos em tapetes no território dos povos nativos onde dançarinos acompanham o ressoar dos tambores e observamos os pôneis indígenas, decorados tal como os dançarinos. Quando chove, um arco-íris corta o céu de ponta a ponta, e os campos cobertos de grama molhada ficam tão cheirosos quanto flores gigantes.

Só quando voltamos, tarde da noite, para nossos quartos é que vemos as motocicletas no estacionamento. Enquanto caminho por Rapid City, ouço um motociclista dizer para sua parceira tatuada: "Querida, faça compras durante o tempo que quiser — nos encontramos naquele lugar onde vendem cappuccino." Imagino que isso seja uma exceção.

Em nossa última manhã lá, entro sozinha no salão para tomar o café da manhã mais cedo, tentando me manter tanto imperceptível quanto com a mente aberta. Mesmo assim, estou hiperalerta naquele local cheio de facas embainhadas, coturnos e pouquíssimas mulheres. Na mesa ao lado da minha, um homem com correntes ao redor dos músculos e uma mulher com calça de couro e um penteado inacreditável me observam. Por fim, a mulher se aproxima para falar comigo.

"*Eu só queria dizer*", começa, alegremente, "*o quanto a revista* Ms. *foi importante para mim durante todos esses anos — e para o meu marido também. Ele lê um pouco agora que se aposentou. Mas o que eu gostaria de perguntar é se a mulher com quem você está viajando não é Alice Walker. Eu adoro as poesias dela.*"

Ela e o marido vêm ao encontro de motociclistas todos os anos desde que se casaram. Ela adora a liberdade da estrada e também a misteriosa paisagem lunar das Badlands. Diz que eu preciso ir até lá, mas me avisa para seguir os caminhos demarcados por cordas. Durante a guerra pela posse das Black Hills, montanhas sagradas para os nativos norte-americanos, ela explica, os guerreiros Lakota encontravam refúgio ali porque a cavalaria se perdia o tempo todo.

A caminho do caixa, o marido dela para à minha mesa e sugere que eu vá ver a imensa estátua de Crazy Horse que está sendo esculpida por meio de explosões de dinamite nas Black Hills.

"*Crazy Horse montado em seu cavalo*", ele diz, "*vai reduzir todos aqueles presidentes exterminadores de índios do monte Rushmore a nada.*"

Ele se afasta. Um homem gentil, corpulento, com suas tatuagens, correntes e tudo mais.

Antes de ir embora, minha nova amiga me pede para olhar para o estacionamento pela grande janela panorâmica.

"*Está vendo aquela Harley roxa ali? Aquela bem grande e linda? É minha. Eu costumava andar na garupa do meu marido e nunca me aventurava na estrada sozinha. Então, depois que as crianças cresceram, eu bati o pé. Foi difícil, mas no fim nos tornamos parceiros. Agora ele diz que prefere desse jeito. Não precisa mais se preocupar se a moto dele quebrar ou se ele tiver um ataque do coração, o que acabaria com nós dois. Eu até coloquei 'Sra.' na placa da minha moto. E você precisa ver a cara dos meus netos quando a vovó sobe na Harley roxa dela!*"

Sozinha novamente, olho para a areia desértica e as pedras atormentadas das Badlands, que se estendem por quilômetros. Já andei por ali e sei que, de perto, a areia desértica revela camadas de cor rosa claro, bege e creme, e as pedras na verdade têm intrincadas cavidades de aparência uterina. Mesmo nos distantes penhascos, cavernas de refúgio aparecem.

O que parece ser algo a distância é bem diferente quando visto de perto.

Estou contando essa história porque é o tipo de lição que só se pode aprender na estrada. E também porque passei a acreditar que, dentro de cada um de nós, há uma motocicleta roxa.

Temos apenas que descobri-la — e sair pilotando.

INTRODUÇÃO

Os avisos na estrada

QUANDO AS PESSOAS ME PERGUNTAM POR QUE AINDA TENHO esperança e energia depois de todos esses anos, sempre respondo: *Porque eu viajo.* Por mais de quatro décadas, passei pelo menos metade do tempo na estrada.

Eu nunca tentei escrever sobre esse estilo de vida, nem mesmo quando estava entrevistando pessoas e cobrindo eventos ao longo do caminho. Apenas não parecia se enquadrar em nenhuma categoria. Eu não estava fazendo uma viagem pelas estradas ao estilo Kerouac, ou algo como me rebelar antes de criar raízes, nem mesmo era uma viagem por uma causa. No início eu era uma jornalista perseguindo histórias, depois uma colaboradora eventual em campanhas e movimentos políticos e, de forma mais consistente, uma organizadora feminista itinerante. Eu me tornei uma pessoa cujos amigos e esperanças estavam tão espalhados por aí quanto a minha própria vida. Simplesmente me pareceu natural que o único elemento em comum nessa vida fosse a estrada.

Quando amigos ou repórteres achavam que passar tanto tempo longe de casa era difícil, eu costumava convidá-los para viajar comigo, na esperança de que ficassem tão viciados quanto eu. Em todos esses anos, porém, somente um deles aceitou o meu convite — e por apenas três dias.[1]

Com o passar das décadas, e com a palavra *ainda* tendo entrado em minha vida — como em: "Ah, você *ainda* viaja" —, me dei conta de que o assunto sobre o qual eu menos escrevia era justamente aquilo que eu fazia mais.

Então me sentei e comecei a fazer anotações sobre as minhas viagens, do passado e do presente, que me deixaram maravilhada pelo que foram, com raiva pelo que não foram e obcecada pelo que poderiam ser. Enquanto folheava antigas agendas e calendários, cartas e diários abandonados, de repente me vi inundada por uma lembrança do meu pai examinando seus mapas rodoviários surrados e suas agendas de endereços, tentando calcular de quanto dinheiro para a gasolina precisaria para ir de um lugar a outro, onde encontrar um estacionamento para trailers que pudesse abrigar sua mulher e suas duas filhas, e quais negociantes de beira de estrada poderiam comprar as pequenas antiguidades que ele vendia e negociava enquanto atravessávamos o país. A memória era tão vívida que eu podia ouvir nosso sussurrar conspiratório quando tentávamos não acordar mamãe, que havia adormecido naquele trailer que era a nossa casa durante a maior parte do ano.

Até aquele momento, eu poderia jurar que havia me rebelado contra o estilo de vida do meu pai. Eu tenho uma casa que amo e na qual posso me refugiar, enquanto ele não queria ter casa nenhuma. Eu nunca peguei nem um centavo emprestado, enquanto ele estava constantemente endividado. Eu tomo aviões e trens para ter aventuras em grupo, enquanto ele preferia passar uma semana dirigindo sozinho pelo interior do país em vez de pegar um avião. Mesmo assim, a forma como nos rebelamos, apenas para nos encontrarmos em meio ao que nos é familiar, fez com que eu me desse conta de que há uma razão para me sentir em casa quando estou na estrada. Foi exatamente assim durante a primeira década evocativa da minha vida. Tal pai, tal filha.

Nunca imaginei começar este livro com a vida do meu pai, mas então percebi que precisava fazê-lo.

E mais descobertas se seguiram. Por exemplo, sempre pensei na minha vida na estrada como algo temporário, partindo do princípio de que um dia eu iria crescer e criar raízes. Agora percebo que, para mim, a *estrada* é permanente, e *criar raízes* é que é temporário. Viajar criou a minha vida fora da estrada, e não o contrário.

Falar em público, por exemplo. Dos vinte aos trinta e poucos anos, eu evitava a todo custo falar em público. Quando uma vez perguntei a minha professora de oratória sobre a minha aversão, ela me explicou que ensinar dançarinos e escritores a falarem em público era particularmente difícil, uma vez que haviam escolhido uma profissão na qual não precisavam falar — e eu já fui ambas as coisas.

Então, no fim dos anos 1960 e início dos anos 1970, os editores para os quais eu vinha trabalhando como *freelancer* estavam incrivelmente desinteressados na explosão do feminismo por todo o país. Por fim, fiquei irritada e desesperada o suficiente para me juntar a uma mulher que era bem mais corajosa do que eu e viajar com ela para visitar *campi* e grupos comunitários. Com o tempo, e distante de casa, descobri uma coisa que talvez nunca soubesse de outra forma: as pessoas em uma mesma sala se compreendem e sentem empatia umas pelas outras de uma maneira que não é possível por meio de uma página ou uma tela.

Gradualmente, me tornei a última coisa que imaginei que seria: uma oradora e uma organizadora de grupos. E isso trouxe uma recompensa ainda maior: a audição pública. Foi ouvindo que percebi que haveria leitores para uma revista feminista de circulação nacional, não importava o que os especialistas da indústria editorial dissessem.

Até então, eu era uma escritora *freelancer* que nunca tinha querido trabalhar em um escritório ou ser responsável por qualquer coisa que não fosse o meu próprio aluguel. Mas por causa do que aprendi na estrada, convidei escritoras e editoras para se aventurarem na criação de uma revista feminista que fosse dedicada, nas palavras da grande Florynce Kennedy, "a fazer a revolução, e não apenas o jantar". Quando essas mulheres disseram que também não tinham lugar para publicar sobre as coisas com as quais mais se importavam, nasceu a revista *Ms*.

Daí em diante, passei a voltar para um escritório magnético cheio de jornalistas e editoras. A *Ms*. me deu não apenas mais uma razão para pôr o pé na estrada, mas também uma família que eu escolhi e para a qual podia voltar após cada viagem, com os bolsos cheios de anotações rabiscadas sobre novos acontecimentos.

Considerando tudo isso, eu poderia nunca ter tido a vontade ou os meios para fazer nenhuma das coisas que mais importavam para mim não fosse pelo fato de simplesmente estar Por Aí.

Pegar a estrada — e com isso quero dizer, na verdade, se deixar levar pela estrada — mudou quem eu achava que era. A estrada é confusa da mesma maneira que a vida real é confusa. Ela nos leva da negação para a realidade, da teoria para a prática, da cautela para a ação, das estatísticas para as histórias — em resumo, para fora da nossa mente e para dentro do nosso coração. É bem parecido com as emergências que ameaçam nossa vida e o sexo mútuo verdadeiro como forma de se sentir completamente vivo no presente.

COMO VOCÊ PODE VER, a primeira razão para escrever este livro é compartilhar uma parte da minha vida que é a mais importante e duradoura, mas ao mesmo tempo a menos visível. É a minha chance de fazer mais do que apenas voltar para casa e dizer aos amigos: "Eu conheci uma pessoa incrível que..." ou "Tive uma ótima ideia para...", ou, mais do que tudo, "Nós temos que parar de generalizar os norte--americanos como se fôssemos um grupo homogêneo". Agora também sou imune a políticos que dizem: "Eu viajei por cada canto deste grande país, e *sei*..." Eu já viajei mais do que qualquer um deles, e eu *não sei*.

O que nos ensinam sobre os Estados Unidos é limitado demais pelas generalizações, pelos clichês e até mesmo pela ideia supostamente esclarecida de que toda questão tem dois lados. Na verdade, muitas questões têm três, ou sete, ou uma dúzia de lados. Às vezes eu acho que a única verdadeira divisão em dois é entre as pessoas que dividem tudo em dois e aquelas que não o fazem.

No fim das contas, se eu tivesse me fiado apenas na mídia durante todos esses anos, seria uma pessoa muito mais desencorajada — principalmente considerando a ideia de que apenas os conflitos são notícia e de que objetividade significa ser imparcialmente negativo.

Na estrada, aprendi que a mídia não é a realidade; a realidade é a realidade. Por exemplo, os norte-americanos supostamente deveriam celebrar a liberdade, no entanto, aprisionamos uma porcentagem de nossa população maior do que em qualquer outro país do mundo. Converso com estudantes que estão se formando com dívidas gigantescas, mas que não relacionam isso com as legislaturas estaduais que constroem prisões das quais não precisamos em vez de construir escolas das quais de fato precisamos, e que depois gastam uma média de cinquenta mil dólares por ano por prisioneiro e muito menos que isso por estudante. Adoro o espírito empreendedor de pessoas que fundam uma empresa de alta tecnologia ou abrem uma barraquinha de cachorro-quente, mas as nossas desigualdades de riqueza e renda são as maiores do mundo desenvolvido. Conheço pessoas nos territórios indígenas que podem traçar suas origens até cem mil anos atrás, e sobreviventes de tráfico sexual e de mão de obra que chegaram aos Estados Unidos ontem. Além disso, o país está se transformando diante dos nossos olhos. Em mais ou menos trinta anos, a maioria não será mais de norte-americanos de origem europeia; a primeira geração cuja maioria é composta de bebês de cor já nasceu. Essa nova diversidade vai nos proporcionar uma melhor compreensão do mundo e vai enriquecer as nossas opções culturais; há pessoas, porém, cujo senso de identidade depende da velha hierarquia. Podem ser apenas o medo e a culpa deles falando: *E se eu for tratado como tratei os outros?* Porém, com todo o poder e todo o dinheiro que há por trás disso, esse movimento de resistência poderia nos aprisionar novamente em uma hierarquia.

Como Robin Morgan escreveu sabiamente: "O ódio generaliza, o amor particulariza."[2] É isso que torna tão importante irmos para a estrada. É um movimento que definitivamente particulariza.

MEU SEGUNDO OBJETIVO é encorajá-lo a passar algum tempo na estrada também. Com isso, quero dizer viajar — ou até mesmo viver por alguns dias onde você estiver — com o estado de espírito de quem está "com o pé na estrada": não procurar o que lhe é familiar, e sim estar aberto ao que quer que aconteça. Isso pode começar no momento que você passar pela sua porta.

Como um músico de jazz improvisando, um surfista à espera de uma onda ou um pássaro voando em uma corrente de vento, você será recompensado com momentos em que tudo faz sentido. Ouça a história sobre pessoas que se conhecem em uma nevasca que Judy Collins canta em "The Blizzard" ou leia o ensaio de Alice Walker "My Father's Country Is the Poor" [O país do meu pai são os pobres]. Cada um começa em um lugar pessoal, toma um rumo inesperado e chega a um destino que é tão surpreendente quanto inevitável — como a própria estrada.

A paixão pela estrada pode existir em qualquer lugar. A caravana de Rumi, poeta Sufi, viajou por dezenas de terras muçulmanas; os ciganos deixaram a Índia para ir para a Europa e nunca criaram raízes; e os aborígenes da Austrália e os moradores das Ilhas do Estreito de Torres fazem peregrinações para renovar melodias antigas. Estou escrevendo este livro na-estrada-nos-Estados-Unidos porque é o lugar no qual vivo e por onde mais viajei, e o que mais preciso compreender, especialmente considerando a sua enorme influência sobre o restante do mundo. Além disso, não estou certa de que possamos compreender outro país se não entendemos o nosso. Quando eu tinha vinte e poucos anos, tive a sorte de viver por um ano na Europa e, depois, por dois anos na Índia — ainda assim, de certas maneiras eu estava mais fugindo do que completamente presente ali. A segura Europa era uma forma momentânea de deixar a infância insegura para trás. A distante Índia me ajudou a conhecer a forma como a maioria das pessoas vive no mundo, algo muito diferente de qualquer coisa que eu conhecesse. Ainda sou grata àquele país enorme e lutador por ter sido impossível de ignorar; caso contrário eu poderia ter voltado para casa a mesma pessoa que era quando parti.

Meu propósito aqui é tentá-lo a explorar o meu país. Uma viagem pelos Estados Unidos parece precisar de um defensor. Se vou para a Austrália ou para a Zâmbia, as pessoas me dizem como é excitante, se eu estiver viajando por qualquer lugar nos Estados Unidos, porém, elas se solidarizam e falam sobre quão cansativo deve ser. Na verdade, há muitos prazeres incomparáveis nos Estados Unidos. Um deles é que os norte-americanos parecem superar qualquer país no quesito esperança. Talvez porque tantos de nós tenham chegado aqui fugindo de lugares piores, tenham superado a pobreza aqui ou ainda tenham absorvido a realidade e a ficção da "terra das oportunidades", ou talvez apenas porque o otimismo em si é contagiante — qualquer que seja a razão, a esperança é aquilo de que mais sinto falta quando não estou no meu país. É o que faz com que me sinta feliz por voltar para casa. Afinal, a esperança é uma forma de planejamento.

Entretanto, não estou sugerindo que você viaje tanto quanto eu viajei. Tal como Sky Masterson, o jogador andarilho das histórias de Damon Runyon, eu estive em mais quartos de hotel do que a Bíblia dos Gideões — e ele não lavava o cabelo com sabonete de hotel, não se alimentava com comida de máquinas automáticas nem se reunia até tarde da noite ajudando as camareiras do hotel a se mobilizarem.

Depois das minhas duas primeiras décadas viajando como organizadora, eu me dei conta de que o período mais longo que tinha passado em casa foram oito dias.

Como você pode ver, eu me apaixonei pela estrada.

MINHA TERCEIRA ESPERANÇA É compartilhar histórias. Durante milênios, passamos o conhecimento adiante por meio de histórias e canções. Se você me der uma estatística, vou inventar uma história para explicar por que ela é verdadeira. Nosso cérebro se organiza por meio de narrativas e imagens. Depois que me juntei aos ativistas e organizadores itinerantes — o que significa simplesmente ser um empreendedor de mudança social —, descobri a mágica que acontece quando uma pessoa conta sua própria história para grupos de estranhos. É como se uma plateia atenta criasse um campo de força magnético capaz de atrair as histórias que os próprios contadores nem sequer sabiam que tinham dentro deles. Além disso, um dos caminhos mais simples para uma profunda mudança é os menos poderosos falarem tanto quanto ouvem, e os mais poderosos ouvirem tanto quanto falam.

Talvez porque as mulheres sejam consideradas boas ouvintes, acho que uma mulher viajante — talvez em especial uma feminista viajante — se torna uma espécie de *bartender* celestial. As pessoas contam coisas que não dividiriam nem com um terapeuta. À medida que me tornei mais conhecida como parte de um movimento que leva esperança à vida de muitas pessoas, eu me converti no recipiente de ainda mais histórias, tanto de mulheres quanto de homens.

Eu me lembro de sortes inesperadas como aguardar o fim de uma tempestade em um restaurante de beira de estrada onde por acaso havia uma *jukebox* e um professor de tango que explicou a origem de rua dessa dança; ouvir crianças moicanas enquanto elas reaprendiam a língua e os rituais espirituais que haviam sido proibidos por gerações; sentar-me com um grupo de Fundamentalistas Anônimos enquanto eles conversavam sobre resistir à droga da certeza; ser entrevistada por uma menina de nove anos de idade que era a melhor jogadora de um time de futebol americano que, com exceção dela, era composto apenas por meninos; e conhecer uma estudante universitária latina, filha de imigrantes ilegais, que me entregou o seu cartão: CANDIDATA À PRESIDÊNCIA DOS ESTADOS UNIDOS, 2032.

Há também as dádivas naturais de uma vida na estrada. Por exemplo, ver a aurora boreal no Colorado, andar no Novo México sob um luar tão claro que a luz era forte o suficiente para revelar as linhas da palma da minha mão, ouvir a história de um elefante solitário no zoológico de Los Angeles que se reencontrou com um amigo elefante de muitos anos antes, ou me ver em uma Chicago debaixo de neve com uma lareira, uma amiga e uma razão para cancelar tudo.

De uma maneira mais confiável do que qualquer outra coisa no mundo, a estrada vai forçá-lo a viver o presente.

MINHA ÚLTIMA ESPERANÇA é abrir a estrada — literalmente. Até agora ela tem sido um território esmagadoramente masculino. Os homens personificam a aventura, as mulheres personificam o lar e a família, e tem sido basicamente assim.

Mesmo quando criança, percebi que a personagem Dorothy, de *O Mágico de Oz*, passa o tempo todo tentando voltar para casa, no Kansas, e que Alice, de *Alice no País das Maravilhas*, sonhou sua longa aventura e então acordou bem a tempo do chá.

De Joseph Campbell e sua "Jornada do Herói" aos heróis de Eugene O'Neill, que eram mantidos longe do mar por mulheres dependentes, eu tive poucas razões para acreditar que a estrada estava aberta para mim. No ensino médio, assisti a *Viva Zapata!*, a versão hollywoodiana da vida do grande revolucionário mexicano. Enquanto Zapata cavalga para o seu destino, sua mulher se agarra a suas botas, sendo arrastada na poeira, implorando que ele fique em casa. Como eu ainda não era capaz de admitir para mim mesma que estava mais interessada em ir para o mar e para a revolução do que em ficar em casa no papel de mãe ou esposa, jurei em silêncio que *nunca* seria um obstáculo para a liberdade de nenhum homem.

Até mesmo o dicionário define *aventureiro* como "uma pessoa que embarca em, gosta de ou busca aventuras", mas *aventureira* é "uma mulher que usa de meios inescrupulosos para obter riqueza ou posição social".

Quando as mulheres viajavam, elas quase sempre tinham um fim trágico, da Amelia Earhart real às personagens de ficção Thelma e Louise. Em muitas partes do mundo, até nos dias atuais, uma mulher pode ser punida ou até mesmo morta por desonrar sua família se sair de casa sem a companhia de um parente homem, ou se sair do seu país sem a permissão por escrito de um guardião homem. Na Arábia Saudita, as mulheres ainda são proibidas de dirigir automóveis, mesmo que seja até o hospital no caso de uma emergência, quem dirá para uma aventura. Durante os levantes democráticos da Primavera Árabe, tanto as cidadãs quanto as jornalistas estrangeiras pagaram o preço do abuso sexual por aparecerem em praça pública.

Como a romancista Margaret Atwood escreveu para explicar a ausência de mulheres em romances de busca de identidade, "provavelmente há uma razão simples para isso: envie uma mulher sozinha em uma jornada errante noturna e provavelmente ela terminará morta bem antes do que um homem terminaria".[3]

A ironia é que, graças à arqueologia molecular — que inclui o estudo de DNA antigo para traçar o movimento humano ao longo do tempo —, hoje sabemos que os homens eram os que ficavam em casa, e as mulheres eram as viajantes. O índice da migração intercontinental das mulheres é cerca de oito vezes maior do que o dos homens.[4]

Entretanto, essas jornadas eram com frequência viagens compulsórias só de ida em culturas patriarcais e patrilocais; ou seja, as mulheres estavam sob o controle masculino e também iam viver com a família do marido.

Em culturas matrilocais, os homens se juntavam à família da esposa — em cerca de um terço do mundo isso ainda acontece —, mas com um status idêntico, uma vez que essas culturas quase nunca eram matriarcais.

Diante de todos os terríveis e geralmente certeiros avisos sobre o perigo na estrada para as mulheres, coube ao feminismo moderno fazer a pergunta fundamental: *Comparado a quê?*

Seja em decorrência dos assassinatos por causa de dotes na Índia, das mortes em nome da honra no Egito ou da violência doméstica nos Estados Unidos, os números mostram que as mulheres têm maior probabilidade de serem agredidas e mortas em casa e por homens que elas conhecem. Estatisticamente falando, a casa é um lugar ainda mais perigoso para uma mulher do que a estrada.

Talvez o ato mais revolucionário para uma mulher seja partir em uma jornada por vontade própria — e ser recebida de braços abertos quando voltar para casa.

COMO VOCÊ VERÁ, ESTE livro conta a história não de uma ou de várias viagens, mas de décadas de viagens cujo ponto de partida era o eixo central da minha casa. Pode-se dizer que é a história de uma nômade moderna.

Além das viagens horizontais atravessando o país, você vai encontrar dois outros tipos de viagem: a viagem vertical para o passado do continente norte-americano, pelo qual eu e você estamos perambulando, e a viagem cultural entre e por pessoas e lugares muito diferentes.

Como este livro é sobre histórias, espero que você encontre alguma aqui que o leve a contar a sua própria, e que também fique contagiado pelo ato revolucionário de ouvir os outros.

Eu gostaria de poder imitar as escritoras de cartas chinesas de pelo menos mil anos atrás. Como eram proibidas de frequentar a escola, como seus irmãos, elas inventaram sua própria escrita — chamada *nushu*, ou "escrita feminina" —, a despeito da punição por criar uma linguagem secreta ser a morte.⁵ Elas escreviam cartas clandestinas e poemas de amizade umas para as outras, protestando bastante conscientemente contra as restrições de suas vidas. Como uma delas escreveu: "Os homens deixam o lar para desbravar o mundo lá fora. Mas nós, mulheres, não somos menos corajosas. Nós podemos criar uma linguagem que eles não conseguem entender."

Essa correspondência era tão preciosa para elas que algumas mulheres foram enterradas com suas cartas de amizade. Ainda assim, algumas sobreviveram para que pudéssemos ver que elas escreviam em uma coluna estreita no centro de cada página, deixando grandes espaços de margem para a correspondente acrescentar suas próprias palavras.

"Houve grandes sociedades que não usavam a roda", escreveu Ursula Le Guin, "mas não houve sociedade que não contasse histórias".

Se eu pudesse, deixaria um espaço em branco para a sua história em cada página.

I.

Os passos do meu pai

OS MEUS HÁBITOS DA ESTRADA FORAM HERDADOS.
Havia apenas alguns meses no ano em que meu pai parecia satisfeito com o tipo de vida que envolvia morar em uma casa. Todos os verões íamos para uma pequena casa que ele havia construído às margens de um lago no interior do Michigan, onde gerenciava um pavilhão de dança em um píer. Embora o oceano estivesse a centenas de quilômetros de distância, ele o batizou de Píer da Praia Oceânica e lhe deu o grandioso *slogan* "Dançando sobre as águas e sob as estrelas".
Nas noites durante a semana, as pessoas vinham das fazendas próximas e dos chalés de veraneio para dançar ao som de um *jukebox*. Meu pai bolava atrações como um jogo de xadrez vivo, inspirado por seu próprio amor ao xadrez, com adolescentes fantasiados se movendo pelos quadrados na pista de dança. Nos fins de semana, ele contratava as grandes bandas dançantes dos anos 1930 e 1940 para tocar naquele lugar remoto. As pessoas vinham de lugares tão distantes quanto Toledo

ou Detroit para dançar aquela música ao vivo em uma noite quente e enluarada. É claro que os gastos com artistas como Guy Lombardo e Duke Ellington ou as Irmãs Andrews significava que um fim de semana chuvoso podia custar todo o lucro do verão, por isso havia sempre a sensação de se estar apostando. E acho que meu pai amava isso também.

Tão logo o Dia do Trabalho decretava o fim desse precário estilo de vida, meu pai transferia seu escritório para o carro. Nas primeiras semanas amenas de outono, íamos de carro a leilões próximos, onde ele procurava por antiguidades entre os objetos de família e ferramentas de fazenda. Depois que minha mãe, com seus olhos mais bem treinados para identificar uma antiguidade e seus livros de referência, avaliava os itens para venda, entrávamos no carro novamente para vendê-los a antiquários de beira de estrada em qualquer lugar que ficasse a um dia de viagem de distância. Eu digo "nós" porque desde os quatro anos de idade, mais ou menos, eu assumi a função de empacotadora e desempacotadora de louças e outros pequenos itens que embrulhávamos em jornal e transportávamos em caixas de papelão pelas estradas do país. Cada um de nós tinha um papel na unidade econômica da família, incluindo minha irmã, nove anos mais velha que eu, que, no verão, vendia pipoca em uma barraquinha profissional que meu pai comprara para ela.

Quando a primeira geada transformava o lago em cristal e o ar acima do lago em vapor, meu pai começava a pegar mapas das estradas nos postos de gasolina, a testar o engate do trailer em nosso carro e a falar sobre prazeres distantes como os pralinês açucaradas da Geórgia, os sucos de laranja para beber à vontade das barraquinhas de beira de estrada na Flórida ou as postas de salmão fresco de uma defumadora na Califórnia.

Então um dia, como se tivesse sido tomado por um capricho repentino em vez do eterno prazer em viajar, ele anunciava que era chegada a hora de colocar o cachorro da família e outras coisas essenciais no trailer — que sempre ficava estacionado no nosso quintal —, e partir em nossa longa jornada para a Flórida ou para a Califórnia.

Às vezes, essa partida acontecia tão rápido que empacotávamos mais frigideiras do que pratos, ou deixávamos um monte de louça suja na pia e restos de comida na cozinha, que nos recebia como se fosse Pompeia quando retornávamos. A decisão do meu pai sempre parecia uma surpresa, muito embora o seu medo do chamado da sereia do lar fosse tão grande que ele se recusava a instalar um sistema de aquecimento ou água quente em nossa pequena casa. Quando o ar do início de outono ficava muito frio para tomarmos banho no lago, aquecíamos água em um fogão a lenha e nos alternávamos tomando banho em uma grande tina perto da lareira. Uma vez que para isso era necessário cortar lenha — um insulto à alma sibarita do meu pai —, ele montou um sistema de queima de lenha de sua própria autoria: enfiava a ponta de um longo pedaço de madeira no fogo e deixava que a outra ponta se projetasse para dentro da sala. Em seguida, ia chutando o pedaço de madeira para dentro da lareira até que todo ele virasse cinzas. Até mesmo uma pilha de lenha cortada no quintal devia parecer para ele um perigoso convite a criar raízes em um lugar.

Depois que se virava para sentir o vento no rosto, meu pai não gostava de hesitar. Só me lembro de ele ter voltado uma vez, e mesmo assim porque minha mãe teve que argumentar energicamente que o ferro poderia estar queimando a tábua de passar. Ele era capaz de comprar um rádio novo, sapatos novos, quase tudo novo, só para não ter que voltar pelo caminho já percorrido.

Na época, eu não questionava essa espontaneidade. Era parte do ritual familiar. Hoje fico pensando se os sinais sazonais estariam programados no cérebro humano. Afinal, fomos uma espécie migratória por quase todo o nosso tempo na Terra, e a ideia de uma vida enraizada em um determinado lugar é muito nova. Se os pássaros são capazes de abandonar seus filhotes para não perder o momento de iniciar um voo de milhares de quilômetros, quais sinais migratórios nossas próprias células ainda retêm? Talvez meu pai — e até mesmo minha mãe, embora ela tenha pagado um preço muito mais alto por nossas andanças — tivesse escolhido uma vida na qual esses sinais ainda pudessem ser ouvidos.

Meus pais também viviam com o que produziam — do jeito deles. Nunca começávamos a viagem com dinheiro suficiente para chegar ao nosso destino; não tínhamos nem perto do suficiente. Em vez disso, pegávamos caixas de porcelana, prataria e outras pequenas antiguidades que conseguíamos nos leilões do interior e as usávamos para dar início ao processo de compra, venda e troca em nosso caminho pela rota sul em direção à Califórnia, ou ainda para o extremo sul, em direção à Flórida e ao Golfo do México. Era um padrão que começara anos antes de eu nascer, e meu pai conhecia cada negociante dos antiquários de beira de estrada ao longo do caminho, como os viajantes do deserto conhecem cada oásis. Ainda assim, havia sempre novas lojas ou lojas que estavam sob nova administração, e deve ter sido necessário coragem para dirigir nosso carro rebocando nosso trailer empoeirado, sabendo que parecíamos menos com negociadores de antiguidades do que com migrantes forçados a vender a herança da família. Se um dono de loja nos tratava com muito desdém, meu pai não se importava em deixar que ele pensasse que realmente estávamos vendendo nossos bens. Depois, quando voltava para o carro, recuperava a dignidade ao nos contar em detalhes sua vitória.

Como meus pais acreditavam que viajar era uma educação por si só, eu não frequentava a escola. Minha irmã adolescente se matriculava em qualquer escola secundária que ficasse próxima do nosso destino, mas eu era nova o suficiente para me safar apenas com o meu amor por quadrinhos, histórias sobre cavalos e Louisa May Alcott. Ler no carro era tanto a minha viagem pessoal que, quando minha mãe exigia que eu colocasse o livro de lado e olhasse pela janela, eu reclamava: "Mas eu acabei de olhar uma hora atrás!" É verdade que foi com a sinalização da estrada que aprendi a ler — cartilhas perfeitas, se você parar para pensar. CAFÉ vinha acompanhado de uma xícara fumegante, para CACHORRO-QUENTE e HAMBÚRGUER havia ilustrações, uma cama significava HOTEL, desenhos alertavam para PONTE ou HOMENS TRABALHANDO NA ESTRADA. Também havia a mágica da rima. Uma marca de creme de barbear colocara pequenos letreiros em intervalos ao longo da estrada, e a antecipação da rima era o que me mantinha lendo:

Se você
não sabe
de quem é
esse letreiro
então não deve
ter andado
o mundo inteiro.
Creme de Barbear Burma.

Mais tarde, quando li que Isak Dinesen recitava poemas em inglês para os trabalhadores kikuyu de sua propriedade no Quênia — e que eles pediam que os repetisse diversas vezes, mesmo que não entendessem uma palavra —, eu entendi exatamente o que eles queriam dizer. A rima, por si só, é mágica.

Dessa forma, avançávamos em meio a chuva e tempestades de areia, ondas de calor e ventos frios, uma pequena parte de uma migração de nômades norte-americanos. Comíamos em lanchonetes onde elaborei o projeto de vida de um dia gerenciar uma, com cortinas quadriculadas azuis e *muffins* integrais. No carro, durante o dia, ouvíamos radionovelas, e à noite, meu pai cantava canções populares para se manter acordado.

Eu me lembro do cheiro pungente dos postos de gasolina, onde homens vestindo macacões emergiam de debaixo dos carros, limpando as mãos em trapos oleosos e nos conduzindo para dentro de um mundo misterioso e masculino. Do lado de dentro, havia banheiros que não eram para os frescos ou para os fracos. Do lado de fora, tinas de gelo de cujas profundezas molhadas meu pai tirava uma Coca-Cola, que bebia de um único e impressionante gole, e onde depois procurava por meu adorado refrigerante de uva, que eu bebia devagar até minha língua ficar roxa. Os atendentes eram homens de poucas palavras, porém ofereciam de graça seus conhecimentos sobre a estrada e o tempo, cobrando apenas pela gasolina que vendiam.

Penso neles agora como membros de uma tribo ao longo de uma rota de trocas, ou fornecedores de caravanas onde o Níger entra no Saara, ou fabricantes de velas que serviam os navios de especiarias de Trivandrum. E me pergunto: Estariam eles felizes com seu papel, ou aquilo seria o mais próximo de uma vida na estrada que eles poderiam chegar?

Eu me lembro do meu pai dirigindo por estradas desertas feitas de tábuas conectadas umas às outras, e apenas um ocasional ninho de cascavel ou um posto de gasolina com somente uma bomba para quebrar a monotonia. Parávamos em cidades fantasmas que tinham sido abandonadas pelas pessoas e víamos dunas de areia que empurravam edificações que começavam a desabar e que às vezes mudavam de lugar, revelando uma caixa de correio de bronze ou outros tesouros. Eu colocava as mãos nas tábuas desgastadas, tentando imaginar as pessoas que um dia elas abrigaram, enquanto meus pais seguiam o caminho mais confiável de pedir informação aos moradores locais. Uma das cidades morrera lentamente depois que a primeira estrada de asfalto fora construída muito longe dali. Outra havia sido abandonada por medo depois que uma série de assassinatos misteriosos foram atribuídos ao xerife. Uma terceira estava sendo ocupada novamente como um set de filmagem para um filme de faroeste estrelando Gary Cooper, com prédios falsos empapados de querosene para criar um incêndio impressionante e placas por todos os lados para manter os curiosos longe.

Sempre instigado pelas regras, meu pai nos levou pela estrada até um local onde havia uma falha na cerca e nos colocou para dentro do set. Talvez presumindo que tínhamos permissão de gente do alto escalão, a equipe nos tratou com deferência. Ainda tenho uma foto que meu pai tirou na qual estou a alguns metros de Gary Cooper, que olha para mim achando graça, minha cabeça mais ou menos na altura dos joelhos dele, meu olhar preocupado fixo no chão.

Como eu era uma criança que queria muito pertencer a algum lugar, eu me preocupava com a possibilidade de um dia sermos abandonadas como uma daquelas cidades, ou de que o gosto por quebrar regras do meu pai resultasse em alguma punição inominável. Porém, hoje me pergunto: Sem aquelas cidades fantasmas que permaneceram na minha imaginação por muito mais tempo do que qualquer lugar habitado, será que eu saberia que o mistério deixa um espaço para nós que a certeza não deixa? E teria tido a coragem, mais tarde, de desejar regras se meu pai as tivesse obedecido?

Quando podíamos, trocávamos os frios banheiros de concreto dos parques para trailers por nos revezarmos tomando um banho quente em um hotel de beira de estrada. Depois, geralmente íamos a algum cinema local, um lugar grande e com balcões que em nada se assemelhavam às salas de projeção de hoje, que mais parecem tocas de coelhos. Meu pai sempre dizia que um filme e um *milk-shake* de leite maltado eram capazes de curar qualquer coisa — e ele não estava errado. Nós atravessávamos a calçada que brilhava por causa da mica, entrávamos no saguão dourado com fontes onde os cinéfilos jogavam moedas para ter sorte e retornar no futuro, e deixávamos nossas preocupações para trás. Naquele enorme espaço escuro cheio de desconhecidos, todos olhando para imagens enormes e brilhantes, nós nos entregávamos a um outro mundo.

Agora eu sei que tanto as salas de cinema quanto os filmes eram fantasias criadas por Hollywood na época da Depressão, o único tipo de aventura pela qual a maioria das pessoas podia pagar. Penso nisso sempre que vejo alguém no metrô imerso na leitura de algum livro de mistério, o tipo de leitura que a mãe de Stephen King chamava de "férias boas e baratas" — e por isso ele ainda as escreve para ela. Penso nisso quando vejo crianças concentrando todos os cinco sentidos em imagens virtuais on-line, ou quando passo por uma casa com uma antena parabólica no telhado quase tão grande quanto a própria casa, como se o mais importante fosse a capacidade de escapar. O escritor viajante Bruce Chatwin escreveu que nosso passado nômade sobrevive em nossa "necessidade de distração, em nossa obsessão pelo novo". Em muitas línguas, a palavra que corresponde a *ser humano* significa "aquele que migra". Até mesmo a palavra *progresso* tem raízes em uma jornada sazonal. Talvez a nossa necessidade de escapar para as mídias seja um deslocamento do desejo de sair em uma jornada.

Acima de tudo, das minhas viagens de infância, eu me lembro da primeira brisa salgada quando nos aproximávamos do nosso destino. Em uma estrada na Califórnia com vista para o Pacífico ou em uma ponte na Flórida cortando o Golfo do México como Moisés dividiu o Mar Vermelho, saíamos de nosso carro apertado, nos alongávamos e enchíamos os pulmões em uma ontogenia do nascimento. Melville disse certa vez que todos os caminhos levam ao mar, a fonte de toda vida. Isso transmite a sua grandiosidade — mas não a alegria que ele proporciona.

Anos depois, vi um filme sobre uma mulher prostituída em Paris que economiza dinheiro para levar a filha pequena para passar as férias à beira-mar. Quando o trem cheio de trabalhadores em que estão contorna um penhasco, as águas brilhantes e infinitas se estendem abaixo delas e, de repente, todos os passageiros começam a rir, abrem as janelas e começam a largar cigarros, moedas, batons: tudo de que achavam que precisavam momentos antes.

Era esse tipo de alegria que eu sentia quando era uma criança nômade. E sempre que a estrada me presenteia com sua maior dádiva — um momento de comunhão com tudo ao meu redor —, ainda sinto essa mesma alegria.

OUTRA VERDADE SOBRE MINHAS primeiras andanças é mais difícil de admitir: eu sentia falta de uma casa. Não era um lugar específico, mas uma mítica casa organizada com pais convencionais, uma escola para a qual eu pudesse ir andando e amigos que morassem por perto. Meu sonho guardava uma suspeita semelhança com a vida que eu via nos filmes, mas meu desejo por isso era mais como uma constante febre baixa. Nunca parei para pensar que crianças que viviam em casas organizadas e frequentavam escolas convencionais pudessem ter inveja de mim.

Quando eu tinha mais ou menos dez anos, meus pais se separaram. Minha irmã ficou arrasada, mas eu nunca tinha entendido como duas pessoas tão diferentes haviam se casado, para começo de conversa. Minha mãe com frequência se preocupava tanto que entrava em depressão, e o hábito do meu pai de hipotecar a casa, ou de se endividar e não contar nada a ela, não ajudava. Além disso, o racionamento da gasolina por causa da guerra forçou o fechamento do Píer da Praia Oceânica, e meu pai ficava na estrada quase todo o tempo, comprando e vendendo joias e pequenas antiguidades para sobreviver. Ele sentia que não podia mais cuidar da minha às vezes incapacitada mãe. Além disso, ela queria morar perto da minha irmã, que estava terminando a faculdade em Massachusetts, e agora eu tinha idade suficiente para fazer companhia a ela.

Alugamos uma casa em uma cidade pequena e passamos a maior parte de um ano letivo lá. Foi a vida mais convencional que levamos. Depois que minha irmã se formou e foi embora por causa do seu primeiro emprego de verdade, eu e minha mãe nos mudamos para East Toledo, para uma antiga casa de fazenda na qual a família dela tinha morado. Como acontece com todas as coisas inferiores, aquela parte da cidade tinha ganhado um adjetivo, enquanto o resto se apropriou do nome principal. O que antes era uma área rural agora estava apinhado de pequenas casas de operários. Elas cercavam a nossa casa condenada e quase inabitável por três lados, com uma via expressa importante, por onde passavam caminhões que faziam tremer nossas janelas, cortando o jardim da frente. Ali naquele pedaço de sua infância, minha mãe desapareceu mais e mais dentro do seu mundo invisível e infeliz.

Eu vivia preocupada que ela pudesse sair vagando pelas ruas, ou que se esquecesse de que eu estava na escola e ligasse para a polícia para me procurar — coisas que, em algum momento, acabaram acontecendo. Mesmo assim, eu achava que estava conseguindo esconder tudo isso dos meus novos amigos. A maioria era discreta no que dizia respeito à família por alguma razão — por falarem apenas polonês ou húngaro em casa, por causa de um pai que bebia demais ou um parente desempregado que estava dormindo no sofá. Por um acordo tácito, costumávamos nos encontrar nas esquinas. Só muitos anos mais tarde eu me encontraria com uma colega do ensino médio que me confessaria que sempre se preocupara comigo e que minha mãe era conhecida como Maluca na vizinhança.

Durante aqueles anos, minha mãe me contou mais sobre sua juventude. Muito antes de eu nascer, ela tinha sido uma rara e pioneira repórter mulher, um trabalho que amava e que fazia tão bem, que foi promovida de repórter social a editora dominical de um dos maiores jornais de Toledo. Ela permaneceu nesse caminho por uma década depois de se casar com meu pai, e por seis anos após o nascimento da minha irmã. Ela também bancava os sonhos impraticáveis e as dívidas do marido, sofreu um aborto seguido de um filho natimorto e se apaixonou por um colega do trabalho — talvez o homem com quem deveria ter se casado. Tudo isso culminou em tanta recriminação e sentimento de culpa, que ela sofreu o que na época chamavam de colapso nervoso. Passou dois anos em um sanatório e saiu de lá com um sentimento de culpa ainda maior por ter deixado minha irmã aos cuidados do pai. Ela também ficara viciada em um líquido sedativo escuro chamado hidrato de cloral. Sem ele, podia ficar dias seguidos sem dormir e ter alucinações. Com ele, sua fala ficava arrastada e sua atenção, lenta. Depois que saiu do sanatório, minha mãe abriu mão do emprego, dos amigos e de tudo o que ela amava para seguir o meu pai até uma área rural isolada de Michigan, onde ele estava se dedicando a seu sonho de construir um resort de veraneio. Dessa forma, ela se tornou a mãe que eu conheci: gentil e amorosa, com acessos de humor e talento para tudo, de matemática a poesia, mas ao mesmo tempo insegura e instável.

Enquanto eu morava com ela em Toledo, meu pai dirigia pela região do Sun Belt, o Cinturão do Sol, praticamente morando no carro. Uma vez a cada verão, ele dirigia de volta para o Meio-Oeste para nos ver, mas suas visitas sempre dependiam de seus negócios misteriosos. Uma vez ele me escreveu sobre um conto cujo personagem principal estava sempre esperando pelo Grande Negócio, uma história que ele dizia que poderia ter sido sobre ele. Entre as visitas, enviava cartões-postais assinados "Pai", ordens de pagamento mensais no valor de cinquenta dólares dentro de envelopes de hotéis de beira de estrada e cartas escritas no que era sua concepção de papel timbrado, folhas grossas com as bordas irregulares, sem endereço e sem seu primeiro nome — que era Leo —, em cujo topo estava escrito em grandes e escandalosas letras vermelhas: "É Steinemite!"

Esse estilo de vida terminou quando eu tinha dezessete anos, e nossa casa de Toledo foi vendida para dar lugar a um estacionamento, uma venda que minha mãe planejara havia muito tempo para que eu tivesse dinheiro para pagar a faculdade. Minha irmã foi até lá durante a visita do meu pai naquele verão porque tinha um plano: se ele se responsabilizasse por cuidar da nossa mãe por um ano, eu poderia morar com minha irmã em Washington, D.C., onde ela trabalhava como compradora de joias em uma loja de departamentos. Isso me proporcionaria um último ano do ensino médio livre de preocupações.

Eu disse à minha irmã que nosso pai nunca aceitaria — e quando nós três saímos juntos para tomar café da manhã, foi exatamente o que ele disse. Depois que ela extravasou sua raiva, meu pai me deu carona até o lugar onde eu trabalhava como vendedora durante o verão. Ao abrir a porta do carro para ir trabalhar, surpreendi a nós dois ao começar a chorar. Eu não fazia ideia de que um raio de esperança havia penetrado em mim. Como ele não suportava ver ninguém chorando — menos ainda a filha que conhecia sobretudo como uma criança —, ele relutantemente concordou, mas apenas se sincronizássemos nossos relógios para dali a exatamente um ano.

De alguma forma, meu pai conseguiu cuidar da minha mãe, mesmo enquanto dirigia pela Califórnia, de um hotel de beira de estrada para outro. Eu tive um ano maravilhoso terminando o ensino médio, sendo alvo de compaixão por estar sem meus pais e, secretamente, me sentindo livre.

Quando nosso pai trouxe nossa mãe para Washington para viver com minha irmã e eu — e depois que me mudei para cursar a faculdade, no outono —, minha irmã se deu conta de que não poderia fazer as duas coisas: trabalhar e ser uma cuidadora em tempo integral. Como alternativa, encontrou um médico de bom coração em um hospital psiquiátrico perto de Baltimore que internou nossa mãe como residente e começou a dar a ela parte da ajuda que deveria ter recebido muitos anos antes.

Quando eu a visitava nos finais de semana de folga do meu emprego de verão e, depois, nas férias da faculdade, aos poucos comecei a ver uma pessoa que eu não conhecia. Descobri que éramos parecidas em muitas coisas — algo que eu ou não tinha percebido ainda, ou não admitia, com medo de ter o mesmo destino que ela. Soube que os poemas que eu me lembrava de ouvi-la recitar de cor eram de Edna St. Vincent Millay e Omar Khayyam; que, ao me ensinar a dobrar uma folha de papel ofício em três colunas para fazer anotações, ela partilhara comigo uma ferramenta de seu ofício de jornalista; e que em determinada ocasião ela desejara com todas as forças deixar meu pai e ir com uma amiga tentar a sorte como jornalista em Nova York. Enquanto olhava para seus olhos castanhos, vi, pela primeira vez, como eles eram parecidos com os meus.

Se eu insistia e perguntava: "Mas por que você não foi? Por que não pegou a minha irmã e foi para Nova York?", ela dizia que não importava, que ela tinha sorte por ter minha irmã e eu. Se eu insistisse bastante, ela acrescentava: "Se eu tivesse ido embora, você nunca teria nascido."

Eu nunca tive coragem de dizer: *"Mas você teria nascido no meu lugar."*

NA FACULDADE, EU MORAVA em um dormitório, feliz por não ser responsável por ninguém mais além de mim. Acho que meus colegas de classe ficavam perplexos diante da minha animação permanente e a confundiam com alguma peculiaridade esquisita do centro-oeste.

Passei um ano da graduação na Europa, fingindo que estava estudando quando na verdade estava viajando, porque tinha certeza de que nunca mais voltaria lá. Depois de me formar, vivi por um verão com minha mãe, que estava bem o suficiente para primeiro morar em uma casa compartilhada e depois com minha irmã, que havia se casado e arrumara um cantinho para nossa mãe na casa dela. Depois fui para a Índia com uma bolsa de estudos e passei quase dois anos lá, viajando sem destino e escrevendo.

Voltei aos Estados Unidos, porém, não conseguia encontrar um emprego que usasse o que eu havia aprendido lá fora. Perambulei um pouco mais, trabalhei em políticas estudantis e por fim comecei a ganhar a vida como escritora *freelancer* em Nova York, sempre no território familiar do temporário. Encontrei um apartamento e alguém com quem dividi-lo, mas continuei vivendo em meio a caixas e malas. Nas ruas da cidade, costumava olhar para as janelas iluminadas e repetir o mantra da minha infância: *Todo mundo tem uma casa, menos eu.*

Nessa época, minha mãe trabalhava durante meio período em uma loja de presentes perto de onde morava com a minha irmã e se dedicava a interesses que incluíam filosofia oriental e uma igreja episcopal que ela adorava porque permitia que os mendigos dormissem nos bancos. Minha mãe nunca ia poder viver por conta própria, mas, quando me visitou em Nova York, pareceu igualmente orgulhosa e assustada ao ver que eu estava onde ela um dia desejou estar.

POR MEIO DOS CARTÕES-POSTAIS do meu pai, fiquei sabendo que ele havia retomado seu sonho de trabalhar no *show business* ao se tornar empresário de um jovem cantor pop italiano. Ele levava o cantor e a mulher dele em seu carro para shows em bares e restaurantes de beira de estrada, mas o artista recebeu poucos convites para voltar, não gravou nenhum disco e, de acordo com meu pai, comia muito, assim como a esposa. Meu pai o mandou de volta para seu emprego em uma fábrica de aeronaves e se tornou um viajante solitário novamente.

Quando ficou sabendo que era possível comprar pedras semipreciosas na América Latina por um preço baixo, vendeu o carro para custear uma viagem para lá. Quando chegou ao Equador, porém, vivenciou um terremoto, encontrou poucas barganhas e conheceu uma alemã que queria se casar com um cidadão norte-americano para poder entrar no país, algo que ele não me contou até que eles tivessem se divorciado. Também fez o único comentário íntimo que ouvi de sua boca em toda a nossa vida juntos: "Sabe quando as pessoas dizem que você perde o interesse por sexo depois dos sessenta? Bem, não é verdade."

Quando descobriu que seria responsável financeiramente pela ex--mulher nos Estados Unidos, ele exigiu que ela fosse embora e retornasse por conta própria — e teve sorte por ela estar disposta a fazê-lo. No fim das contas, terminou sua aventura latino-americana mais falido do que quando começara.

Mais tarde, essa mulher que por tão pouco tempo fora minha madrasta me telefonou para saber para onde poderia enviar um cartão de aniversário para o meu pai. Eu estava vivendo longe dele havia tanto tempo que esquecera o treinamento de infância para nunca, jamais dizer nada além de: "Papai não está em casa." Afinal, a pessoa ao telefone podia ser alguém cobrando uma dívida. É incrível a rapidez com que nos adaptamos a uma forma de vida e a rapidez com que podemos esquecê-la. Eu acabei contando a ela para onde poderia enviar o cartão. Isso fez com que meu pai, que quase sempre era um coração mole, gritasse comigo de um telefone público distante: "Como você pôde fazer isso?"

Ele tinha certeza de que ela só estava atrás de dinheiro.

Em suas viagens anuais para o leste, no entanto, meu pai era a mesma pessoa alegre e bondosa de sempre. Só se preocupava com duas coisas: evitar o fisco (fazia anos que ele não pagava impostos nem fazia a declaração de renda) e lidar com pequenos problemas de saúde que o atormentavam. Pesando mais de 135 quilos, tinha veias dilatadas nas pernas que, brincando, chamava de "várias-raízes", além de dificuldade de se locomover para qualquer lugar fora do seu carro, como uma baleia fora d'água. Mesmo assim, nunca deixou de patrocinar as melhores sorveterias e todos os restaurantes com bufê livre de ponta a ponta, ou de dirigir até mesmo para ir à esquina enviar uma carta. E nunca desistiu de seus sonhos e de seus negócios.

Certa vez ele me fez jurar que ia manter segredo sobre sua ideia de uma rede de hotéis de beira de estrada chamada Motéis Bronze Ar. Cada apartamento teria um telhado retrátil que os clientes poderiam abrir para tomar sol com privacidade. Outra vez ele me contou sobre uma fórmula altamente confidencial de suco de laranja que ia rivalizar com os sucos Orange Julius. Na maior parte das vezes, porém, ele apenas enviava slogans para agências de publicidade — por carta registrada, de modo que ninguém pudesse roubar sua ideia —; por exemplo: "Deixe o trabalho sujo para o papel higiênico Scott", ou "Cigarros Old Gold: se você aprecia fumar, faça com que cada cigarro valha ouro". Quando suas ideias não eram aceitas, ele simplesmente bolava outras.

Depois que me formei na faculdade com uma chave Phi Beta Kappa,* meu pai passou a se preocupar com o meu destino como uma mulher excessivamente educada. Ele achava que um diploma universitário era bom mas desnecessário para qualquer um de nós. Uma vez me enviou um anúncio da revista *Variety*, a bíblia do *show business* para ele, no qual mulheres com menos de 24 anos e com mais de um metro e setenta, com uma chave Phi Beta Kappa, eram requisitadas para dançar em Las Vegas em um corpo de balé que se chamaria Olá, Phi Betas. No recorte do anúncio, ele escrevera em vermelho: "Filhota" — que era como ele sempre me chamava —, "isso é perfeito para você!"

---

* A chave Phi Beta Kappa é uma chave dourada na qual estão gravadas as imagens de um dedo apontando, três estrelas e as letras gregas que dão nome à Sociedade Phi Beta Kappa. A estrelas simbolizam a ambição dos alunos e os três princípios característicos da sociedade: amizade, moral e aprendizagem. (*N. da T.*)

Quando, em vez de responder ao anúncio, decidi ir para a Índia, meu pai teve outra ideia. Ele me enviou oitocentos dólares para comprar uma safira estrela na minha viagem de volta pela Birmânia. Ele me encontraria quando meu barco atracasse em São Francisco e com o lucro que obteria com a venda da pedra custearia nossa viagem de volta à costa leste em grande estilo. Quando emergi, juntamente com trezentos chineses, dos alojamentos da terceira classe — a forma mais barata de voltar para casa —, ele estava me esperando com a sua lupa de joalheiro. De cara viu que eu escolhera uma estrela torta. Quando eu estava na faculdade, ele havia melhorado o aspecto da minha aliança de noivado (que teve vida curta) mergulhando-a em água que tornara azulada ao agitar dentro dela um lápis cópia, o que fez com que o diamante amarelado parecesse transparente. O problema da estrela, porém, era algo que ele não poderia consertar. Sabia que teria sorte se conseguisse recuperar o investimento.

Sem se deixar abater, ele se ofereceu para me apresentar a um amigo que fabricava latas de aerossol e que poderia me dar um emprego como vendedora dessa nova invenção pelo país. Eu seria paga para viajar — aos olhos do meu pai, esse era o melhor dos mundos. Quando recusei essa oferta também, ele disse que tinha dinheiro suficiente para pagar a gasolina e a nossa comida até Las Vegas. Preocupada, perguntei o que aconteceria depois disso. Ele respondeu: "Então você terá sorte nas máquinas caça-níqueis, os principiantes sempre têm, e pode me ajudar a vender joias na estrada no caminho de volta para a costa leste."

Em um cassino sem janelas de Las Vegas, cheio de apostadores silenciosos e máquinas barulhentas, ele me entregou um balde de cinquenta dólares em moedas. Depois de algumas horas vendo frutas girarem e sem ter a menor ideia do que estava fazendo, eu havia multiplicado nosso dinheiro por cinco. Só então ele confessou que aqueles eram seus últimos cinquenta dólares. Para comemorar, nos entupimos com a comida dos cassinos, que é barata para atrair os apostadores, assistimos a um show de graça usando seu método testado e aprovado de simplesmente entrar depois que a apresentação já tivesse começado havia algum tempo, e pegamos a estrada novamente.

Como eu ganhara dinheiro suficiente apenas para sairmos de Nevada, o próximo plano dele era vender joias para lojas de cidades pequenas ao longo da rota leste. Ele tinha certeza de que se eu estivesse usando, digamos, um anel e um broche ou uma pulseira quando entrássemos em uma loja de joias, os donos iriam achar que estavam fazendo um excelente negócio à custa de um pai e uma filha em dificuldades financeiras. Era a mesma técnica que costumava usar com negociantes de antiguidades condescendentes na minha infância. Além disso, como meu pai observou, as lojas de fato estavam conseguindo uma barganha. Essa tática funcionou bem o bastante para pagar pela gasolina, por comida e por hotéis de beira de estrada por todo o caminho até Washington, D.C., onde minha mãe e minha irmã esperavam por nós.

Muito tempo depois, quando vi a dupla formada por pai e filha no filme *Lua de papel*, essa viagem, com todo o seu precário otimismo, voltou à minha memória, assim como a alegria do meu pai em desafiar o destino. Só então me dei conta de que nós de fato *éramos* um pai e uma filha em dificuldades financeiras. E ele transformara as nossas dificuldades em um jogo que podíamos vencer.

A VIDA NÔMADE DO meu pai continuou até ele ter quase 64 anos.

"Se alguma vez sofrermos um acidente em uma via expressa", ele me dissera quando eu era criança, "saia do carro e corra: os carros vêm rápido demais para parar."

Em uma via expressa na periferia urbana de Orange County, na Califórnia, foi exatamente isso o que aconteceu com ele. O carro do meu pai foi atingido na lateral com tanta força que a porta do motorista ficou emperrada e ele ficou preso ao volante, enquanto o carro girava na direção do fluxo de veículos. Sem poder se mover — muito menos sair e correr —, foi atingido por outro carro.

De um hospital que era pouco mais do que um posto de combate às margens da via expressa, um médico deixou uma mensagem para mim em Nova York. Meu pai devia ter dado a ele meu número, pois sabia que minha irmã não poderia deixar os filhos pequenos, que minha mãe não podia viajar sozinha, de forma que eu era a ajuda mais lógica. Mas eu também era filha do meu pai. Estava fora do país, viajando, incomunicável.

Quando cheguei em casa, dias depois, o médico já tinha conseguido falar com a minha irmã. Ela sugeriu que eu viajasse para lá dali a uma semana, quando meu pai ia estar pronto para sair do hospital e precisaria de ajuda em seu quarto mobiliado.

Acho que pressenti que deveria viajar imediatamente, mas, de certo modo, o acidente parecia uma parte normal da vida do meu pai na estrada, nada com que devêssemos nos preocupar muito. Além disso, senti uma pontada de medo de que, se fosse para a Califórnia, eu acabasse me tornando a cuidadora do meu pai, como fui da minha mãe — e nunca voltaria para minha própria vida.

Alguns dias antes do qual eu planejara ir, o médico telefonou para a minha irmã para avisar que o quadro do nosso pai havia piorado devido a um sangramento interno. Peguei o primeiro voo para Los Angeles, mas, quando estava trocando de aeronave em Chicago, fui chamada ao telefone. Era a minha irmã. O médico telefonara novamente. Houvera uma grande hemorragia interna — nosso pai tinha morrido.

Quando cheguei ao hospital, encontrei apenas um envelope pardo com os poucos pertences dele, e um médico que parecia mal conseguir controlar sua raiva em relação ao fato de que nenhum familiar tivesse estado presente na ocasião. Meu pai sucumbira a úlceras de estresse que jorravam, disse ele, mais letais do que as lesões do acidente. Eu não sei se estava ouvindo com os ouvidos de filha ou se estava me dando conta de um fato, mas achei que ele estava dizendo que o sangramento fatal havia sido causado não pelo acidente, mas sim por trauma, estresse e desespero.

Foi algo que nunca tive coragem de contar à minha irmã. Era algo que eu nunca esqueceria.

Ainda assim, achei que era capaz de cuidar de todos os procedimentos necessários no hospital sem desabar. E fui — até segurar a carteira surrada do meu pai nas mãos, o couro moldado na forma da curva do corpo dele ao longo de anos no bolso de trás enquanto ele dirigia pelas estradas. Ainda posso senti-la.

Nunca vou parar de desejar ter estado com ele. Vou sempre me perguntar: Sozinho em um hospital, de onde dava para ouvir a via expressa, ele teria trocado a liberdade da estrada pela presença da família e de amigos? Depois de passar a vida acreditando que podia haver algo incrível depois de cada esquina, será que pela primeira vez ele teria se dado conta de que não haveria mais esquinas para virar?

Será que ele se arrependeu de ter criado uma filha viajante?

DURANTE A MINHA INFÂNCIA, acho que eu e meu pai por muitas vezes nos sentíamos como se estivéssemos sozinhos na nossa jornada. Minha mãe ficava deitada no trailer atrás de nós e minha irmã com frequência estava longe, na escola. Como o capitão de um navio muito frágil, ele se voltava para mim em busca de companheirismo, da mesma maneira que fazia quando eu o ajudava a embalar e desembalar antiguidades. Mesmo assim, eu não estava com ele no fim. Será que esse era um destino fruto das escolhas dele? Das minhas? Das nossas?

Não tenho respostas. Há apenas perguntas que devo responder por mim mesma. Qual é o equilíbrio entre a casa e a estrada? Entre o lar e o horizonte? Entre o que é e o que poderia ser?

Eu só sei que não consigo imaginar meu pai tendo nenhum outro tipo de vida. Quando o vejo em minha memória, ele é sempre o viajante, comendo em uma lanchonete em vez de em uma sala de jantar, tirando as roupas de dentro de uma mala em vez de um armário, procurando por sinais de "TEMOS VAGAS" em hotéis de beira de estrada em vez de uma casa, fazendo trocadilhos em vez de fazer planos, escolhendo a espontaneidade em vez da segurança.

Até mesmo o argumento que usou para convencer a minha mãe a se casar com ele foi: "Vai levar apenas um minuto." Ir ao cinema não era algo planejado. Em vez de olhar os horários das sessões no jornal, ele entrava no carro e saía dirigindo, olhando os letreiros de cada cinema em um raio de quilômetros. Levei anos para aprender que as outras pessoas não entravam simplesmente em uma sala de cinema e ficavam lá até que o filme atingisse o mesmo ponto novamente.

Eu me lembro dele escolhendo o caminho mais rápido, e não o que tinha a vista mais bonita, em favor do qual a minha mãe sempre argumentava. Quando passávamos por um estado onde tinha amigos, ele nunca telefonava antes; simplesmente aparecia. Não planejava nem mesmo os jogos de pôquer e de xadrez que tanto amava, mas os encontrava por acaso. Ele encontrava conforto no fato de não saber como seria o futuro. Como sempre dizia: "Se eu não sei o que vai acontecer amanhã, pode ser que seja maravilhoso!"

Quando imagino o som da voz dele ao telefone, é apenas depois de ouvir um operador de chamadas de longa distância dizendo: "Por favor, coloque..." E o som de moedas caindo.

Ele era um velejador, não aquele que fazia as velas. Não ficaria para trás em um porto ou em um oásis enquanto os navios e as caravanas passavam. Ele estava sempre seguindo em frente.

Eu tinha 27 anos quando ele morreu. Tinha morado fora e viajado por outros países, mas ainda não tinha viajado pelo meu país por conta própria. Acho que ele sabia que eu ainda me ressentia das nossas peregrinações. A lembrança que ele tinha de mim era apenas a de uma criança com a cabeça enfiada em um livro, que se recusava a cantar junto com ele suas animadas interpretações de canções da Primeira Guerra Mundial, que pedia para ele dirigir devagar quando passávamos por casas bonitas e lamentava em voz alta que não morássemos ali. Temo que ele soubesse que, quando criança, eu sonhava que era adotada e que um dia meus verdadeiros pais iam aparecer e me levar para uma casa, com uma cama com dossel e um cavalo para cavalgar.

Na faculdade, eu tentava evitar o constrangimento da nossa família atípica garimpando de nossa vida esquisita histórias como:

- Meu pai não conseguia ficar sem dizer palavrões, e minha mãe havia pedido para que ele não falasse palavras de baixo calão perto das filhas, então ele batizou nosso cachorro de Maldição. Quando sentia que precisava de algo mais forte, ele inventava sua própria e enorme palavra composta, que pronunciava super rápido: "DeuscaceteCaloramorbusAntonioCanovaCipiãoAfricanooMaisVelhooMaisNovooDeMeia-Idade". Mais tarde, quando descobri que Antonio Canova era um escultor italiano do século XIX, que Cipião Africano, o mais velho, havia derrotado Aníbal, e que Cipião Africano, o mais novo, havia saqueado Cartagena, fiquei impressionada. Mas quando perguntei por que ele havia escolhido esses nomes, ele disse: "Eu apenas gostava do som deles."

- Em casa, no interior do Michigan, nós estávamos perdendo nosso programa noturno favorito por causa do rádio quebrado, e meu pai apostou com minha mãe que poderia trocá-lo, embora não houvesse nenhuma loja em um raio de quilômetros e, mesmo que houvesse, todas estariam fechadas. Ele entrou no carro e voltou em uma hora com um rádio enorme e novinho em folha. Nunca nos contou como o conseguiu.

- Como era um especialista em *milk-shakes* maltados supercremosos, ele conhecia todas as melhores fontes à beira da estrada de costa a costa. Também sabia que, quando dois clientes entravam na lanchonete juntos, cada um recebia metade do conteúdo de um copo de liquidificador, no qual cabiam perfeitamente duas porções. Um cliente sozinho, entretanto, ficava com o que restasse no fundo do copo. Era por isso que ele me dava dinheiro enquanto ainda estávamos sentados no carro e me dizia para ir até a lanchonete, pedir o meu próprio *milk-shake* e, quando ele entrasse lá alguns minutos depois, fingir que não o conhecia. Assim, nós dois ganhávamos o que sobrava no copo do liquidificador, embora eu duvidasse de que estivéssemos passando a perna em alguém. Se havia algo mais delicioso do que um *milk-shake* maltado para uma criança de cinco ou seis anos, era fingir que não conhecia o próprio pai e participar de um jogo de adultos.

- Em um elevador ou em qualquer espaço público, ele me ensinava diálogos como:

  MEU PAI: Se você não for uma boa menina, não vai para o céu.
  EU: Eu não quero ir para o céu, papai. Eu quero ir com você.
  Ou a sua favorita de todos os tempos:
  EU: E então o que aconteceu, papai?
  MEU PAI: Então eu disse para o cara ficar com os cinquenta mil dólares dele!

- Certa vez, quando eu tinha mais ou menos cinco anos e nós estávamos em uma loja no interior, pedi uma moeda de dez centavos ao meu pai. Ele me perguntou para que eu queria a moeda. Pelo o que ele se lembrava, eu respondi: "Você pode me dar ou não me dar a moeda, mas não pode me perguntar o que quero fazer com ela." Ele não só me deu a moeda como também disse que eu estava certa. Meu pai adorava contar essa história como prova da minha personalidade. Na verdade, o fato de ele estimular a personalidade de uma criança é que era a dádiva.

Na faculdade, eu contava essas e outras histórias como fonte de entretenimento, porém, o tempo todo eu me agarrava à esperança de que meu pai não aparecesse no campus com seu terno manchado de comida e seu carro sujo cheio de caixas, seu sobrepeso fazendo com que o lado do motorista se inclinasse para baixo como um navio adernando. Fiquei aliviada que ele estivesse longe demais para ir para o Fim de Semana dos Pais, quando destoaria demais dos outros pais. Eu podia imaginá-lo pegando no sono e roncando após uma refeição, ou ficando com os olhos cheios de lágrimas ao falar sobre dinheiro, ou ainda proferindo comentários alegremente inocentes como "Onde há fumaça, há fogo" sobre as acusações macarthistas direcionadas a dois dos meus professores, embora tivessem sido bravamente ignoradas pela faculdade.

Pelos meus colegas de turma, descobri tardiamente que não era apenas nos filmes que as famílias viviam em casas arrumadas, tiravam cochilos, tinham empregos nos quais trabalhavam das nove às cinco, pagavam as contas em dia e comiam sentadas a uma mesa em vez de em pé ao lado de uma geladeira. Assim como meu pai se rebelara contra a vida pacata dos seus pais imigrantes, que haviam fugido da insegurança, eu me ressentia da insegurança e me tornei vulnerável aos chamados do estilo de vida convencional.

Nos anos após a faculdade, a influência do meu pai se tornou cada vez mais clara nas escolhas que fiz — por exemplo, ir para a Índia em vez de procurar um emprego normal —, mas eu ainda não admitia isso. Como muitos filhos, eu me voltara para o mais necessitado dos meus pais. Como muitas filhas, principalmente, eu estava vivendo a vida não vivida pela minha mãe. Como meu pai, eu habitava o futuro, a terra das possibilidades, mas isso era algo sobre o qual nunca falávamos. Não havia tempo nem lugar para explorar o que acho que nós dois sabíamos: que, em nossa pequena família, nós dois éramos os mais parecidos.

Por motivos de trabalho e de geografia, nos víamos cada vez menos nos anos que antecederam sua morte. Eu nunca disse ao meu pai que me via nele, e vice-versa. Nunca agradeci a ele por, por exemplo, parar em um sem-fim de haras, em lugares onde eu podia andar em pôneis e até mesmo à beira da estrada apenas para que eu visse cada Palomino que avistávamos em um pasto, tudo para agradar a filha que amava cavalos. Em um verão ele chegou a comprar um cavalo para mim, embora eu fosse muito nova e o cavalo fosse velho demais. Com a ajuda de um vizinho fazendeiro que nos ensinou o que fazer, meu pai me ajudou a alimentá-lo e a escová-lo — até que esse mesmo fazendeiro ficou com pena de nós três e deu ao cavalo um lugar onde pudesse envelhecer em paz.

Nunca disse ao meu pai quão grata eu era por ele ser diferente do pai da minha melhor amiga. Eu tinha acabado de testemunhar meu primeiro incidente humilhante do tipo "raspe o prato ou não ganhará sobremesa" na casa dela. Quando voltei para casa, coloquei meu pai à prova. Estávamos comendo em nosso estilo casual na sala de jantar — nunca na mesa de jantar cheia de entulho que era usada apenas em feriados nacionais —, e ele me perguntou se eu queria sobremesa. Ressaltei que não havia comido todo o meu jantar ainda.

"Tudo bem", ele disse, enquanto ia até a cozinha buscar sorvete. "Às vezes a gente tem fome de uma coisa, e não de outra."

Eu o amei muito naquele momento.

Ele ouvia todas as minhas reclamações por não frequentar a escola como as outras crianças ainda que, anos após a sua morte, eu tenha me dado conta de que também tinha sido poupada das limitações estereotipadas que a escola impunha às garotas naquela época. Também não estava por perto quando eu finalmente compreendi que ter um pai amoroso e que me estimulava tinha feito a diferença na minha vida. Só quando eu vi mulheres que se sentiam atraídas por homens distantes, condescendentes e até mesmo violentos, comecei a entender que ter um pai distante, condescendente e até mesmo violento poderia fazer essas qualidades parecerem inevitáveis, ou mesmo familiares. Por causa do meu pai, apenas a bondade me era familiar.

É verdade que a concepção do meu pai do que era criar filhos envolvia me levar para assistir a qualquer filme que ele quisesse ver, por mais inapropriado que fosse; comprar quanto sorvete eu quisesse; me deixar dormir quando e onde eu tivesse vontade, e esperar no carro enquanto eu comprava minhas próprias roupas. Os vendedores ficavam chocados ao ver uma criança de seis ou oito anos com dinheiro e escolhendo as próprias roupas, mas isso resultou em compras muito satisfatórias, como um chapéu vermelho de moça adulta, sapatos de Páscoa que vinham com um coelho de verdade e uma jaqueta de vaqueira com franjas.

Tudo o que eu sabia era que meu pai gostava da minha companhia, se interessava pela minha opinião e cuidava melhor de mim do que dele mesmo. O que mais uma criança poderia querer?

Depois que me tornei escritora *freelancer*, também me dei conta do valor da capacidade dele de viver com, e até mesmo amar, a insegurança. Havia duas coisas das quais se orgulhava: nunca tinha usado um chapéu e nunca havia tido um emprego — e com isso queria dizer que nunca havia tido um chefe. Eu soube que tinha saído ao meu pai quando aceitei um emprego de meio expediente como revisora para poder pagar o aluguel. Era um trabalho que eu podia fazer de casa, mas quando, de repente, esperava-se que eu passasse dois dias da semana em um escritório, pedi demissão, comprei uma casquinha de sorvete e caminhei pelas ruas ensolaradas de Manhattan. Meu pai teria feito o mesmo — exceto pela parte de caminhar.

Dizem que o aspecto determinante de nossas vidas é se encaramos o mundo como um ambiente acolhedor ou como um ambiente hostil. Ambas as formas de encarar a vida se tornam uma profecia autorrealizável. Minha mãe conseguira o milagre de criar um mundo acolhedor para mim e para a minha irmã, apesar de ela mesma ter crescido em um mundo hostil. Porém, a sua alma partida não conseguiu evitar que a escuridão entrasse — e eu absorvi isso durante os longos anos que passamos juntas. Eu e meu pai vivemos juntos por muito menos tempo, mas a fé dele em um universo amigável ajudou a equilibrar o medo da minha mãe de um mundo ameaçador. Ele me deu esse presente. Ele deixou a luz entrar.

COM O PASSAR DAS décadas após a morte dele, a figura do meu pai parecia tão improvável que às vezes eu me perguntava se não o havia inventado. Minha mãe morreu em paz, de problemas no coração, pouco antes do seu aniversário de 82 anos. Eu escrevi um longo ensaio sobre ela chamado "A canção de Ruth: porque ela não podia cantá-la". Eu lamentei sua vida não vivida. A vida que meu pai escolhera, no entanto, era menos compreensível. Minha irmã era a outra única testemunha — e ela saíra de casa quando tinha dezessete anos. Os amigos do meu pai estavam tão espalhados quanto a vida dele, e eram desconhecidos para mim.

Quando recebi duas cartas sobre o meu pai inesperadamente, eu era mais velha do que ele era quando morreu. Esses generosos correspondentes conheceram meu pai quando eram garotos.

A primeira carta era de John Grover, então um obstetra aposentado. No ensino médio, ele tivera um emprego de verão como tocador de trombone na banda do Píer da Praia Oceânica. Em um sábado à noite, o líder da banda pegou todo o dinheiro que a banda havia ganhado, saltou por cima da lateral do píer e saiu nadando, deixando Grover e outro adolescente membro da banda sem um centavo.

"Seu pai salvou nosso verão ao nos oferecer um lugar para ficar e dinheiro suficiente para nos ajudar a comprar comida", Grover escreveu. "Em troca, nós desempenhávamos o papel de 'seguranças' do píer à noite. Dormíamos em um colchão colocado na pista de dança, sob as estrelas... e ele conseguiu empregos diurnos para nós em uma fábrica de blocos de cimento... Também toquei como terceiro trombone em diversas bandas que passaram por lá nos fins de semana, o que rendeu um pouco mais de dinheiro."

Antes do fim do verão, Grover e seu amigo haviam conseguido emprego como músicos em um circo itinerante. Depois voltaram para casa para terminar o ensino médio.

Grover, então com seus setenta anos, escreveu: "Eu nunca esqueci a preocupação do seu pai em ajudar dois garotos da Virgínia Ocidental sem teto e sem dinheiro naquele verão... É interessante que eu também tenha me voltado para um campo importante para as mulheres e para os direitos das mulheres. Passei grande parte da minha carreira ajudando a tornar mais humano o cuidado com gestantes e mulheres em trabalho de parto. Também estive profundamente envolvido com os movimentos pelo controle de natalidade e pela legalização do aborto no estado de Massachusetts durante os anos 1960."

Finalmente eu tinha uma testemunha da bondade do meu pai. Embora a sua solução para regras injustas fosse ignorá-las em vez de mudá-las, não foi nenhum acidente que um jovem a quem ele ajudara, ao chegar à vida adulta, tivesse escolhido ajudar os outros. Meu pai reconhecia um bom coração quando via um. Ele mesmo dependia com frequência, na atemporal frase de Tennessee Williams, "da bondade de estranhos".

Alguns anos depois, recebi uma carta de outro médico, dessa vez do Havaí. O dr. Larry Peebles crescera em Los Angeles, onde seu pai, já falecido e também médico, tinha sido o melhor amigo do meu pai. Ele estava escrevendo porque acabara de voltar de férias da América Latina, onde comprara algumas pedras preciosas, e tivera uma lembrança proustiana do meu pai que o levara a colocar suas reminiscências no papel. E ele gentilmente escreveu para me dar uma parte desconhecida da vida do meu pai.

Acho que fui o amigo mais jovem do Leo. Ele tinha uns sessenta anos quando morreu, e eu tinha quinze. Meu pai, William Peebles, era o principal camarada dele. Nunca vi meu pai mais feliz do que quando estava perto do Leo. Eu sabia que eu era um amigo menos importante, mas ser amigo do Leo era a melhor coisa do mundo. Ele tratava todo mundo igual, não era pretensioso nem condescendente. Ele era bondoso. E o melhor de tudo: era divertido. Tinha muitas histórias para contar.

Meu pai dava a impressão de ser uma pessoa sofisticada, mas ainda era um menino da fazenda de Grande Prairie, em Alberta. Fugira de casa e de um pai violento quando tinha quatorze anos e passou seus anos de formação na estrada.

Acho que ele e o Leo, que era um vendedor de todos os tipos de coisas, gostavam de estar lá fora, no mundo. Eles partilhavam uma compreensão que só se desenvolve quando se está lá fora, em um ambiente estranho, a qualquer hora do dia ou da noite. Acho que poderíamos chamar isso de instinto das ruas. Quando meu pai ganhava dinheiro, gastava. Leo o ajudava. Ele e Leo viviam planejando como ganhar dinheiro. O mantra deles era: "Nunca trabalhe para ninguém." Era um jogo, e a vida era o tabuleiro.

Enquanto meu pai praticava a medicina, eles faziam planos entre os pacientes e depois do expediente. Aos sábados, eu supostamente ia trabalhar. Colocava pílulas em frascos de remédio e os etiquetava ou revelava raios X. Às vezes ajudava em pequenas cirurgias. Quando o Leo estava lá, eu basicamente ficava com ele em uma pequena antessala no consultório do meu pai, com uma entrada particular.

O Leo era uma pessoa extraordinária. Era um homem enorme, com mais de 130 quilos. Nós sempre começávamos da mesma forma: Eu o chamava de "sr. Steinem", e ele, parecendo um pouco aflito, dizia: "Me chame de Leo." Não "Tio Leo" nem nada do tipo, apenas Leo. Foi como eu soube que éramos amigos.

Quando ele me dizia para me sentar, sempre dava tapinhas no lugar do sofá ao lado dele, olhando furtivamente ao redor da sala. O que ia acontecer em seguida não era para ninguém ver. Ele começava a procurar nos bolsos do paletó e por fim tirava deles algumas pedras preciosas. Diamantes, rubis, safiras. Grandes, pequenas. Não estavam em caixas nem embrulhadas ou algo do tipo. Nada de engastes, estavam apenas soltas em seus bolsos. Ele as amava. Eu as amava. Nós as examinávamos cuidadosamente. Conversávamos sobre elas. Muitas vezes, apenas as admirávamos em silêncio, sem pressa. Nós dois tínhamos muito tempo disponível... Invariavelmente, ele enfiava a mão em outro bolso, tirava um maço de dinheiro e perguntava se eu precisava de algum. De alguma forma, nunca precisava.

Nunca consegui entender por que ele carregava todo aquele dinheiro e aquelas pedras preciosas. Era tudo muito misterioso e perigoso.

Meu momento favorito era atravessar a rua para ir almoçar no Radar Room. Era pintado de preto do lado de fora, com um único letreiro de neon que mal dava para ver durante o dia, mas à noite era de um verde espetacular, piscando e formando a palavra "Radar" em ambas as direções. Do lado de dentro também era preto, com bancos de couro vermelho no bar e nos reservados, e um grande espelho atrás do bar. Nós nos sentávamos no reservado favorito do meu pai, no escuro. Eu sempre pedia um cheeseburger, *meu pai sempre tomava um martíni com o almoço e Leo sempre comia, mas nunca bebia.*

Para se divertir, meu pai e Leo faziam com que os frequentadores apostassem que eu não conseguia dizer o nome de um determinado osso ou músculo do corpo. Isso funcionava melhor quando eu tinha oito anos, mas sempre que eu ficava em uma situação difícil, apenas dizia "esternocleidomastoideo". O frequentador ficava maravilhado e pagava a aposta, mas eu sabia que tinha que ter a resposta correta antes de eu e meu pai chegarmos em casa. O Leo não se importava se eu estava certo ou errado, a gente estava apenas se divertindo. Ele não se preocupava com coisas pequenas. Eu queria ser como o Leo.

Em uma manhã ensolarada, meu pai me contou que fazia tempo que o Leo não aparecia porque ele sofrera um grave acidente de carro. Nós fomos de carro até Orange County, onde ele estava internado na unidade de tratamento intensivo. Meu pai conversou com a equipe médica e, depois, nós fomos ver o Leo. Ele respirava através de uma máscara transparente, um lençol o cobria ao redor do peito largo e ele estava sem camisa. Foi a primeira vez que o vi sem o terno cinza. Ele respirava com dificuldade, obviamente fazendo grande esforço, e suava muito. Toda a parte de cima do seu corpo estava coberta de hematomas. Embora estivesse se esforçando, ele permanecia calmo. Imagino que estivesse recebendo muita morfina, mas conversou com a gente, e nós conversamos com ele. Nós lhe dissemos que voltaríamos na manhã seguinte para vê-lo. Nos informaram que a família dele estava a caminho. Eu gostaria de me lembrar de tudo que foi dito, mas acho que não importa. O mais importante é que ele sabia que não estava sozinho.

Antes de chegarmos ao carro, meu pai me contou de maneira bastante objetiva que Leo não sobreviveria àquela noite. Eu já estava planejando a próxima visita. Fiquei irritado por ele ter me dito isso. Eu já estava arrasado, não estava a fim de bancar o bom soldado. Mas sabia que ele estava certo. A manhã ensolarada me enchera de otimismo. Agora eu estava experimentando uma dose de realidade. Talvez estivesse aprendendo o instinto das ruas.

Depois que o Leo morreu, meu pai trabalhou por mais um ano. Ele se meteu em encrenca, ficou preso por um tempo e depois se aposentou (...) Eu trabalho por conta própria há quase trinta anos. Me tornei cirurgião geral e, muitas vezes, principalmente quando vejo pedras preciosas, me lembro do meu amigo Leo.

Eu me pergunto: Quando pensamos em alguém que amamos, nos tornamos um pouquinho parecidos com essa pessoa? Eu gostaria de acreditar que sim.

Eu escrevi de volta ao generoso dr. Peebles — que pediu para que eu o chamasse de Larry, em homenagem ao meu pai — e o agradeci de todo o meu coração. Pela primeira vez, eu soube que meu pai vira dois rostos familiares no hospital antes de morrer. Quando expliquei que chegara tarde demais — algo que ele não sabia —, ele me escreveu de volta para dizer que, anos depois, também chegara tarde demais quando o próprio pai faleceu. E me assegurou que meu pai "parecia estar bem, apesar de tudo. Como alguém que tinha sido feliz". Nós dois sabíamos que estávamos confortando um ao outro.

SE TODO MUNDO TEM um círculo completo de qualidades humanas para percorrer, então o progresso fica na direção na qual ainda não fomos. O caso claro do meu pai de *horreur du domicile* era um medo do lar tão comum, principalmente entre os homens, que Baudelaire o chamou de "*La Grande Maladie*", o grande mal. Meu pai crescera em um apartamento onde as refeições eram servidas sempre nos mesmos horários e onde não havia nenhum som a não ser o tique-taque do relógio sobre a lareira. Quando o psicólogo Robert Seidenberg estudou mulheres que viviam em lares imutáveis, chamou o resultado de "trauma da falta de acontecimentos". Quando era um menino, acho que meu pai sofria disso também. Foi por isso que ele empurrou o pêndulo da própria vida na direção do outro extremo.

É claro que sua natureza quixotesca teve influência, assim como seu otimismo e seu dom natural para os excessos, mas duvido que ele teria escolhido uma vida tão arriscada se não estivesse fugindo de uma vida excessivamente ordeira.

Minha mãe também era aventureira por natureza. Rebelou-se contra uma mãe que achava que incutir culpa nas duas filhas era o caminho para que elas se comportassem bem. Depois, rebelou-se contra uma igreja rígida a ponta de proibir as pessoas de dançarem. Ela me contava histórias sobre vestir o macacão do pai para jogar basquete em uma época em que as garotas não faziam nenhuma das duas coisas, e sobre ter aprendido a dirigir antes de todo mundo no quarteirão. Mais tarde, conseguiu se sustentar enquanto cursava a faculdade fazendo bordados para uma loja de roupa de cama chique e dando aulas de cálculo. No campus, conheceu o jovem alegre e despreocupado que viria a ser meu pai, filho de uma família judia de classe média alta. Ele a fazia rir e era cheio de sonhos — o extremo oposto da implacável mãe dela, e de um pai que com frequência estava ausente, trabalhando na estrada de ferro. Ela se casou com o meu pai por causa de recusa dele em se preocupar, então acabou cabendo a ela se preocupar sozinha.

Os dois pagaram um preço alto por terem vidas desequilibradas. Mas ao menos meu pai pôde escolher a própria jornada. Ele nunca realizou seus sonhos, mas minha mãe foi incapaz até mesmo de perseguir os dela.

No fundo do meu coração, sei que se tivesse sido forçada a optar entre a constância e a mudança, entre a casa e a estrada — entre ser um *hazar*, aquele que vive em uma casa, ou um *arab*, aquele que dorme sob tendas —, eu também escolheria a estrada.

Às vezes eu me pergunto se estou cruzando os caminhos espectrais do meu pai, se nós estamos entrando nas mesmas cidades ou lanchonetes à beira da estrada, ou nas faixas negras das vias expressas que brilham nas noites de chuva, como se fôssemos imagens em uma fotografia que capturasse um intervalo de tempo.

Nós somos tão diferentes e ao mesmo tempo tão parecidos.

II.

Círculos de conversa

Porque eu via meu pai como um andarilho sem raízes, minha primeira solução foi me tornar o oposto. Eu tinha certeza de que minha infância peculiar daria lugar a uma vida adulta com um emprego, uma casa e um período de férias por ano. Na verdade, eu provavelmente desejava mais essa vida do que pessoas que cresceram nela. Eu poderia simplesmente ter escrito na minha testa "DESEJO UM LAR", mas achava que um lar de verdade teria que esperar até que eu tivesse um marido e filhos, um destino que eu ao mesmo tempo considerava inevitável e não podia sequer imaginar. Nem mesmo nos filmes eu tinha visto uma esposa em uma jornada particular. O casamento era sempre o final feliz, não o começo. Eram os anos 1950, e eu confundi crescer com criar raízes.

Seriam necessários dois anos vivendo na Índia, para onde fui logo depois de terminar a faculdade — para fugir do meu noivado com um homem bom, mas errado —, para que eu me desse conta de que o jeito isolado de viajar do meu pai não era o único. Havia uma estrada compartilhada lá fora, ao mesmo tempo antiga e muito nova.

I.

Quando cheguei a Nova Délhi pela primeira vez, ansiava pelo estilo de "viagem memsahib",* com um carro e um motorista, algo que todo funcionário público local e todo turista pareciam capazes de bancar. Eu não conseguia imaginar nenhuma outra forma de circular pelas ruas lotadas de carros de boi lentos, motocicletas velozes, táxis amarelos e pretos que pareciam abelhas, enxames de bicicletas, uma ou outra vaca perdida, ônibus antigos lotados de passageiros dentro e com passageiros pendurados como enfeites viajando de graça do lado de fora, e vendedores ambulantes que saíam correndo para vender comida e bugigangas a cada parada.

Seriam necessários dois meses sendo uma das raras estrangeiras que moravam na Miranda House, a faculdade feminina da Universidade de Délhi, e convivendo com estudantes de bom coração que me ensinavam como vestir um sári e pegar um ônibus para que eu me desse conta de que, em um carro sozinha, eu não estaria de fato na Índia.

Eu não veria mulheres se curvando para fora das janelas dos ônibus a fim de comprar guirlandas de jasmim para colocar nos cabelos, ou homens e mulheres sendo infinitamente pacientes com bebês chorosos, ou amigos homens entrelaçando os dedos com naturalidade enquanto conversavam, ou crianças magricelas em uniformes escolares remendados e engomados tentando memorizar o conteúdo dos livros entoando

---

* *Memsahib* é a palavra indiana que designa uma mulher branca estrangeira de classe alta. A autora se refere ao desejo de uma viagem cheia de requintes, com todos os luxos que uma mulher branca de alta classe poderia desejar. (*N. da T.*)

os trechos em voz alta. Não ouviria discussões políticas em inglês indiano, que constrói uma ponte entre catorze línguas, nem testemunharia a variedade assombrosa de jornais que os indianos leem. Também não saberia quão difícil é para um indiano comum simplesmente chegar ao trabalho, ou que a "provocação de Eva", o assédio sexual e as apalpadas que as mulheres podem sofrer em público, era o que minhas amigas de faculdade tentavam evitar andando sempre em grupo. Com certeza nunca teria experimentado a calma das pessoas em multidões que em qualquer outro lugar sinalizariam uma emergência.

Nunca andei em uma *tonga*, veículos leves de duas rodas puxados por ciclistas magrinhos. Amigos me asseguraram que elas eram uma evolução em relação aos corredores descalços que tinham sido banidos da Índia independente, embora alguns ainda pudessem ser vistos nos bairros mais pobres. Ser puxado por outro ser humano simplesmente parecia algo colonial e vergonhoso. Isso fez com que fosse bastante irônico que, muitos anos depois, eu visse *tongas* indianas sendo importadas para Manhattan e puxadas por jovens atléticos e bem alimentados que cobravam por minuto.

Mesmo depois de andar em grupo por Nova Délhi, no entanto, ainda seria necessária uma longa viagem pela costa leste da Índia para que eu mudasse minha noção caseira de que o privado é sempre melhor do que o público, algo que os fabricantes de carros norte-americanos pregavam como se fosse um evangelho.[1]

Tomada por aquele espírito da juventude de se jogar quando uma pessoa madura pensaria duas vezes, eu tinha decidido viajar sozinha de Calcutá até Kerala, parando em vilas e templos a caminho da parte mais antiga da Índia, na extremidade sul do país. Minhas amigas de faculdade insistiram para que eu viajasse em um dos vagões de trem exclusivos para mulheres que ainda entrecruzavam o subcontinente como um legado dos britânicos.

Quando subi naquele antigo vagão de terceira classe, eu me vi em um dormitório sobre rodas. Mulheres de diferentes idades e tamanhos estavam sentadas em grupos conversando, cuidando de bebês ou compartilhando refeições em recipientes para comida feitos de latão conhecidos como *tiffins*. Como eu era uma estrangeira usando sári, logo despertei curiosidade, bondade e um monte de conselhos, tudo nas poucas palavras em inglês e hindi que partilhávamos, além de um monte de gestos. Uma vez que a viagem durava dois dias, com paradas em muitas estações pequenas, as mulheres negociavam para mim com os vendedores ambulantes que vendiam *chai* quente, bebidas geladas de cores vibrantes, *kebabs* e *chapatis* — além de um sorvete viciante conhecido como *kulfi* —, tudo através das janelas do trem em cada estação. Entre as paradas, elas me ofereciam seus próprios *curries*, arroz e pães caseiros, me ensinavam mais maneiras de amarrar um sári do que eu achava que fosse possível — incluindo uma para jogar tênis — e discutiam sobre as variedades de manga com todas as nuances que os ocidentais reservam aos vinhos.

Logo aprendi que havia um costume bastante indiano de fazer perguntas pessoais. Isso devia deixar os reticentes ingleses malucos! "Por que a sua família não encontrou um marido para você?", "Todos os americanos são ricos, então por que você está aqui conosco, na terceira classe?", "Todo mundo nos Estados Unidos tem uma arma?", "Se eu fosse para o seu país, eu seria bem-vinda?". E depois que passamos a nos conhecer melhor: "Como as mulheres norte-americanas fazem para evitar ter muitos bebês?"

Mais tarde eu ouviria Indira Gandhi descrever suas viagens de juventude nesses vagões exclusivos para mulheres como tendo sido a melhor preparação para se tornar primeira-ministra. Ela era filha de Jawaharlal Nehru, o primeiro primeiro-ministro da Índia, mas, mesmo assim, achava que tinha aprendido mais com aquelas mulheres, cujos pontos de vista eram pessoais. Elas sabiam que o *khadi*, pano indiano fiado e tecido à mão, estava saindo de circulação por causa dos tecidos feitos à máquina da Inglaterra — mesmo que não soubessem que esse era o padrão colonial familiar de retirar matéria-prima da colônia, transformá-la na Inglaterra e vendê-la de volta para a colônia a fim de obter lucro. Podiam ver por que Mahatma Gandhi tinha adotado a roda de fiar como símbolo da independência indiana.

Além disso, apesar da crença dos especialistas em populações de que as mulheres não educadas não usariam métodos anticoncepcionais, aquelas mulheres sabiam muito bem que seu corpo estava sofrendo com o excesso de gravidezes e trabalhos de parto. Foi por isso que, como primeira-ministra, Indira Gandhi enfrentou as controvérsias e criou o primeiro programa de planejamento familiar nacional. As primeiras viagens nesses vagões exclusivos para mulheres ensinaram a ela que a mulher comum usaria métodos anticoncepcionais, mesmo que em segredo, e que o grau de instrução pouco tinha a ver com isso.

Da minha parte, lembro não apenas do aprendizado, mas também das risadas. Pediram que eu cantasse uma música norte-americana — todo mundo na Índia parecia cantar como parte do cotidiano —, mas mesmo elas tiveram que admitir que eu não levava jeito. Me ensinaram como espremer minhas mãos para enfiá-las por pulseiras de vidro que eram pouco maiores do que o meu punho e me explicaram que as *cholis*, as blusas apertadas usadas por baixo dos sáris, são o equivalente indiano para o sutiã. Elas me apresentaram a lichia fresca — eu nunca tinha visto uma fora da lata — e me alertaram sobre os homens indianos que tentavam se casar com uma norte-americana só para conseguir um visto e um emprego.

Décadas depois, essas mulheres ainda vivem nas minhas lembranças. Tendo sido a primeira estrangeira que elas viram de perto, talvez eu ainda viva nas lembranças delas. Se eu tivesse ficado isolada em um carro, esse círculo de conversa nunca teria acontecido.

Depois que nos despedimos, embarquei em um ônibus caindo aos pedaços para o interior, com destino a um *ashram* de Vinoba Bhave, o líder de um movimento de reforma agrária inspirado por Gandhi. Gandhi havia sido assassinado uma década antes, mas Bhave ainda ia de vila em vila, pedindo que os proprietários de terra dessem uma pequena porcentagem dos seus acres para os sem-terra. Eu havia escrito para um missionário norte-americano aposentado que fazia parte desse movimento, e ele conseguiu fazer com que eu ficasse em uma hospedaria próxima de lá.

Quando cheguei ao *ashram* de Bhave, porém, quase todo mundo já tinha deixado o local. Um homem idoso me explicou que motins de castas haviam ocorrido ali perto, em Ramnad, uma grande área rural no sudeste do país, e os líderes governamentais na distante Nova Délhi haviam ordenado que isolassem a área, na esperança de conter os incêndios e os assassinatos. Nem mesmo aos repórteres era permitido ter acesso à área. Mesmo assim, equipes de três ou quatro pessoas do *ashram* tinham desviado dos bloqueios na estrada e estavam indo de vila em vila, realizando reuniões, dizendo às pessoas que elas não tinham sido abandonadas e afastando rumores que eram ainda piores do que a realidade — um esforço organizacional no local da ação para reverter a espiral de violência.

Cada equipe tinha que incluir pelo menos uma mulher. Os homens não podiam entrar nos alojamentos das mulheres para convidá-las para as reuniões, e, se não houvesse uma mulher presente, outras provavelmente não compareceriam. Porém, no *ashram* não havia mais nenhuma mulher.

Foi assim que fui persuadida de que uma estrangeira vestindo um sári não pareceria mais fora de contexto do que alguém de Nova Délhi, e assim me vi deixando todos os meus pertences, exceto um copo, um pente e o sári que eu estava vestindo, e entrando em um ônibus caindo aos pedaços. Como meu companheiro, o homem idoso do *ashram*, me explicou que, se os aldeões quisessem paz, eles dariam abrigo e alimentariam os pacificadores. Se não quisessem a paz, nenhum forasteiro poderia ajudá-los de qualquer maneira. Ao iniciarmos a nossa viagem, percebi que, sem nenhum pertence, eu me sentia estranhamente livre.

Depois de horas naquele velho ônibus que parecia parar em todos os lugares, chegamos ao local onde as barreiras policiais haviam bloqueado a estrada poeirenta que levava a Ramnad. Sem um automóvel ou mesmo um carro de bois, simplesmente passamos pela estrada e entramos naquela vasta área tão traumatizada por conflitos de casta. Assim começou uma semana diferente de todas as outras. Andávamos entre uma vila e outra com o sol a pino, parando para nos refrescar em córregos rasos ou encontrando sombra em pomares onde *chai* e bolinhos de arroz cozidos no vapor chamados *idlis* eram vendidos, em abrigos com teto de folhas de palmeira. À noite, eu observava os moradores da vila saírem aos poucos de suas pequenas casas de barro e se sentarem ao redor de lampiões de querosene em círculos de seis, vinte ou cinquenta pessoas. Eu ouvia enquanto os moradores contavam histórias sobre incêndios e assassinatos, roubos e estupros, com um medo e um trauma que não precisavam de tradução. Era difícil imaginar algo que pudesse diminuir aquele ciclo de violência, mesmo assim os aldeões encontravam conforto nos vizinhos que tinham se aventurado a sair de suas casas também. As pessoas pareciam aliviadas por verem umas às outras, conversarem, serem ouvidas, discernirem a verdade dos rumores e descobrirem que alguém de fora sabia o que estava acontecendo e se importava.

Para a minha surpresa, essas longas noites geralmente terminavam com um compromisso de continuarem a se encontrar, para separarem o que era verdade e do que não era, e de se recusarem a fazer parte de ciclos vingativos que só os expunham ainda mais ao perigo. Às vezes já estava quase amanhecendo quando íamos para casa com famílias que nos alimentavam e nos davam esteiras de palha ou *charpoys*, suportes de madeira acordoados com cânhamo, nos quais dormíamos.

Foi a primeira vez que testemunhei a magia ao mesmo tempo antiga e moderna de grupos nos quais qualquer um pode falar, cada um na sua vez, todos devem ouvir, e o consenso é mais importante do que o tempo. Eu não fazia ideia de que esses círculos de conversa tinham sido uma forma comum de governar durante a maior parte da história humana, desde os povos kwei e san no sul da África, ancestrais de todos nós, às Primeiras Nações do meu próprio continente, onde camadas desses círculos deram origem à Confederação Iroquesa, a democracia mais antiga do mundo. Os círculos de conversa existiram também na Europa, antes que inundações, a fome e o domínio patriarcal os substituíssem pela hierarquia, pelos padres e reis. Eu nem sequer sabia, enquanto estava em Ramnad, que uma onda de círculos de conversa e de "testemunhos" estava tomando as igrejas negras do meu próprio país e desencadeando o movimento dos direitos civis. E, definitivamente, não imaginava que, uma década depois, veria grupos de conscientização, os círculos de conversa de mulheres, darem origem ao movimento feminista. Tudo que eu sabia era que uma parte bem profunda de mim estava sendo nutrida e transformada juntamente com os moradores daquelas vilas.

Eu podia ver que, porque os seguidores de Gandhi sabiam ouvir, eles também eram ouvidos. Porque dependiam da generosidade, eles criavam generosidade. Porque escolhiam um caminho não violento, eles faziam com que esse caminho parecesse possível. Esta é a sabedoria organizacional prática que eles me ensinaram:

Se quiser que as pessoas o ouçam, você precisa ouvi-las.
Se espera que as pessoas mudem a forma como vivem, você
   precisa conhecer como elas vivem.
Se quiser que as pessoas o enxerguem, você precisa se reunir
   com elas, olhando-as nos olhos.

Eu com certeza não sabia que cerca de dez anos depois que voltei para casa, a organização na estrada começaria a tomar conta da maior parte da minha vida.

MAIS DE VINTE ANOS se passariam até que eu visitasse a Índia outra vez. Na época, no fim dos anos 1970, os movimentos dos direitos civis e contra a Guerra do Vietnã nos Estados Unidos haviam inspirado mais mudanças, inclusive entre mulheres que amavam e eram cruciais para esses movimentos, mas que mesmo assim raramente eram tratadas de igual para igual dentro deles.[2] Elas se deram conta da necessidade de um movimento feminista independente e inclusivo, comprometido com as políticas de gênero pessoais e globais.

Esse contágio estava acontecendo em muitos países. Por toda parte, uma nova consciência estava se espalhando conforme as mulheres conheciam e liam umas sobre as outras, fosse em pequenas reuniões e publicações feministas clandestinas ou em eventos globais como a Conferência das Nações Unidas sobre a Mulher na Cidade do México, em 1975. O rastilho da desigualdade estava em todos os lugares, apenas esperando que alguém o acendesse.

Devaki Jain, economista gandhista e uma amiga dos meus primeiros tempos na Índia, me convidou a voltar ao país no fim dos anos 1970 para conversar com alguns desses novos grupos de mulheres. Era como se eu e ela estivéssemos tendo os mesmos entendimentos por meio de telepatia a longa distância. Nós podíamos terminar as frases uma da outra. Inspiradas por nossos diferentes caminhos na direção de um mesmo destino, tivemos a ideia de compilar as táticas de Gandhi em um panfleto para os movimentos femininos em todos os lugares. Até porque a tática de Gandhi de *satyagraha*, ou resistência não violenta, serviriam perfeitamente às mulheres, assim como suas marchas que arrastavam multidões e seus boicotes ao consumo.

Como parte da nossa pesquisa, entrevistamos Kamaladevi Chattopadhyay, uma rara líder mulher durante a luta por independência. Ela havia trabalhado com Gandhi, liderara sua organização nacional de mulheres, alertara-o sobre concordar com a separação da Índia e do Paquistão como o preço pela independência, e mais tarde liderou um ressurgimento das artes manuais indianas que empregou o talento de milhões de refugiados deslocados por causa da separação.

Enquanto explicávamos nossa ideia de ensinar as táticas de Gandhi para os movimentos das mulheres, ela nos ouviu pacientemente, sentada e balançando-se em uma cadeira em sua varanda, tomando chá.

Quando terminamos, ela disse: "Bom, mas é claro, minhas queridas. Nós ensinamos a ele tudo que ele sabia."

Ela nos fez rir — e nos explicou. Na Índia sob domínio britânico, Gandhi testemunhara uma grande mobilização de movimentos de mulheres contra o *sati*, a imolação das viúvas nas piras funerárias dos maridos, e muito mais. Ainda jovem, estudando na Inglaterra para ser advogado, Gandhi também testemunhou o movimento sufragista e, mais tarde, encorajou as ativistas que lutavam pela autonomia na Índia a emularem a coragem e as táticas das Pankhursts, o grupo de sufragistas mais famoso e mais radical da Inglaterra. Quando voltou à Índia, vindo da África do Sul, onde lutara contra a discriminação à qual os indianos eram submetidos, ele ficou chocado ao se deparar com um movimento de independência com praticamente nenhuma raiz nas vilas e no cotidiano das pessoas comuns. Ele começou a viver como um aldeão, a organizar marchas e boicotes de consumo e a medir o sucesso pelas mudanças na vida de quem era mais pobre e tinha menos poder: as aldeãs.

Como Kamaladevi explicou gentilmente, eu e Devaki conhecíamos a história com base na Teoria do Grande Homem e não sabíamos que as táticas às quais queríamos recorrer eram nossas. Ela nos fez rir novamente — e aprender. Como escreveu Vita Sackville-West:

Eu admirava homens mortos por sua força,
Esquecendo que eu era forte.

QUANDO VOLTEI PARA CASA depois dessa segunda visita à Índia, eu via meu próprio passado de forma diferente.

Eu havia caminhado por vilas indianas nos anos 1950 certa de que elas não tinham a menor relevância em minha própria vida. Porém, agora, uma revolução feminina estava florescendo a partir dos nossos próprios círculos de conversa. No meu país, eu tinha ido a todo tipo de lugar, desde abrigos para mulheres vítimas de violência e clínicas de atendimento à mulher independentes até os centros de mulheres nos campi e protestos de mães solteiras que tentavam sobreviver com o que recebiam da assistência social. A minha transformação em uma militante feminista itinerante era apenas uma versão ocidental das minhas andanças pelas vilas indianas.

Embora tivesse imaginado que a minha vida seria a de uma jornalista e observadora, certa de que não queria ser responsável pelo bem-estar dos outros como eu tinha sido em relação a minha mãe, me vi comprometida com colegas e com uma revista que me fazia passar noites em claro, imaginando se teríamos condições de honrar a folha de pagamentos. Apesar disso, essa responsabilidade se tornou uma comunidade, e não um fardo.

Eu quis escapar da minha infância andarilha e, no entanto, estava viajando e descobrindo que as pessoas comuns são inteligentes, que pessoas inteligentes são comuns, que as melhores pessoas para tomar as decisões são aquelas afetadas por elas, e que os seres humanos têm uma capacidade quase infinita de se adaptar às expectativas à nossa volta — o que é bom e ruim ao mesmo tempo.

Por fim, eu conseguia ver que o amor pela independência e pelas possibilidades que eu havia absorvido do meu pai agora tinha um propósito. Todo movimento precisa de algumas pessoas que não podem ser mandadas embora. Quando você é dependente, é muito difícil não se preocupar com a aprovação da pessoa ou da coisa da qual você depende. Para mim, essa mistura de liberdade e insegurança era algo familiar e permitiu que eu me tornasse uma organizadora itinerante.

Essa não é uma vocação sobre a qual você vai aprender com um consultor de carreiras, ou para a qual você será recrutado, ou até mesmo uma que verá em um filme. É imprevisível, e com frequência significa que, para se sustentar, será preciso juntar as remunerações recebidas por falar em público e escrever e o dinheiro oriundo de fundações, de empregos ocasionais, de amigos e da sua poupança. Mas, a não ser que você se torne um músico de rock ou um trovador, nada mais vai lhe permitir participar em tempo integral de uma mudança social. Isso satisfaz o vício em liberdade que herdei do meu pai e o amor pela comunidade que nasceu em mim ao ver o preço que minha mãe pagou por não ter feito parte de uma. É por isso que, se eu tivesse que apontar a descoberta mais importante da minha vida, seria a comunidade portátil dos círculos de conversa; grupos que se reúnem com todos os cinco sentidos e permitem uma mudança de consciência. Segui-los me levou por uma estrada que não é solitária como a do meu pai, ou sem apoio como a da minha mãe. Eles me ensinaram a falar tanto quanto a ouvir. E também me mostraram que escrever, que é um ato solitário, é uma ótima companhia para a organização, que é comunitária. Só levei algum tempo para me dar conta de que ambos podem acontecer onde quer que você esteja.

II.

EM 1963 EU ESTAVA TRABALHANDO COMO JORNALISTA FREELANCER, escrevendo perfis de celebridades e artigos sobre estilo — não o tipo de reportagem que eu imaginava escrever quando voltei da Índia. Então li que Martin Luther King Jr. estava liderando uma Marcha sobre Washington, uma enorme campanha por empregos, justiça, nova legislação e proteção federal para os que protestavam pelos direitos civis, que estavam apanhando, sendo presos e, às vezes, sendo assassinados no Sul, tudo com a conivência da polícia. Entretanto, ninguém me encarregava da tarefa de escrever sobre isso.

É verdade que eu tinha sido incumbida da missão havia muito desejada de escrever um perfil sobre James Baldwin — que faria um discurso na marcha —, mas segui-lo para cima e para baixo no meio da multidão parecia impossível, intrusivo, ou as duas coisas. Além disso, eu podia ver e ouvir o discurso dele melhor na televisão. E corriam na imprensa avisos terríveis sobre a possibilidade de pouca gente comparecer e a marcha ser um fracasso, ou muita gente comparecer e haver violência. A marcha estava sendo classificada como muito perigosa pela Casa Branca, preocupada que ela pudesse desmotivar os moderados do Congresso que eram necessários para aprovar a Lei dos Direitos Civis, e como muito domada por Malcolm X, que disse que pedir ajuda a Washington demonstrava que o movimento tinha carências, não era autossuficiente e era improvável que desse certo.

Por todas essas razões, eu decidi não ir à marcha — até me ver a caminho dela. Anos depois, tudo que posso dizer é: se você se sentir inclinada a ir a um evento mesmo contra toda a lógica, vá. O universo está lhe dizendo algo.

Naquele dia quente de agosto, eu era apenas uma pessoa sendo lentamente levada por um mar de humanidade. E fui dar ao lado da "sra. Greene, com 'e' no final", uma mulher mais velha e roliça que usava um chapéu de palha e marchava ao lado da filha adulta e elegante. Como a sra. Greene explicou, ela trabalhara em Washington durante a administração de Truman, na mesma grande sala que os funcionários brancos, porém segregada atrás de uma divisória. Ela não pôde protestar na época, por isso estava protestando agora.

Ao nos aproximarmos do Lincoln Memorial, ela me mostrou que a única mulher sentada no palanque dos oradores era Dorothy Height, chefe do Conselho Nacional da Mulher Negra, uma organização que vinha trabalhando pela justiça racial desde os anos 1930, e, mesmo assim, nem mesmo ela havia sido convidada a discursar. A sra. Greene queria saber: *Onde está Ella Baker? Ela treinou todos aqueles jovens do Comitê Não Violento de Coordenação Estudantil. E Fannie Lou Hamer? Ela apanhou na prisão e foi esterilizada em um hospital do Mississippi quando foi internada por um motivo completamente diferente. É isso que acontece — esperam que a gente dê à luz mão de obra rural quando eles precisam, e não dê à luz quando eles não precisam mais. Minha avó era muito pobre e pagavam a ela 75 dólares por cada bebê que nascia vivo.*

A diferença entre ela e Fannie Lou? Os equipamentos agrícolas. Eles não precisavam mais de tantos braços para trabalhar no campo. Essas são as histórias das mulheres negras, quem vai contá-las?

Eu não tinha sequer reparado na ausência de mulheres para discursar. E também não havia pensado nos motivos racistas para controlar o corpo das mulheres. Senti algo se encaixar na minha cabeça. Era como na Índia, onde as mulheres de casta elevada eram reprimidas sexualmente e as mulheres de castas baixas eram exploradas sexualmente. Aquela marcha foi magnética porque ter vivido na Índia abriu meus olhos para quão segregado meu próprio país era. Mas foi a sra. Greene que me fez perceber os paralelos entre raça e casta — e como o corpo das mulheres era usado para perpetuar as duas coisas. Prisões diferentes, a mesma chave.

A filha da sra. Greene revirou os olhos quando a mãe me contou que tinha reclamado com o líder da delegação do estado delas. Ele havia rebatido que Mahalia Jackson e Marian Anderson iam cantar.[3] *Cantar não é discursar*, ela disse a ele, sem meias palavras.

Fiquei impressionada. Eu não só nunca fizera reclamações desse tipo, como, em reuniões políticas, dava minhas sugestões a qualquer homem que estivesse sentado perto de mim, sabendo que, se viessem da boca de um homem, seriam levadas mais a sério.

"Vocês, mulheres brancas", disse a sra. Greene amavelmente, como se estivesse lendo meus pensamentos, "se não se levantarem para defender seus direitos, como poderão se levantar para defender os direitos de outra pessoa?"

Conforme o mar de gente afluía na direção do Lincoln Memorial e do palanque, nós três fomos separadas. Eu usei minha credencial de imprensa para subir os degraus, na esperança de conseguir vê-las. Mas, quando me virei, tudo que pude ver foi um oceano de rostos voltados para cima. É uma imagem da qual nunca vou me esquecer. Espalhados pelo vasto gramado, para além do espelho d'água e do Monumento a Washington, até o Capitólio, havia cerca de 250 mil pessoas. O mar de seres humanos parecia calmo, pacífico, as pessoas nem sequer pressionavam para chegar mais perto dos oradores, como se cada um se sentisse responsável por provar que o medo de violência e desordem durante o ato era equivocado. Éramos como uma nação dentro de uma nação. Do nada, um pensamento aflorou: *Eu não queria estar em nenhum outro lugar do planeta.*

    Martin Luther King Jr. leu seu discurso tão aguardado com uma voz grave e familiar. Eu sempre pensara que, se um dia estivesse presente em um momento histórico, só me daria conta disso muito tempo depois. Aquilo, porém, era a história acontecendo bem diante dos meus olhos.

    Quando King terminou seu discurso, ouvi Mahalia Jackson gritar: "Conte para eles sobre o seu sonho, Martin!"

    E ele de fato começou a litania "Eu tive um sonho", de memória, com a multidão gritando após cada imagem: "Conte!"

    O momento mais lembrado seria justamente aquele que tinha sido menos planejado.

    Eu espero que a sra. Greene tenha ouvido uma mulher se pronunciar — e fazer toda a diferença.

CINQUENTA ANOS DEPOIS EU estava novamente entre os milhares de pessoas que se reuniram no Lincoln Memorial para celebrar o aniversário daquela primeira marcha — e dessa vez havia vozes femininas no palanque. Bernice King, que era apenas uma criança em casa quando seu pai proferiu aquele primeiro discurso, falou sobre a ausência de mulheres em 1963. Também estavam lá Oprah Winfrey, que era uma menina de nove anos de idade no Mississippi quando o dr. King discursou, e Caroline Kennedy, a filha de John F. Kennedy, o presidente que as pessoas presentes na primeira marcha esperavam que fosse desobedecer a seus conselheiros políticos, deixar a Casa Branca e simplesmente aparecer por lá — mas ele não apareceu. Por fim, também estava presente Barack Obama, eleito duas vezes presidente dos Estados Unidos, uma possibilidade com a qual nem mesmo o dr. King sonhara.

Aquilo era um enorme progresso, mas nada pode compensar as verdades não ditas.

Como o dr. King disse certa vez: "A justiça que tarda demais é uma justiça negada." Se Rosa Parks, Fannie Lou Hamer e tantas outras tivessem sido ouvidas cinquenta anos antes — se as mulheres tivessem sido metade dos oradores em 1963 —, poderíamos ter ficado sabendo que o movimento dos direitos civis era em parte um protesto contra o estupro ritual e a terrorização das mulheres negras pelos homens brancos.[4] Teríamos sabido que Rosa Parks fora incumbida pela Associação Nacional para o Progresso de Pessoas de Cor de investigar o estupro coletivo de uma mulher negra por homens brancos — que a abandonaram, dando-a como morta, perto de um ponto de ônibus de Montgomery — antes do famoso boicote. Poderíamos ter sabido mais cedo que o indicador mais confiável de que um país é ou não violento — ou de que usará força militar contra outro país — não é a pobreza, nem os recursos naturais, a religião ou o grau de democracia: é a violência contra a mulher. Ela normaliza todas as outras violências.[5] A sra. Greene sabia disso. Ela também sabia que era tudo uma questão de impedir as mulheres de controlar seu próprio corpo. Tem sido assim na história dos Estados Unidos desde que Colombo capturou mulheres nativas para serem escravas sexuais de sua tripulação e se surpreendeu quando elas resistiram.[6]

Eu sabia que a sra. Greene não poderia estar viva para ver mulheres discursando meio século depois, mas torci para que a filha dela estivesse assistindo. Naquela época, ela havia sido impaciente com as queixas da mãe, mas aposto que agora estaria orgulhosa.

Depois dos discursos pelo aniversário de cinquenta anos, eu me vi junto a um grupo de jovens mulheres afro-americanas, algumas delas usando camisetas da Smith College. Yolanda King, filha de Martin e Coretta King, havia estudado lá, e aquelas mulheres sabiam que eu também. Nós tiramos fotos com nossos celulares. Eu contei a elas que, na minha turma de 1956, não havia nenhuma estudante afro-americana — ou uma garota negra, como todos na época teriam dito —, e quando perguntei o motivo a um homem no escritório de admissões da Smith, ele respondeu: "Nós temos que ter muito cuidado ao educar as mulheres negras, porque não há muitos homens negros educados com quem elas possam se relacionar."

As jovens riram do duplo golpe sexista/racista e me abraçaram com simpatia, como se tivesse sido eu quem fora ultrajada — e, de certa forma, em parte elas estavam certas. As pessoas brancas deveriam ter entrado com processos judiciais por terem sido mantidas privadas culturalmente em um gueto branco. Quando os seres humanos são dispostos em categorias em vez de se relacionarem, todo mundo perde.

Essas jovens não estavam contando com o governo, como Malcolm X poderia ter receado, nem estavam esperando serem convidadas para discursar. Elas eram completas em si mesmas, como em um verso de um dos poemas de Alice Walker, em *Revolutionary Petunias*:

Florescendo gloriosamente
Para si mesmas

Malcolm X teria se orgulhado delas também. Eu conheci a mais velha das seis filhas dele, Attallah Shabazz, uma versão elegante e experiente daquelas jovens mulheres empoderadas. Ela era escritora, oradora, ativista e, naquela época, já avó. Conhecê-la foi um presente da estrada.

Quando nos falamos novamente, ela me disse algo que eu nunca ouvira nem lera antes. Malcolm X estava em Washington na histórica marcha de 1963. Ele permaneceu na suíte de hotel do ator e ativista Ossie Davis, que discursou na marcha, e se certificou de que o dr. King soubesse que ele estava ali para demonstrar seu apoio. Porém, como sua filha explicou:

— Ele também sabia que sua presença teria perturbado ou desviado o foco, e na verdade apoiava a manifestação como um todo.

De alguma forma eu achei esse fato pouco conhecido muito tocante. Aqueles dois homens pareciam estar se aproximando um do outro. O dr. King estava se tornando mais radical ao falar de assuntos como a Guerra do Vietnã, e Malcolm X estava começando a falar sobre uma revolução sem derramamento de sangue. Algumas tragédias às vezes se tornam mais trágicas. Eles poderiam ter feito parte do mesmo círculo de conversa.

III.

GRAÇAS À SRA. GREENE — E A TANTAS OUTRAS, CORAJOSAS O suficiente para defender seus direitos e os de outras mulheres —, comecei a entender que as mulheres também eram um *extragrupo*. Dar-me conta disso resolveu muitos mistérios, como por que o Congresso tinha um aspecto masculino, mas a assistência social tinha um aspecto feminino; por que as donas de casa eram chamadas de mulheres "que não trabalham", embora tivessem uma jornada de trabalho mais longa, dessem mais duro e ganhassem menos do que qualquer outra classe de trabalhadores; por que as mulheres realizavam 70% do trabalho produtivo no mundo, remunerado e não remunerado, e, mesmo assim, eram donas de apenas 1% da riqueza; por que *masculinidade* significava liderança e *feminilidade* significava dançar conforme a música bizarra da vida diária.

Mais do que nunca, eu me vi querendo fazer reportagens sobre essa nova forma de ver o mundo como se todo mundo importasse. Mas ainda estávamos nos anos 1960, e mesmo o meu editor mais receptivo me explicou que, se publicasse um artigo dizendo que as mulheres eram iguais aos homens, teria que publicar outro logo em seguida dizendo que as mulheres não eram iguais aos homens — para manter a objetividade.

Eu me dediquei a escrever perfis de Margot Fonteyn, a dançarina que eu nunca seria, ou Dorothy Parker, Saul Bellow e outros autores que eu admirava — o que aparentemente era o mais próximo que eu conseguiria chegar de ser uma escritora. Então duas mulheres de um centro de conferências me escreveram perguntando se eu falaria para grupos que demonstraram interesse nessa nova coisa chamada liberação da mulher. Eu tinha acabado de escrever um artigo para a minha coluna na revista *New York* chamado "Depois do poder para os negros, a libertação da mulher". O artigo fora motivado pelo meu próprio despertar de consciência — isto é, pelo fato de que eu havia silenciado e sido silenciada sobre um aborto que fizera anos antes. Como muitas mulheres, eu me sentia culpada, sem me dar conta de que havia razões políticas para as mulheres não poderem tomar decisões sobre seu próprio corpo.

Fiquei interessada pelo convite, mas tinha um grande problema: eu morria de medo de falar em público. Já cancelara tantas vezes em cima da hora quando as revistas marcavam para que eu desse entrevistas na televisão a fim de promover este ou aquele artigo — como esperava-se que os escritores fizessem — que alguns programas haviam me colocado na lista negra. Felizmente, eu tinha uma amiga chamada Dorothy Pitman Hughes, pioneira em educação não sexista e multirracial em Nova York, mulher que não tinha medo de falar em público, mãe e membro de uma vasta família negra da Geórgia rural — todas as coisas que eu não era.

Nós nos conhecemos quando eu escrevi sobre sua creche comunitária para a revista *New York*.[7] Quando estávamos sentadas nas cadeiras das crianças, dividindo o almoço em pratos de papel, o assistente dela, um jovem italiano radical, nos contou que estava triste: a garota que ele amava não queria se casar com ele porque ele não ia permitir que ela trabalhasse depois do casamento. Dorothy e eu mal nos conhecíamos, mas começamos a traçar paralelos entre a igualdade para as mulheres e o restante das ideias radicais dele. E funcionou.

Uma vez que tínhamos sido bem-sucedidas no mano a mano, Dorothy sugeriu que falássemos em público como um time. Assim, cada uma de nós poderia falar sobre nossas experiências diferentes, porém paralelas, e ela podia assumir o controle caso eu travasse ou sinalizasse para ela.

De imediato descobrimos que uma mulher branca e uma mulher negra falando juntas atraíam um público muito mais diverso do que qualquer uma de nós teria conseguido atrair se fosse falar sozinha. Também descobri que, se confessasse o meu medo de falar em público, as pessoas não só seriam tolerantes, mas também solidárias. Pesquisas de opinião mostravam que muitas pessoas têm mais medo de falar em público do que da morte. Eu não estava sozinha.

Começamos em porões de escolas com algumas pessoas sentadas em cadeiras dobráveis e aos poucos passamos a falar em centros comunitários, sedes de sindicatos, cinemas suburbanos, grupos de defesa do direito à assistência social, ginásios de escolas de ensino médio, na Associação de Jovens Mulheres Cristãs e até mesmo em um ou outro estádio de futebol. Logo descobrimos a intensidade do interesse na ideia simples de que a humanidade compartilhada e a individualidade única de todas as pessoas eram muito mais importantes do que qualquer rótulo por grupo de nascimento, fosse por sexo, raça, classe, sexualidade, etnia, herança religiosa ou qualquer outra coisa. Foi por isso que não passei minha primeira década na estrada indo a reuniões da Fundação de Mulheres de Negócios e Profissionais ou da Associação Norte-americana das Mulheres Universitárias ou mesmo da Organização Nacional da Mulher. Eu ia a campi, a reuniões da Organização Nacional pelo Direito à Assistência Social, da União dos Trabalhadores do Campo, da 9-to-5, que era um novo grupo de e para trabalhadoras do setor administrativo, de grupos lésbicos às vezes excluídos tanto por feministas convencionais como por homens gays e das campanhas políticas contra a Guerra do Vietnã e das novas candidatas feministas.

Passamos a ver nosso trabalho como a criação de um contexto no qual o próprio público poderia formar um grande círculo de conversa e descobrir que não estavam loucos nem sozinhos em suas experiências de injustiça ou em seus esforços tanto para serem seu eu único como para encontrarem uma comunidade. Como na Índia, tantos anos antes, eles contavam suas próprias histórias. Com frequência, esses círculos de conversa se estendiam pelo dobro de tempo dos nossos discursos.

Quando começamos a falar, no final dos anos 1960, a guerra no Vietnã era a principal causa de ativismo. Prédios eram ocupados e certificados de alistamento militar eram queimados. Ao mesmo tempo, os movimentos de gays e lésbicas estavam saindo da clandestinidade e indo para a arena pública, e o movimento dos nativos norte-americanos estava tentando impedir a obliteração intencional de suas línguas, sua cultura e sua história. Como sempre, a ideia de liberdade era contagiosa.

Alguns anos antes na década de 1960, mulheres mais ou menos dez anos mais velhas que eu começaram a rejeitar a "mística feminina" dos subúrbios, como Betty Friedan descreveu de maneira brilhante e letal no seu livro *best-seller*, e a exigir o lugar de direito das mulheres na força de trabalho assalariada. Friedan ousara dar um nome a esse papel de consumidora glorificada que as revistas femininas impunham às leitoras — embora, para ser justa, os anunciantes impusessem isso aos editores —, mas as mulheres mais jovens e mais radicais não queriam apenas um emprego e uma fatia de um bolo já existente. Elas queriam assar um bolo totalmente novo.

No fim das contas, essas mulheres mais conservadoras acabaram concordando que o feminismo tinha que incluir todas as mulheres — lésbicas, mulheres que viviam da assistência social, o entrelaçamento de sexo e raça para as mulheres de cor, todo mundo —, e as mulheres mais radicais de diversas raças e classes não mais torciam o nariz diante da ideia de fazer a mudança partindo de dentro do sistema, assim como de fora. Embora o ponto de partida desses variados grupos de ativistas tivesse sido bem diferente e tivesse criado mágoas e mal-entendidos, ao final dos anos 1970 eles se uniram como partes recalcitrantes, idealistas, diversas e efetivas do mesmo movimento.

Dada a minha idade, pouco mais de trinta anos, eu estava entre esses dois grupos de mulheres — um tentando integrar, e o outro, transformar. Porém, por causa da minha própria experiência, me identificava com as mais jovens e mais radicais. Eu não era casada e não morava no subúrbio. Sempre fiz parte da classe trabalhadora, mas o gueto de gênero no jornalismo não era apenas um telhado de vidro, era uma caixa de vidro. Além disso, a Índia me ensinara que as mudanças crescem partindo de baixo, como uma árvore, e que casta ou raça podem duplicar ou triplicar a opressão às mulheres.

Logo o feminismo se tornou um incêndio florestal que se espalhou de costa a costa — e despertou em algumas pessoas uma apreensão correspondente. Para a direita religiosa e a corrente dominante da sociedade, nós estávamos desafiando Deus, a família e o patriarcado que eles haviam decretado. Para a esquerda e uma parte da corrente dominante, trazer à tona o preconceito contra as mulheres desviava o foco das lutas de classe, de raça e de outras questões que eram levadas mais a sério, porque também afetavam os homens. A ideia de igualdade de gêneros, contudo, era tão contagiosa que a direita logo classificaria o feminismo como um perigo equiparável ao humanismo secular e ao comunismo ímpio. Os norte-americanos começaram a apoiar questões de igualdade de gênero em pesquisas de opinião, mesmo quando algumas dessas questões ainda eram consideradas simplesmente "a vida" — como o assédio sexual e a violência doméstica.

Depois que Dorothy teve um bebê e decidiu viajar menos, minhas parceiras passaram a ser amigas e colegas como Margaret Sloan, poeta feminista negra e ativista do sul de Chicago, e Florynce Kennedy, advogada de direitos civis e oradora carismática, cujas palavras podiam ser citadas infinitamente. Flo, especialmente, me pegou pela mão. Quando senti que tinha que provar a existência da discriminação por meio de estatísticas, por exemplo, ela me puxou de lado. "Se você está deitada em uma vala com um caminhão nos seus calcanhares", ela disse, pacientemente, "não manda alguém até a biblioteca para descobrir quanto pesa o caminhão. Você se livra dele!"

Eu sempre falava primeiro — principalmente porque, depois de Flo, eu seria um anticlímax —, e cada uma de nós falava sobre nossas próprias experiências de ver talentos serem desperdiçados por causa de limites imaginários de raça, gênero, classe, sexualidade e por aí vai — incluindo a prisão da "masculinidade" que limita os homens. Para que houvesse um equilíbrio entre oradores e público, nos empenhávamos em dividir o tempo igualmente entre a nossa fala e um tempo livre para a plateia debater. Eu sabia que isso estava dando certo quando, por exemplo, alguém de um lado da sala fazia uma pergunta e alguém do outro lado a respondia. As pessoas se levantavam e falavam sobre ideias e experiências que talvez não tivessem partilhado nem mesmo com um amigo.

Juntas e separadas, nós, como oradoras, refutávamos mais uma descrição usada para desqualificar as feministas: de que éramos todas "brancas de classe média", uma expressão usada pela imprensa na época (e acadêmicos que acreditam nesses *clippings* de imprensa agora) como se fosse um adjetivo único para descrever o movimento feminista. Na verdade, a primeira pesquisa de âmbito nacional sobre a opinião das mulheres a respeito de questões de igualdade de gênero mostrou que as mulheres afro-americanas eram duas vezes mais propensas a apoiar essas ideias do que as mulheres brancas.[8] Se a pesquisa tivesse incluído latinas, norte-americanas de origem asiática, nativas norte-americanas e outras mulheres de cor, o resultado poderia muito bem ter sido ainda mais dramático. Afinal, se você sofreu discriminação de uma forma, provavelmente a reconhecerá em outras formas. Além disso, o racismo e o sexismo estão entrelaçados — como a sra. Greene e milhões de outras já experimentaram —, e não podem ser separados.

Viajar com uma equipe inter-racial me ensinou algumas verdades importantes e perturbadoras sobre o meu país. Embora ambas estivéssemos falando sobre a liberação das mulheres por exemplo, os repórteres me faziam perguntas sobre as mulheres e perguntavam a Dorothy, a Flo ou a Margaret sobre direitos civis. Isso acontecia mesmo que Flo fosse dezoito anos mais velha que eu e fosse uma figura pública bastante conhecida como advogada feminista. Nós aprendemos a deixar que esse esforço para nos dividir acontecesse por um tempo antes de denunciá-lo — fosse com raiva ou com humor, como no caso de Flo, ou com história, como no caso de Margaret, que citava o discurso de Sojourner Truth "Mas eu não sou uma mulher?". Isso era apenas uma amostra do problema geral: a invisibilidade na mídia das muitas mulheres de cor que foram pioneiras dos movimentos feministas. Uma vez que imagens podem dominar por completo a realidade, apenas lutar durante décadas evitaria que isso se tornasse uma profecia autorrealizável.

Às vezes as políticas sexuais assumem formas mesquinhas e estranhas. Por exemplo, eu já havia sido chamada de "garota bonita" antes de ser identificada como uma feminista de trinta e poucos anos. Então de repente me vi sendo chamada de "linda". Não apenas era descrita pela minha aparência mais do que em qualquer momento antes, mas eu era informada de que a minha aparência era a única razão pela qual eu conseguia atenção. Em 1971, o *St. Petersburg Times* estampou a manchete "A beleza de Gloria contradiz seus propósitos".[9] Levei alguns anos para entender essa súbita mudança com relação à mesma pessoa. Eu estava sendo confrontada com a expectativa de que toda feminista tinha que ser pouco atraente em um sentido convencional — e em seguida era descrita em contraste com esse estereótipo. O significado subjacente era: "Se você pode arrumar um homem, por que iria querer salários iguais?"

Isso se transformou em uma acusação de que eu era ouvida *apenas* por causa da minha aparência, e um corolário de que a imprensa me fabricou. Embora eu tivesse sido escritora *freelancer* durante toda a minha vida profissional sem que me dissessem que a minha aparência era a razão pela qual eu era publicada, agora isso tinha se tornado a explicação para tudo, não importava quão duro eu trabalhasse. Sem falar que o oposto às vezes acontecia, como quando minha agente literária me enviou ao editor de uma importante revista nacional, que me dispensou dizendo: "Nós não queremos uma garota bonita, nós queremos uma escritora." A ideia de que o que quer que eu tivesse conquistado se devia apenas à minha aparência permaneceria uma acusação dolorosa e preconceituosa até mesmo na minha velhice.

Felizmente, viajar e discursar me levou a plateias cheias de um senso comum interiorano. Quando um repórter levantou a questão sobre a minha aparência ser mais importante do que qualquer coisa que eu poderia ter a dizer, por exemplo, uma mulher mais velha se levantou na plateia: "Não se preocupe, querida", ela disse, confortando-me. "É importante que alguém que soube jogar esse jogo, e ganhar, diga: 'O jogo não vale porcaria nenhuma.'"

Também aprendi com minhas parceiras de discurso. Especialmente quando estávamos no Sul, algum homem na plateia podia supor que uma mulher negra e uma mulher branca viajando juntas deveriam ser lésbicas. Florynce Kennedy formulou a resposta perfeita: "A minha outra opção seria você?"

Se alguém me chamasse de lésbica — naqueles dias supunha-se que todas as feministas solteiras eram lésbicas —, eu tinha aprendido a dizer simplesmente: "Obrigada."

Essa resposta não revelava nada, confundia o acusador, demonstrava solidariedade às mulheres que eram lésbicas e fazia a plateia rir.

Eu também comecei a apreciar essa compreensão bilateral que acontece apenas quando estamos todos juntos no mesmo espaço. Isso gradualmente fez com que eu ficasse menos relutante em falar sozinha. O nervosismo ainda podia voltar, como a malária, mas eu tinha aprendido que, em geral, as plateias se tornam suas parceiras se você as ouve tanto quanto fala.

Depois que me juntei a um grupo de escritoras e editoras para fundar a revista *Ms.*, passei a viajar não apenas por causa das histórias, mas também para vender anúncios para fabricantes de carros relutantes que estavam convencidos de que eram os homens que tomavam essa decisão de compra; para explicar aos fabricantes de produtos femininos por que a *Ms.* não publicava artigos sobre moda, beleza ou culinária que louvassem e promovessem os produtos dos anunciantes; e para convencer os donos das bancas de jornal a vender um novo tipo de revista feminina cujas capas não se pareciam em nada com as outras. Eu me lembro de ir de cidade em cidade, comprando *rosquinhas* e café para homens que enchiam caminhões com caixas de revistas ainda de madrugada, na esperança de que eles convencessem os donos das bancas a pelo menos abrirem as nossas caixas.

Logo eu também estava viajando de estado em estado em campanha pela Emenda da Igualdade de Direitos, ou fazendo campanha para novas candidatas que representavam as necessidades e os pontos de vista da maioria das mulheres, ou para candidatos que estavam fazendo o mesmo, ou ainda para angariar fundos para vários setores desse movimento que eu prezava tanto.

Nos anos 1980, publiquei meu primeiro livro de verdade, *Outrageous Acts and Everyday Rebellions* [Atos revoltantes e rebeliões diárias], e descobri que a turnê de um escritor era uma nova forma de viagem pelas estradas. Havia até os acompanhantes dos autores — geralmente *freelancers* —, que conheciam cada cidade e arrastavam os escritores para sessões de autógrafos e aparições na imprensa. Isso e mais dois outros livros e turnês nos anos 1990 me fizeram perceber que as livrarias eram verdadeiros centros comunitários. Qualquer um podia entrar, mesmo que não pudesse comprar um livro, e os espaços reservados para bate-papos e autógrafos eram um convite aos círculos de conversa. Uma vez que nenhum computador é capaz de proporcionar esse companheirismo, quanto mais pessoal for a loja, mais chances ela tem de sobreviver.

Eu sei que alguns autores detestam as turnês de promoção de livros — e talvez eu odiasse também, se tivesse que ficar repetindo o enredo de um único romance —, mas eu aprendi a gostar dessas reuniões espontâneas em shoppings, livrarias universitárias e livrarias especializadas que não podiam ser substituídas pelas grandes redes, todos espaços com café, cadeiras confortáveis e a presença de livros que permitem que as pessoas pesquisem e descubram interesses que elas nem sequer sabiam que tinham. Recentemente, quando um livro meu foi publicado na Índia,[10] fiz uma turnê por livrarias de Jaipur e Nova Délhi a Calcutá. Essas livrarias também variavam de grandes redes a lojas pequenas, repletas de discussão e arte. No geral, se eu tivesse que escolher um lugar para passar o tempo em qualquer cidade de qualquer país, de Nova York à Cidade do Cabo, da Austrália a Hong Kong, eu escolheria uma livraria.

Cada escritor também cria um mundo só seu. Eu observei Bette Midler autografar cada livro das centenas de fãs que formavam uma fila que dava a volta no quarteirão, tudo isso enquanto usava um chapéu atrevido, no formato de um piano. Oliver North, do escândalo de venda de armas Irã-Contras, tinha dois guardas portando armas praticamente à mostra e não respondia nenhuma pergunta enquanto autografava cópias de *Under Fire: An American Story — The Explosive Autobiography of Oliver North* [Sob ataque: Uma história americana — A explosiva autobiografia de Oliver North]. Ai-jen Poo, que tinha recebido o prêmio MacArthur para "talentos especiais" pela sindicalização das trabalhadoras domésticas, transformava as sessões de autógrafo em comícios. Ninguém deixava um dos eventos dela sem saber que viver por mais tempo não é uma crise, é uma bênção; que os norte-americanos acima dos 85 anos, que hoje somam doze milhões, dobrarão em número até 2035; que muitos cuidadores mais serão necessários, e que esses trabalhadores merecem os mesmos direitos legais que trabalhadores de qualquer outra área.

Considerando tudo isso, não consigo imaginar a tecnologia substituindo completamente as livrarias, não mais do que os filmes sobre um país substituem a experiência de ir até lá. Aonde quer que eu vá, as livrarias ainda são o que há de mais próximo de uma praça pública.

IV.

HÁ ACONTECIMENTOS QUE DIVIDEM A NOSSA VIDA EM ANTES E depois. Eu percebi que a maioria das pessoas, quando são encorajadas a citar esse tipo de evento, escolhem algo que tenha lhes dado um sentimento de conexão emocional, seja testemunhar um parto ou caminhar pelas ruas de Nova York depois do 11 de Setembro, ou contemplar a foto do nosso frágil planeta visto do espaço.

O meu foi um evento do qual você talvez nunca tenha ouvido falar: a Conferência Nacional da Mulher de 1977, em Houston. Ela poderia levar o prêmio de evento mais importante do qual ninguém tem conhecimento. Em três dias, além dos dois anos que me levaram até lá, minha vida foi modificada por um novo senso de conexão — com questões, possibilidades e mulheres que conheci nas trincheiras. A conferência também reuniu um movimento enorme e diverso em torno de questões e valores compartilhados. Poderíamos dizer que foi o círculo de conversas definitivo.

Eu não sou a única que se tornou uma pessoa diferente depois de Houston. Nos anos que se passaram desde então, conheci diversas mulheres que estiveram lá, e cada uma me contou que também tinha sido transformada de alguma forma: suas ideias e esperanças em relação ao que era possível — para o mundo, para as mulheres em geral, para elas mesmas. Porque dezoito mil observadores foram para Houston, oriundos de 56 países, e porque as delegadas foram escolhidas de forma a representar a constituição de cada estado e cada território, foi o conjunto com a maior representatividade geográfica, racial e econômica que os Estados Unidos já viram — muito mais do que no Congresso, nem se compara. As questões a serem votadas em Houston também haviam sido escolhidas em cada estado e em cada território. Era uma convenção constitucional para a metade feminina do país. Afinal, nós havíamos sido excluídas da primeira.

Se você está se perguntando por que nunca ouviu falar sobre esse evento, fico feliz. Tudo começou em 1972, quando as Nações Unidas declararam que 1975 seria o Ano Internacional da Mulher — assim como há o Ano Internacional da Criança ou o Ano da Agricultura Familiar. Em 1974, o presidente Gerald Ford nomeou uma delegação com 39 membros para representar as mulheres dos Estados Unidos, e nomeou um homem do Departamento de Estado para encabeçar a delegação.

Mas quem encarou o desafio de descobrir quais questões e esperanças *de fato* representavam a metade feminina do país foi a congressista Bella Abzug, uma mulher que nunca pensou pequeno. Ela recrutou a congressista Patsy Mink como coautora e a congressista Shirley Chisholm como coconspiradora na redação de uma peça revolucionária da legislação. Ela requeria recursos federais para a realização de 56 conferências abertas e economica e racialmente representativas ao longo de dois anos, uma em cada estado e território. As delegadas eleitas e as questões selecionadas em cada encontro seriam então levados para uma conferência nacional em Houston. Lá, um Plano de Ação Nacional seria votado. A finalidade era representar as mulheres dos Estados Unidos não apenas para o restante do mundo, mas também para nossos próprios líderes em Washington e nas legislaturas estaduais. Por fim, haveria respostas democráticas à clássica pergunta: *O que as mulheres querem?*

Eu não conseguia pensar em nenhuma outra pessoa que não Bella capaz de imaginar uma série de eventos daquela escala — menos ainda alguém que tivesse a ousadia de pedir ao Congresso que pagasse por eles. Embora tivesse feito campanha ao lado dela em uma Manhattan que a amava, em uma Washington que a temia e em um movimento feminino que dependia dela, eu nunca a tinha visto tentar algo tão grandioso. Mulheres de cada estado e território seriam convidadas a debater e decidir sobre questões tão contenciosas como liberdade reprodutiva e aborto, direito à assistência social, direitos das lésbicas, violência doméstica e a exclusão das trabalhadoras domésticas das leis trabalhistas. O pedido dela de dez milhões de dólares era na verdade uma ninharia, considerando que representava 28 centavos por mulher norte-americana adulta, mas o Congresso ficou escandalizado. Eles adiaram a votação até um ano depois da data em que a primeira conferência estadual deveria acontecer; então, reduziram o orçamento pela metade, para cinco milhões de dólares. Mesmo assim, a verba foi aprovada, e a Conferência Nacional da Mulher foi marcada para novembro de 1977 em Houston.

Para organizar essa tarefa colossal, o presidente Jimmy Carter nomeou um novo grupo de comissários para o Ano Internacional da Mulher. Eu fui um desses comissários, e esse foi o motivo pelo qual eu e três dúzias de outros membros dessa nova comissão passamos dois anos cruzando o país para ajudar a organizar 56 conferências de dois dias de duração cada uma.

CONFESSO QUE ESTAVA MAIS assustada do que nunca. Esse desafio organizacional era um pouco como uma campanha presidencial, com uma fração dos recursos. Significava ajudar a criar um corpo representativo de planejamento em cada estado e território, incluindo grupos que provavelmente nunca tinham estado juntos antes. Eu aprenderia a grande diferença entre protestar contra as regras de outras pessoas e fazer as suas próprias — a diferença entre pedir e realizar.

Nosso processo de eleição de delegadas era tão aberto, que assustava. Qualquer pessoa com dezesseis anos ou mais poderia ser eleita se o resultado, no conjunto, representasse o estado racial e economicamente.

O sucesso pode ser tão desastroso quanto o fracasso — e quase foi. Como se tivéssemos dado vazão a um manancial subterrâneo de desejo, as mulheres compareceram à conferência em tamanha quantidade, que inundaram os campi e prédios do governo onde nosso orçamento reduzido as havia colocado.

Em Vermont, mais de mil mulheres atravessaram o gelo e a neve para comparecer à maior conferência de mulheres já vista no estado. Se a maioria não tivesse levado seus próprios sacos de papel pardo com o almoço e alguém para cuidar das crianças, nossa organização estaria em maus lençóis naquela primeira das conferências estaduais.

No Alasca, um auditório destinado a seiscentas pessoas teve que comportar sete mil. Felizmente, a maioria das mulheres se sentou no chão com boa vontade.

Em Albany, capital do estado de Nova York, mais de 11 mil mulheres — quatro vezes mais do que havíamos planejado — se enfileiraram do lado de fora dos prédios do governo no sufocante calor de julho, depois aguardaram a maior parte da noite em um porão sem ventilação para votar nas delegadas e nas questões a serem discutidas. Eu tinha ido a Albany para a cerimônia de abertura — e depois iria para casa escrever e ganhar meu sustento, mas acabei ficando por dois dias e duas noites, sem cama nem escova de dentes, ajudando com as filas de votação.

Os eventos em alguns outros estados nos fizeram perceber que estávamos vivendo uma felicidade ilusória. Representar o ponto de vista da maioria definitivamente não era o objetivo de todos. Por exemplo, apenas cerca de 2% da população do estado de Washington era mórmon, mas quase metade das mulheres que participaram da conferência do estado era. Essa desproporção também aconteceu em Michigan e no Missouri, como parte de um esforço em grande escala dos mórmons para impedir a aprovação da Emenda da Igualdade de Direitos, que na época estava em processo de ratificação e que certamente seria votada em Houston.[11] Apesar de mais de 60% dos norte-americanos a apoiarem, uma mulher mórmon estava prestes a ser excomungada por fazer campanha a favor da emenda.[12] Algumas pessoas diziam que essa oposição era oriunda do medo de que a emenda tirasse a mulher do seu papel tradicional ao oferecer-lhe igualdade fora de casa; outras pessoas destacavam que empresas de seguros de propriedade de mórmons perderiam dinheiro se as tabelas atuariais calculadas por gênero fossem banidas, como tinha acontecido com as tabelas baseadas em raça. (Por exemplo, uma mulher que não fumava geralmente pagava prêmios maiores do que um homem que não fumava. Por quê? Porque, em média, as mulheres vivem mais.) A literatura oposicionista também alegava que a emenda poderia significar banheiros integrados, mulheres em combate, maridos que não mais teriam que sustentar as esposas, e por aí vai — nada do que era certo.

Com base na teoria de que a exposição cura qualquer doença, Bella convocou uma coletiva de imprensa para denunciar essa tentativa de super-representação de um grupo religioso. Membros do Congresso representantes dos estados nos quais os mórmons tinham poder político acusaram Bella de preconceito religioso, exigindo que ela se desculpasse em público — e ela teve que fazê-lo. Foi a única vez que eu a vi se curvar ao poder.

Alguns outros grupos religiosos se opunham igualmente a conferências representativas. No Missouri, ônibus de igrejas levaram cerca de quinhentas mulheres e homens cristãos fundamentalistas para a conferência daquele estado — a tempo de votar, mas não por tempo suficiente para serem corrompidos por uma discussão aberta. Em muitos estados, grupos católicos levaram panfletos e cartazes contra o aborto e a pílula anticoncepcional, muito embora — ou talvez porque — as mulheres católicas fossem no mínimo tão propensas a usar ambos quanto as mulheres não católicas. Em Oklahoma, fundamentalistas cristãos votaram para classificar o trabalho doméstico como "a carreira mais vital e recompensadora para as mulheres" e, em seguida, terminar o encontro. Comecei a ver que, para alguns, a religião era apenas uma forma de política que não se podia criticar.

No Mississippi, a Ku Klux Klan ficou tão alarmada diante de uma conferência multirracial, que seus membros chamaram reforços e elegeram uma delegação quase totalmente branca em um estado que era composto por pelo menos um terço de afro-americanos."[13]

Por fim, fizemos o que deveríamos ter feito desde o início: os que queriam participar da conferência tinham que se inscrever individualmente com antecedência, e não na porta conforme saíam dos ônibus.

Koryne Horbal, uma das fundadoras da Bancada Feminista do Partido dos Trabalhadores Rurais Democratas de Minnesota, percebeu que grupos contra a igualdade estavam distribuindo listas de questões às quais se opor em Houston, mas os grupos a favor da igualdade não estavam distribuindo nenhuma lista sobre o que apoiar. Ela colocou todas as questões dos grupos favoráveis à igualdade em um Plano de Ação Nacional, fez buttons dizendo EU APOIO O PLANO e passou semanas telefonando para delegadas, explicando por que cada questão era importante. Uma vez em Houston, o trabalho dela de esclarecer as coisas salvaria o dia. Os buttons EU APOIO O PLANO ajudariam as mulheres a identificar aliadas que elas não conheciam, assim como as delegadas que eram contra a igualdade reconheciam uns aos outros ao usar buttons de BARRE A EMENDA.

ESSE LONGO, DIFÍCIL, ENGRAÇADO, educacional, raivoso, unificador, improvisado e exaustivo processo de dois anos provavelmente encurtou a vida de todos nós.

No entanto, valeu a pena. Em um dia quente de novembro de 1977, duas mil delegadas eleitas e cerca de 18 mil observadores começaram a encher a maior arena de Houston. Com questões de áreas que variavam desde artes até assistência social e três dias para votá-las, havia um sentimento de urgência, excitação e até mesmo um pouco de medo de que não conseguíssemos. Além disso, centenas de protestos contra a emenda, contra o aborto e outras questões estavam acontecendo do lado de fora da arena, na esperança de garantir que não conseguiríamos. Do outro lado da cidade, uma contraconferência direitista e religiosa — liderada por Phyllis Schlafly — estava obtendo a mesma cobertura da imprensa ao acusar a Conferência Nacional da Mulher de ser contra a família, contra Deus e, além disso, sem representatividade; não importava que os participantes dessa contraconferência não tivessem sido eleitos por ninguém.

Tudo que eu podia esperar era que as táticas de Bella — por exemplo, incluir todos os símbolos democráticos de que conseguisse se lembrar — evidenciassem a diferença. Estavam lá primeiras-damas, porta-bandeiras das escoteiras e até mesmo corredoras de revezamento: mulheres atletas que saíram de Seneca Falls, em Nova York, onde a luta pelo sufrágio começara, e carregaram uma tocha acesa por todo o caminho. Apresentadores de rádios de direita atacaram as primeiras-damas apenas por terem comparecido, e os apoiadores de Phyllis Schlafly no Alabama persuadiram atletas locais a se recusarem a correr um trecho crucial da estrada no caminho para Houston. Apesar dos perigos, uma jovem de Houston tomou um voo para o Alabama para substituí-las.

Conforme milhares de delegadas e suplentes começaram a chegar, participantes de diversas convenções de negócios resolveram fazer o check-out tardio nos hotéis de Houston. Nossas delegadas ficaram horas esperando em filas para fazer o check-in.

Eu andava para cima e para baixo ao longo das filas nos saguões, tentando tranquilizar as pessoas. Observadores de países distantes estavam acampados ao lado de mulheres que nunca haviam saído de seus estados antes; atletas beneficiadas pelo Título IX das Emendas Educacionais de 1972* dividiam suas garrafas de água com defensoras dos direitos das mulheres com deficiência em cadeiras de rodas; mulheres nativas do Havaí comparavam longos voos com mulheres nativas do Alasca; e líderes superpoderosas dos mundos corporativo ou político esperavam em pé na fila como todo mundo. Apesar de alguns pitis, a maioria das mulheres parecia estar aproveitando para conhecer umas às outras em uma espécie de caos comemorativo. Se não estivesse tão ansiosa em relação à combinação de manifestações contrárias e objetivos cruciais, eu também estaria em clima de celebração. Do jeito que as

---

* O Title IX é a uma seção das Emendas Educacionais de 1972 que estabelece que ninguém pode sofrer discriminação ou ser excluído de nenhuma atividade ou programa escolar financiado pelo governo federal com base no gênero. (*N. da E.*)

coisas estavam, eu só queria muito ir para casa, colocar minha cabeça debaixo de um travesseiro e esquecer aquele evento tão importante para mim — e que eu temia tanto que fosse um desastre.

No meio do caos, cerca de vinte delegadas do Território Indígena estavam assumindo as rédeas da situação. Elas tinham se encontrado colocando um aviso escrito à mão na parede do saguão. Como nenhuma sala de reunião estava disponível, elas se reuniram para seu próprio círculo de conversas na antessala luxuosa do banheiro feminino. Raramente essas mulheres de partes tão distantes e diferentes do território indígena tinham a oportunidade de se encontrar. Quando me contaram isso, tive o meu primeiro lampejo de orgulho de organizadora: *Se apenas isso acontecer, já será o suficiente.*

No cavernoso Coliseum, jovens representantes com camisetas vermelhas começaram a permitir que as delegadas entrassem na arena. Aos poucos os grupos ocuparam as centenas de cadeiras divididas por estados, como em uma convenção presidencial. Do lado de fora, manifestantes ainda entoavam *slogans* raivosos, mas logo foram abafados pelo burburinho do público presente e das arquibancadas cheias de observadores.

Pelo corredor central, duas jovens corredoras trouxeram a tocha acesa em Seneca Falls, milagrosamente bem no momento em que Maya Angelou ia ler o poema que havia escrito para a ocasião. De onde estava, atrás do grande palco, vi quando duas ex-primeiras-damas e a mulher do então presidente — Lady Bird Johnson, Betty Ford e Rosalynn Carter — cumprimentaram as delegadas. As três mulheres foram aplaudidas por ativistas que provavelmente tinham protestado contra os maridos de todas elas. Grupos de observadores segurando cartazes do México, da Índia e do Japão aplaudiram o discurso de Barbara Jordan, a congressista afro-americana do Texas, quando, em sua elegante retórica, ela exigiu "um programa nacional de direitos humanos". Adolescentes lideraram uma ovação de pé para um discurso antinuclear da antropóloga Margaret Mead, embora eu soubesse que muitas não tinham a menor ideia quem era aquela resoluta senhora.

Com 26 plataformas de questões múltiplas, que tinham emergido dos estados e tratavam de assuntos que iam de assistência infantil a política estrangeira, havia tanto um debate fervoroso quanto uma preocupação subjacente sobre o tempo que seria necessário para debater todas as questões. Com o passar das horas, as presidentes e parlamentares se revezavam, cada uma parecendo Toscanini regendo uma orquestra enorme e indisciplinada. Eu ouvi discussões sobre questões de ordem obscuras e também discursos sinceros, manifestações que interrompiam tudo e muitos blocos políticos se formando entre o público presente. Eu não conseguia acreditar que, de alguma forma, o processo e o senso de humor estavam prevalecendo.

Apesar dos protestos inflamados de todas as mulheres usando buttons contra a emenda e empunhando bandeiras dos Estados Unidos, a controversa plataforma da "preferência sexual" ou orientação sexual foi aprovada. A conferência apoiou o direito das lésbicas de terem igualdade de tratamento no local de trabalho e na custódia dos filhos. O mais surpreendente: Betty Friedan falou da arena em apoio a essa causa, marcando o fim de sua posição, que já durava uma década, de que incluir lésbicas — a "Ameaça Lavanda", em sua famosa expressão, que depois foi adotada com humor e rebeldia pelas próprias lésbicas — prejudicaria o movimento feminista ou significaria sua ruína. Por fim, a maioria concordou que o feminismo significava todas as mulheres como uma casta, e que o preconceito contra as lésbicas poderia ser usado para deter qualquer mulher até que não pudesse mais deter mulher nenhuma.

Até aquele momento, eu temia que a nossa oposição estivesse mais unida do que nós. Por exemplo, os mesmos grupos que eram contra a contracepção e o aborto também eram contra o relacionamento sexual entre duas pessoas do mesmo sexo. Era irracional na superfície, mas a direita religiosa era contra *qualquer* sexo que não pudesse resultar na concepção. Agora uma maioria representativa estava unida também ao reconhecer que a expressão sexual humana não era apenas uma maneira de se reproduzir se escolhêssemos fazê-lo, mas também uma forma de ter prazer e criar laços.

Ao fim da maratona do primeiro dia, Bella conseguiu arrancar risadas e aplausos ao quebrar a tensão dizendo: "Boa noite, meus amores!"

MINHA ATRIBUIÇÃO SURPRESA NA conferência foi um pedido de última hora dos muitos grupos de mulheres de cor para que eu fosse um tipo de escriba. Eu deveria ir de quarto de hotel em quarto de hotel, de reunião em reunião, anotando as preocupações que eram comuns a todas, unificando a redação para a aprovação delas e anexando as questões que eram únicas para cada grupo. O objetivo era compor um substituto para a suposta Plataforma das Minorias Femininas, que tinha surgido a partir de conferências estaduais individuais, embora as mulheres de cor não tivessem conseguido se encontrar como um grupo único. As norte-americanas de origem asiática estavam espalhadas do Havaí a Nova York. O bloco hispânico era formado principalmente por chicanas em uma costa e porto-riquenhas na outra. As afro-americanas vinham de todos os cantos, e os membros dos grupos indígenas norte-americanos e dos nativos do Alasca eram os mais dispersos de todos. Houston foi a primeira e única chance de elas se encontrarem e de elaborarem uma plataforma que incluísse suas demandas em comum e também as questões específicas. Porém, caso se encontrassem durante o dia, perderiam importantes votações do painel. Como sempre, a dupla discriminação significava o dobro de trabalho.

Eu seria algo a que elas se referiam animadamente como "nosso ícone", ou seja, a única que não era uma mulher de cor, indo cedo pela manhã ou depois do expediente, à noite, de um grupo a outro enquanto eles se reuniam em diferentes quartos de hotel. Eu unificaria a redação quando fosse possível e listaria as questões únicas, depois entregaria o resultado para a aprovação de todas. Isso era uma honra, mas também elevou meu já alto nível de ansiedade. Eu tinha medo de fazer uma besteira. Não tinha sequer certeza de que conseguiria chegar fisicamente a cada reunião em meio ao caos da conferência.

Enquanto ia de um grupo a outro, vi mulheres acampadas em cada superfície tomando café da manhã ou fazendo lanches de madrugada, da versão de Houston de *bagels* a pizzas tex-mex. Entre as trezentas delegadas afro-americanas, havia legisladoras especializadas em procedimento parlamentar e mulheres que nunca tinham estado em uma conferência antes, membros da irmandade Delta Sigma Theta com vestidos de seda e estudantes com coturnos militares, radicais que não acreditavam em votação e veteranas da luta pelos direitos civis como Dorothy Height, que lutara pelo direito ao voto desde que era uma jovem se encontrando com Eleanor Roosevelt.

Enquanto as mulheres afro-americanas levantavam questões mais genéricas de racismo e pobreza, o bloco das norte-americanas de origem pacífico-asiática acrescentou as barreiras da língua, trabalhos que exploravam os empregados e o isolamento das mulheres que foram para os Estados Unidos como esposas de militares. As hispânicas falaram sobre chicanas que eram deportadas e afastadas dos filhos nascidos nos Estados Unidos, sobre porto-riquenhas que eram tratadas como se não fossem cidadãs norte-americanas e sobre cubanas isoladas de suas famílias por causa das tensões com seu país de origem. De alguma forma, tudo isso tinha que ser reunido em uma Plataforma das Minorias substituta que pudesse ser apresentada aos participantes e votada por todas as delegadas.

Entretanto, nada me preparou para o grupo das nativas norte-americanas e do Alasca. Essas delegadas do Território Indígena eram as que mais precisavam de orientação. Por exemplo, quando as mulheres nativas falavam apaixonadamente contra a "interrupção", referindo-se a tratados, outras mulheres que faziam parte do bloco das minorias achavam que elas estavam falando da "interrupção" da gravidez. Enquanto outras mulheres de cor lutavam por igualdade *dentro* da corrente dominante, as mulheres nativas lutavam por isso e também por soberania tribal e autodeterminação *fora* da corrente dominante. De acordo com os tratados, as nações nativas deveriam ter um status de governo para governo em relação a Washington, mas, na realidade, eles não podiam sequer ensinar suas próprias línguas nas escolas. Como uma delegada nativa disse: "Outros norte-americanos têm história, família e herança genética em seus países de origem. Se o francês ou o árabe for esquecido nos Estados Unidos, ainda serão falados em outros lugares. Nós não temos outro país. Se as nossas línguas forem apagadas do mapa, elas não conseguirão voltar. Se nós desaparecermos daqui, será o fim."

Ao ouvir aquilo, comecei a me dar conta de que havia grandes culturas em meu próprio país sobre as quais eu nada sabia, e essas culturas estavam lutando para manter ou restaurar um equilíbrio — entre homens e mulheres, seres humanos e natureza — que os movimentos por justiça social modernos achavam que tinham inventado. Até mesmo o familiar termo Território Indígena significava não apenas territórios autogovernados dentro dos Estados Unidos, mas também um senso de comunidade que existe dentro das grandes e pequenas cidades — onde quer que os Primeiros Povos vivam. Como um ativista cheroqui me disse: "Território Indígena se tornou uma maneira de nos referirmos à nossa casa, à nossa reserva ou à nossa cidade. É onde somos conhecidos, onde nos sentimos seguros."

Eu também percebi que o humor era uma tática de sobrevivência ainda mais usada nesse do que na maioria dos outros grupos femininos. Como uma mulher me perguntou:

— O que Colombo chamava de primitivo?

Resposta: Mulheres iguais.

Foi o meu primeiro vislumbre do quão pouco eu sabia — e do quanto eu queria aprender.

POR FIM, QUESTÕES DE urgência foram reduzidas a frases curtas o suficiente para uma plataforma que substituísse a Plataforma das Minorias original. Minutos antes de ser apresentada aos participantes, as representantes de cada grupo de mulheres de cor se reuniram em um vestiário vazio para dar a aprovação final ao texto, depois saíram apressadas em direção à arena para cercar um microfone no enorme Coliseum.

Primeiro, Maxine Waters leu o preâmbulo sobre o impacto discriminatório do sexo e da raça combinados. Foi uma honra que essa jovem membro de uma assembleia legislativa mereceu por sua capacidade de organização ao reunir todos os trezentos membros diversos da bancada afro-americana.

Em seguida, Billie Nave Masters, uma educadora e ativista cheroqui, falou em nome das nativas norte-americanas e das nativas do Alasca, citando suas questões únicas relativas à soberania e invocando a "Mãe Terra e o Grande Espírito". Essas palavras não pareciam pertencer a um plano de ação político, mas eu tinha perguntado aos outros grupos se poderia mantê-las. Uma mulher mais velha da bancada afro-americana concordara.

"Essas são as únicas palavras com as quais a minha avó se importaria", ela disse. "As questões são a cabeça; essas palavras são o coração."

Quando Billie as leu, eu vi delegadas ficarem de pé em suas cadeiras para ver quem estava declamando poesia.

Em seguida veio Mariko Tse, uma jovem atriz nipo-americana que citou a luta das norte-americanas de origem pacífico-asiática contra as barreiras linguísticas, os preconceitos culturais, a realidade dos trabalhos que exploravam os empregados e o estereótipo de serem "um modelo de minoria", que supostamente não se rebelava nem causava problemas.

Representando as hispânicas, três delegadas — a líder norte-americana de origem mexicana Sandy Serrano-Sewell; Ana Maria Perera, uma norte-americana de origem cubana; e Celeste Benitez, do senado porto-riquenho — foram juntas ao microfone. Foi a primeira vez que grupos distintos de falantes de espanhol se unificaram em público, superando fronteiras nacionais, como hispânicos, algo que estavam encorajando os homens a considerarem. Elas se revezaram lendo e se mostraram unidas em tudo, desde os direitos dos imigrantes e de um salário mínimo para os trabalhadores imigrantes até lembrar à imprensa que repórteres falantes de espanhol não eram imprensa estrangeira.

Por fim veio Coretta Scott King, junto com seu guarda-costas, um resquício das tragédias passadas e do perigo presente. Ela citou a taxa de desemprego para as jovens mulheres negras, que era ainda maior do que para jovens homens negros, assim como o preconceito domiciliar contra famílias negras, crianças negras que precisavam ser adotadas e muito mais.

Depois falou por todos os grupos quando pediu "a adoção entusiástica dessa resolução substituta em nome de todas as minorias femininas deste país!". Houve aplausos, mas sua voz se elevou acima deles: "Que essa mensagem vá além de Houston e se espalhe por toda esta terra. Há uma nova força, um novo entendimento, uma nova irmandade contra todas as injustiças que um dia nasceram aqui. Não vamos nos deixar dividir nem ser derrotadas novamente!"[14]

Com frases de protesto, aplausos e lágrimas, as duas mil delegadas aceitaram a nova Plataforma das Minorias por aclamação. Foi o ponto alto da conferência. Eu estava orgulhosa do meu papel de facilitadora como nunca me orgulhara de nada que tinha feito na vida antes.

Nos fundos do cavernoso Coliseum, alguém começou a cantar "We Shall Overcome" [Nós vamos triunfar]. Como ondas no oceano, as pessoas se levantaram para cantar junto. Vi um homem e uma mulher brancos da delegação do Mississippi, o grupo que havia sido eleito em uma conferência estadual parcialmente dominada pela Ku Klux Klan, se aproximarem dos vizinhos para darem-se as mãos e se levantarem.

No segundo refrão, os observadores nas arquibancadas e os membros da imprensa estavam de pé, cantando também. Mesmo depois que a música havia acabado, as pessoas levantaram as mãos unidas acima da cabeça e repetiam: "É o nosso movimento agora!" Ninguém parecia querer que aquele momento acabasse.

Eu fiquei surpresa por me ver às lágrimas. Porque aquelas mulheres confiaram em mim para ajudá-las como escritora, comecei a ver uma forma de unir duas coisas — a escrita e o ativismo — que até então haviam me deixado dividida no dia a dia.

Daqueles dois anos em diante, passei a dividir a minha vida em Antes e Depois.

Antes de Houston, eu havia votado para usar parte dos nossos escassos recursos a fim de pagar policiais aposentados, que saberiam como proteger a conferência de manifestantes hostis.

Depois de Houston, percebi que as jovens voluntárias com camiseta vermelha e experiência em movimentos se saíram muito melhor em manter a segurança do que os policiais aposentados. Minha falta de confiança nelas tinha sido uma falta de confiança em mim mesma.

Antes de Houston, eu sabia que mulheres em pequenos grupos podiam ser corajosas e leais umas às outras e respeitar as diferenças umas das outras.

Depois de Houston, aprendi que as mulheres podiam fazer isso em larga escala, superando abismos de diferenças, e por um propósito sério.

Antes de Houston, eu dizia que as mulheres eram capazes de realizar grandes eventos públicos ao menos tão bem quanto os homens.

Depois de Houston, eu acreditava nisso.

Ao fim de uma cerimônia de encerramento emocionante, que deixou todas as delegadas e os observadores cantando e entoando frases, grupos de mulheres permaneceram por horas no local da convenção — conversando, trocando endereços, prometendo manter contato. Elas pareciam relutantes em deixar aquele espaço que tinha sido nossa única realidade por três dias e três noites. Então, por fim, eu me vi sozinha em meio ao lixo e às cadeiras vazias, sentindo a minha adrenalina se esgotar e a exaustão tomar conta de mim.

Eu me perguntava: Será que alguém no futuro vai saber ou se importar com o que aconteceu aqui? Pela experiência dos meus cursos de história na faculdade, eu sabia que um século de abolicionistas e sufragistas havia sido reduzido a alguns parágrafos nos livros. Pessoas fascinantes podiam ser descritas de maneira a parecer distantes, chatas, irrelevantes. Na cobertura dos jornais, a convenção de Houston foi em grande parte ofuscada por uma breve e simbólica visita do presidente Sadat, do Egito, a Israel.¹⁵

Como se atendessem a um chamado das minhas dúvidas, três jovens mulheres nativas vieram andando na minha direção pela arena do Coliseum. Uma delas carregava um xale com franjas vermelhas e um bordado de fitas roxo e dourado na borda. Outra carregava um longo colar de contas com um grande medalhão azul e branco. Elas colocaram o xale nos meus ombros, explicando que eu poderia usá-lo enquanto dançasse nos conselhos dos nativos norte-americanos.

"E você vai dançar nos conselhos", disse uma delas, sorrindo.

Elas colocaram o medalhão de flor no meu pescoço, explicaram que ele era enfeitado com contas no estilo dos povos das florestas e me disseram que ele ia me proteger.

"Você vai precisar, se continuar nos apoiando", disse uma delas, com um abraço.

E então elas se foram, tão misteriosamente quanto tinham aparecido.

EU DE FATO USARIA meu xale ao dançar em conselhos de nativos norte-americanos no futuro. E usava o colar todas as vezes que precisava fazer algo de que tinha medo; por exemplo, me manifestar diante de um grupo elitista que fazia eu me sentir como se tivesse acabado de sair de East Toledo, de um estacionamento de trailers, ou as duas coisas. Eu o usei com tanta frequência, que tive que guardar as contas que restaram em uma tigela.

Depois que voltei para casa, vindo de Houston, dormi por dias seguidos. Só depois comecei a ler o que outras mulheres estavam escrevendo a respeito. Um dos relatos era de Billie Nave Masters, que havia lido a resolução das nativas norte-americanas da arena, a parte com poesia: "Se as pessoas não os levam a sério quando é uma questão de sobrevivência", ela escreveu, "os indígenas encaram isso como mais uma perda em um histórico de muitas perdas, e simplesmente se retiram. Mas esse caminho foi colocado de lado em Houston (...) a experiência mais intensa e significativa da minha vida."[16]

Nós tínhamos vindo de vidas tão diferentes e, mesmo assim, nos sentíamos da mesma forma com relação a Houston. Para Billie, era raro encontrar um evento público que incluísse o Território Indígena de alguma forma. Para mim, foi um vislumbre de um modo de vida no qual o círculo, e não a hierarquia, era o objetivo.

Sem esse vislumbre do que uma vez foi — e que, por isso, poderia vir a ser de novo —, eu não teria viajado da mesma forma, não teria visto o mesmo país nem teria me tornado a mesma pessoa.

III.

Por que eu não dirijo

POR QUE ESTOU ESCREVENDO UM LIVRO SOBRE A VIDA "NA estrada" se nem tenho carteira de motorista, muito menos carro? Estou tão acostumada a viajar da forma que viajo, que nem pensei nessa questão.
    Houve um período em que fui tão obcecada quanto todo mundo com a capacidade de dirigir como um símbolo de independência. Eu me matriculei em uma autoescola no meu último ano do ensino médio, embora não tivesse carro nem acesso a um. Na verdade, mais do que ser uma motorista, eu estava querendo simbolizar a diferença entre a vida da minha mãe e a minha. Ela era uma passageira passiva, então uma carteira de motorista seria o início da minha fuga. Nas palavras de tantas filhas que ainda não sabem que o destino de uma mulher não é uma falta pessoal, eu dizia a mim mesma: *Não vou ser nem um pouco parecida com a minha mãe.* Quando estava na faculdade e li a reinvindicação revolucionária de Virginia Woolf por "um teto todo seu", eu silenciosamente acrescentei: *e um carro*.

Porém, quando voltei para casa depois do período que passei na Índia, passei a encarar as viagens comunitárias como algo natural. Eu tinha aprendido que ficar isolada em um carro não era sempre e nem de longe a forma mais enriquecedora de viajar: eu perderia a oportunidade de conversar com companheiros de viagem e de olhar pela janela. Como eu poderia apreciar o caminho para chegar a algum lugar se não pudesse prestar a atenção? Parei de inventar desculpas por ser uma rara norte-americana que não queria ter um carro. Parei até mesmo de citar justificativas de cunho ecológico e de explicar que Jack Kerouac também não dirigia. Como ele mesmo dizia, ele "não sabia dirigir, apenas escrever à máquina". Mas algumas vezes eu não resistia a mencionar pesquisas de opinião pública que apontavam os nova-iorquinos como os norte-americanos mais felizes. Por quê? Porque na cidade do país na qual as pessoas menos dirigem, nós de fato nos esbarramos nas ruas, em vez de ficarmos isolados em latas a toda velocidade.

Mas a verdade é que eu não decidi não dirigir. A decisão foi tomada à minha revelia. Agora quando me perguntam com condescendência por que eu não dirijo — e ainda me perguntam isso —, eu apenas respondo: "Porque a aventura começa no momento em que passo pela porta de casa."

I.

ESTOU EM UM TÁXI COM UM AMIGO A CAMINHO DO JFK, UM aeroporto que leva o nome de um presidente assassinado apenas seis anos antes. Nosso motorista, mais velho, parece um personagem masculino de modos grosseiros de uma peça de Tennessee Williams — incluindo uma camiseta regata por baixo da camisa que deixa à mostra suas tatuagens e uma foto antiga dos Fuzileiros Navais enfiada na moldura de sua licença para conduzir passageiros. Está claro que aquele é o táxi dele, e aquele é o seu mundo.

Eu e meu amigo estamos agindo em grande medida como se fôssemos amantes, que é o que somos. Também estamos hiperalertas para o fato de que o motorista está olhando para nós pelo espelho retrovisor. A razão disso é que, enquanto esperávamos com nossas bagagens em uma rua escura, um carro rebaixado cheio de adolescentes brancos acelerou perto da gente, deixando no ar noturno o grito letal "negro sujo!". Agora posso sentir que estamos lutando para esquecer esse ataque surreal e permanecermos nós mesmos.

Quando chegamos ao aeroporto, o motorista abre a portinhola da divisória que separa o banco da frente do banco de trás. Eu e meu amigo ficamos tensos. Sempre tenho a sensação de que, ao falar através daquela pequena abertura, é como se estivesse pedindo batatas fritas, mas, dessa vez, fico grata pela barreira. Nós não temos a menor ideia do que o motorista pensa de nós.

Ele nos entrega alguma coisa através da abertura. É uma foto antiga e desgastada de um jovem homem de terno, de pé com o braço ao redor de uma jovem mulher gordinha e sorridente, que está agarrando sua bolsa com ambas as mãos.

"Estes somos eu e minha mulher quando nos casamos", diz ele. "À exceção de quando eu estava na Coreia, nunca passamos uma noite separados em quarenta anos. Ela é a minha melhor amiga, minha namorada, mas, acreditem em mim, não era para termos nos casado. A família dela é de judeus poloneses, e a minha, de católicos sicilianos. Eles nem sequer falavam uns com os outros até que o primeiro neto nasceu. Estou lhes contando isso porque hoje é o nosso aniversário de casamento, e, se vocês não se importarem que eu diga isso, vocês dois meio que me lembram de como nós éramos. Se não ficarem ofendidos, gostaria de lhes oferecer a corrida de graça, para eu poder ir para casa e contar à minha mulher que ajudei outro jovem casal como nós."

Surpresos e comovidos, nós dizemos que suas palavras são o suficiente, mas acabamos aceitando a oferta porque é muito importante para ele. No aeroporto, nós todos ficamos parados de pé ao lado do táxi e apertamos as mãos — um pouco desconcertados pela emoção.

"Sabem", o taxista diz, "eu e minha mulher e vocês dois, é disso que se trata este país."

Mais tarde, eu e meu amigo concordaríamos que a pior consequência do grito racista na rua foi nos fazer desconfiar daquele homem quando entramos no táxi dele.

Anos se passaram. Eu e meu amigo seguimos caminhos bem diferentes. Ele vive na Costa Oeste, tem filhos, netos e uma vida sobre a qual eu nada sei. Temos certeza apenas de que desejamos bem um ao outro.

Quando me encontro com ele novamente, quase trinta anos depois, a primeira coisa que ele me diz é: "Você se lembra daquele motorista de táxi?"

E eu me lembro.

QUANDO ENTRO EM UM táxi, me vejo na vida de outra pessoa. Fotos de crianças no painel, objetos decorativos religiosos ou de outros tipos pendurados no espelho retrovisor, o nome e talvez a etnia evidentes na licença para conduzir passageiros no visor — além do impacto sensorial da presença física do motorista em um espaço tão pequeno —, tudo me faz submergir em um mundo móvel. No que o escritor Pete Hamill chama de "uma estratégia comum contra a solidão, uma intimidade fugaz com os passageiros",[1] os motoristas de táxi nos contam histórias e ficam felizes em ouvir as nossas.

Descobri esses mundos sobre rodas quando morei pela primeira vez em Nova York. Depois que comecei a escrever "The City Politic" [A política da cidade], uma coluna semanal para a revista *New York*, passei a depender de táxis não apenas para me levar ao meu destino, mas também para me dar dicas sobre opinião pública e as eleições. Eles tendem a ser guias sem papas na língua quando se trata do estado das questões sociais, e geralmente fazem previsões políticas mais precisas do que a maioria dos analistas da imprensa. Afinal, eles passam mais tempo ouvindo a opinião de pessoas aleatórias do que qualquer pesquisa pública; ouvem mais conversas privadas do que alguém monitorando uma escuta telefônica; e com frequência eles mesmos são novos imigrantes ou trabalham com pessoas que são. Isso faz deles detentores de tesouros de informações sobre o que de fato está acontecendo, não apenas nos Estados Unidos, mas em outros países também.

Um exemplo veio apenas dez dias depois que os ataques terroristas de 11 de setembro derrubaram as Torres Gêmeas em Manhattan. Eu estava perturbada com as imagens veiculadas na televisão de pessoas se atirando para a morte em vez de serem imoladas naquele inferno, imagens tão terríveis que logo as emissoras de televisão pararam de mostrá-las. As ruas do centro ficaram cobertas de cinzas e detritos surreais, e as sarjetas estavam repletas de corpos de pássaros que foram incinerados em pleno voo.

Meu motorista era um jovem rapaz branco, de uma gravidade que senti tão logo entrei em seu táxi. Passamos por cercas de construção cobertas de fotos e bilhetes colocados por pessoas que ainda estavam buscando parentes, amigos ou colegas de trabalho desaparecidos. Também havia grafites anônimos que surgiam como que por contágio por toda Nova York com a mesma mensagem: *Nosso luto não é um clamor por guerra.*

"É assim que os nova-iorquinos se sentem", o motorista disse. "Eles sabem como é um bombardeio, e sabem o inferno que é. Mas, fora de Nova York, as pessoas vão se sentir culpadas porque não estavam aqui. Vão gritar por vingança motivadas pela culpa e pela ignorância. Claro, todos queremos pegar os culpados, mas só as pessoas que *não estavam* em Nova York vão querer bombardear outro país e repetir o que aconteceu aqui."

Ele estava certo. Mesmo antes de ficar claro que o Iraque e Saddam Hussein não tinham nada a ver com o 11 de Setembro — apesar das falsas alegações feitas pelo presidente George W. Bush, que parecia estar mais preocupado com o petróleo do que com os fatos —, 75% dos nova--iorquinos eram contra os Estados Unidos bombardearem o Iraque. No entanto a maioria dos norte-americanos era a favor.

Também observei a inteligência política dos motoristas de táxi em outras cidades. Quando estive nas Cidades Gêmeas de Minneapolis e St. Paul no início dos anos 1990, por exemplo, um motorista com um sobrenome sueco previu que Sharon Sayles Belton seria a primeira mulher afro-americana a ser eleita prefeita de Minneapolis. Eu fizera campanha para ela quando ela se candidatou à câmara municipal, e mesmo ser eleita para aquele cargo já seria supostamente difícil. Nenhum político profissional ou especialista em pesquisa achava que Sharon tinha chance de ganhar naquela cidade majoritariamente branca. Mesmo assim, meu taxista analista político, loiro e de olhos azuis como as crianças de *A cidade dos amaldiçoados*, disse: "Se eu vou votar nela, e minha família vai votar nela, e meus passageiros vão votar nela, então, ela vai vencer." Ele tinha seu próprio grupo teste. Ele estava certo.

Na parte rural dos Estados Unidos, motoristas de táxi de cidades pequenas me alertaram sobre o crescente poder de grupos neofascistas tais como o Posse Comitatus, na região Centro-Oeste, e a Nação Ariana, no noroeste do país. Os bancos locais tinham receio de executar as hipotecas de suas fazendas, e a polícia hesitava em ajudar na reintegração de posse de fazendas e celeiros quando sabiam que os ocupantes estavam bem armados. Quando levei essas notícias comigo para Nova York, meus amigos não deram importância, achando que eram exageros de um punhado de malucos.

Entretanto, dirigir é uma profissão solitária que atrai rebeldes de muitos tipos, e um deles era ele próprio um extremista. Em Billings, no estado de Montana, um rancheiro que fazia bicos como motorista me contou que as Nações Unidas estavam usando helicópteros pretos para espionar os norte-americanos e que estavam planejando estabelecer um governo mundial. Eu também não dei crédito a ele, considerando-o apenas um maluco — porém, um ano depois, os jornais veicularam notícias sobre membros de milícias rurais em Montana que se reuniram no rancho de um deles, ameaçaram atirar em todos os helicópteros e tinham armamento para isso. Eu me perguntei se meu motorista estaria entre eles.

Ainda assim, quando voltei para Nova York, disse: "Sabe, há grupos de extrema direita lá fora, e eles estão bem armados." As pessoas da cidade grande responderam: "São só uns malucos, não há nada com que se preocupar."

Só mais tarde a imprensa começou a levar os grupos extremistas a sério. Àquela altura, eles já tinham cometido assassinatos motivados por racismo em diversas cidades — começando pelo judeu liberal Alan Berg, apresentador de um programa de entrevistas, que foi assassinado a tiros em frente a sua casa por um grupo de nacionalistas brancos, depois bombardeando um prédio do governo em Oklahoma City, atirando em crianças judias em uma creche de Los Angeles e tentando detonar uma bomba no desfile do dia de Martin Luther King em Spokane, no estado de Washington.

Eu ainda não vejo reportagens nos jornais sobre partidários da supremacia branca que estão tentando estabelecer uma pátria armada e separatista em regiões rurais do Noroeste dos Estados Unidos e em partes do Canadá. No entanto, quando pergunto aos motoristas, atendentes de postos de gasolina ou outras autoridades locais, eles são bastante objetivos ao falar sobre a Irmandade Ariana local, sobre os laboratórios de metanfetamina que operam impunemente em cidades pequenas ou sobre determinadas áreas rurais às quais é melhor não ir.

Uma vez que têm tempo e uma audiência cativa, os motoristas também podem ser vetores de mitos modernos. Em Boulder, por exemplo, fiquei sabendo que Jack Kennedy era o bebê Lindbergh.* Um motorista de Salt Lake City me contou que "comunistas ateus criaram o movimento feminista", e um motorista de Dallas disse que o feminismo era "um plano secreto dos judeus para destruir a família cristã", algo que eu ouviria bastante dos cristãos fundamentalistas de direita. Já que a corrida até o aeroporto de Denver é longa, pude ouvir toda a história da Comissão Trilateral como parte de uma conspiração internacional de judeus que se estendia desde o assassinato de Jesus Cristo até David Rockefeller, o fundador desse grupo privado formado por líderes dos Estados Unidos, da Europa e do Japão. Eu achei que ele tinha ganhado o Prêmio da Conspiração — até que entrei no táxi de outro motorista, no aeroporto de Newark, que estava certo de que a Comissão Trilateral estava por trás da destruição do World Trade Center no 11 de Setembro. Sem brincadeira.

Também posso dizer quais novos grupos de imigrantes estão indo para quais cidades, já que motorista de táxi é com muita frequência um primeiro emprego. Em Washington, sempre pego um número desproporcional de motoristas de países africanos. Eles podem não saber a rota mais rápida, mas me instruem em assuntos mais importantes. Do fim dos anos 1960 até o presente, motoristas da Etiópia e da Eritreia me mantiveram atualizada sobre os conflitos armados entre esses dois países. Os Estados Unidos, a União Soviética e a Cuba de Fidel Castro apoiaram a Etiópia em uma guerra que durou trinta anos — acreditando que esse país muito maior derrotaria a Eritreia. Mas, de acordo com os motoristas, sempre foi claro que a Eritreia triunfaria. Os motoristas eritreus tinham orgulho dos que lutavam

---

* Jack Kennedy era como os amigos se referiam a John Fitzgerald Kennedy (1917-1963), 35º presidente dos Estados Unidos, assassinado durante um desfile em carro aberto pelas ruas de Dallas. O bebê Lindbergh era Charles Augustus Lindbergh Jr., filho do famoso aviador Charles Lindbergh, sequestrado de sua casa em 1º de março de 1932, quando tinha pouco menos de dois anos de idade. O corpo foi encontrado a uma curta distância da residência, dois meses depois. O caso do sequestro foi um dos crimes mais famosos dos Estados Unidos e levou o Congresso norte-americano a aprovar uma lei que tornou o transporte de vítimas de sequestro além das fronteiras estaduais crime federal (N. da T.)

nas montanhas pela independência do país, mas nunca conheci um motorista etíope que quisesse lutar pelo imperador Haile Selassie ou pelos governos militares que se seguiram. Por outro lado, os motoristas da Eritreia me contavam, com orgulho, que um terço de seu exército era composto por mulheres, algumas das quais eram generais; que os combatentes tinham construído escolas e hospitais em cavernas nas montanhas que eram invulneráveis a bombas; e que músicos nas suas "tropas culturais", como as chamavam, se apresentavam para os combatentes e chegaram até mesmo a fazer uma turnê pela Europa.

"Quando um general etíope é morto, as tropas ficam desorientadas", me explicou um motorista eritreu. "Quando um general da Eritreia é morto, cada combatente se torna um general."

A pequenina Eritreia de fato venceu a guerra. Entretanto, seus líderes revolucionários partiram os corações dos taxistas eritreus ao assumirem o controle de toda a imprensa e traírem a revolução. Quando outra guerra por fronteiras estourou entre os dois países, percebi que nenhum dos dois lados queria voltar para casa e lutar.

Recentemente, um motorista etíope e diversos quenianos fizeram um importante alerta. Como um deles disse: "Nunca pensei que veria uma segunda onda de colonialismo, mas há uma em curso e é chinesa. Nossos países estão se tornando subsidiárias de propriedade da China."

Talvez os estrategistas políticos norte-americanos devessem conversar com os taxistas.

II.

Como filha do meu pai, eu sei que ser o próprio chefe é a razão pela qual dirigir um táxi atrai os espíritos livres, os filósofos e as pessoas que são independentes demais para fazer qualquer outra coisa. Os horários são flexíveis o suficiente para estudantes e até mesmo ocasionais donas de casa, embora taxistas mulheres ainda sejam raras. Sempre que pego uma, eu lhe digo como estou feliz em vê-la. No geral, conhecer o ser humano *dentro* de um motorista também é uma aventura.

- Fico feliz por pegar um motorista antigo em Manhattan. Ele me conta que trabalha como taxista há tanto tempo, que está escrevendo um livro chamado *Behind My Back* [Pelas minhas costas]. Eu lhe digo que é um título inspirador. O livro já o tornou o raro norte-americano que se sente igual aos ricos e famosos, e ele passa a corrida me contando sobre os seus personagens:

"O Robert Redford é muito mais baixo do que as pessoas imaginam... A Cher é prática e dá boas gorjetas, mas ela fez cirurgias plásticas demais... O Donald Trump tem um ego tão inflado, que até tentou me impressionar... A Toni Morrison é mais majestosa do que Sua Majestade a Rainha Elizabeth... Eu falei para a Caroline Kennedy que ela deveria concorrer à vaga no Senado... Só de ouvir os banqueiros, eu soube que o mercado de hipotecas de alto risco entraria em colapso."

Não consigo decidir se gosto desse cara ou não. Ele é tão obcecado por celebridades que fico me perguntando qual será sua postura com relação aos passageiros comuns. Então uma moradora de rua empurrando um carrinho de compras — dentro do qual provavelmente está tudo que ela tem na vida — se atira na nossa frente, e o motorista quase bate na lateral de um ônibus na tentativa de não atingir a mulher. Fico esperando uma chuva de palavrões, mas, em vez disso, ele apenas grita para ela: "Cuidado, minha querida!"

Depois de um momento de silêncio, ele diz, como se quisesse se desculpar por ter sido gentil: "Bem, ela é querida para alguém."

- Outro motorista antigo pede para fotografar as minhas mãos, fazer um desenho delas e entregá-lo na minha porta — tudo por trinta dólares. Há amostras da sua arte pregadas por todo o painel e na porta do carona, como mãos fantasmagóricas aplaudindo. Ele costumava colocar seu cavalete no Central Park junto com outros artistas de rua, explica, mas no táxi tem ar-condicionado no verão e calefação no inverno. Eu digo que não quero um desenho, mas que gostaria de contribuir com trinta dólares para o seu estúdio de arte móvel. De início ele recusa, mas depois diz que vai aceitar 25 dólares porque é o valor da entrada do Metropolitan Museum — ele vai até lá para observar as pinturas e copiar apenas as mãos. Eu lhe digo que ele é uma das pessoas mais felizes que eu já conheci.

- Não fico surpresa em pegar um taxista que está fazendo um bico como figurante em um filme. Manhattan é um grande set de filmagem, e policiais, bombeiros e moradores de rua às vezes tentam ganhar algum dinheiro trabalhando como figurantes. Mas esse cara também é um especialista em histórias de táxi como gênero. Ele repete, como se fosse algo que leu: "A combinação de intimidade e anonimato é um ótimo instrumento dramático."

  Ele também me dá uma filmografia que começa com *Taxi Driver*, de Martin Scorsese e termina com Taxicab Confessions, um *reality show* de baixo orçamento no qual os motoristas extraem histórias sexuais voyeurísticas dos passageiros, que estão sendo filmados por uma câmera escondida. Eu não consigo acreditar que as pessoas permitam que suas vidas privadas venham a público, mas, quando digo isso, ele me diz que eu sou uma trouxa se acredito que qualquer *reality show* seja real.

"Esse pessoal de Hollywood, um bando de dissimulados com jeans rasgados e relógios Rolex de trinta mil dólares... Nenhum deles conseguiria sobreviver em Bed-Stuy ou no Harlem... Eles simplesmente pagam as pessoas para contar histórias sexuais falsas... Não ligam a mínima se os motoristas vão ser roubados ou se vão levar um tiro, essa é a realidade... Deviam todos voltar para L.A."

Sentindo-me punida, eu pago a corrida. No banco da frente há uma pilha de fotos do taxista, sem camisa e sexy como um atleta, com uma pitada de Bob Marley.

"Você conhece alguém no seriado *Law and Order*?", ele me pergunta, ansioso. "Meu filho está doente, preciso do bico."

De repente eu entendo por que ele tem tanta raiva. Todos esses seriados contam as histórias dos passageiros, não dos motoristas. Quando pergunto, ele responde:

"Exatamente! Este país acha que as pessoas que têm dinheiro são interessantes, mas não as pessoas que precisam de dinheiro, como eu."

Eu acho que ele está certo. Eu preferiria assistir a um seriado chamado *Confissões de um Taxista*.

- Estou sendo conduzida por uma mulher com cabelos tingidos de ruivo que poderia ter qualquer idade entre 35 e 60 anos. Quando digo que estou feliz por ter uma mulher me conduzindo, ela me conta que um rabino ortodoxo simplesmente se recusou a entrar no táxi dela e que na garagem da empresa de táxi para a qual trabalha tem tantos taxistas homens que parece um vestiário. Em seguida, enumera seus empregos anteriores — pintora de casas, motorista de ônibus escolar e soldadora de ferro ornamental — como se para provar que não precisa da minha ajuda. Ela também grita palavrões para outros motoristas que tentam cortá-la, tricota uma linha de uma manta enquanto aguardamos no pedágio e, no geral, está no comando de seu pequeno navio como um pirata em alto-mar.

Para tentar compensar o fato de ter subestimado a independência dela, pergunto sobre as fotos, daquelas automáticas, tiradas em uma cabine, de cinco homens no painel do carro, abaixo de uma estátua da Virgem Maria e de um Krishna azul.

"Esses são meus antigos amantes, bom, aqueles dos quais me lembro", ela diz. "Eu acho que o caminho para a espiritualidade passa pelo êxtase sexual, e o caminho para o êxtase sexual passa pela espiritualidade. Você não acha?"

Grata por essa ser apenas uma pergunta retórica, apenas me mantenho em silêncio enquanto ela continua.

"Eu tive filhos com dois deles, uma banda de rock com um deles, e todos ainda são meus melhores amigos. Por quê? Porque eu ensinei a eles sobre o sexo, é por isso. Não apenas o sexo sexo, mas o sexo do tipo 'passar o fim de semana inteiro na cama', o sexo tântrico, o tipo de sexo que nos leva para um lugar para o qual só a música ou as drogas nos levam."

Tentando parecer legal, pergunto por que ela tem no painel o deus hindu Krishna.

"Porque ele é o único deus do sexo masculino que curte o sexo tântrico. É por isso que ele está sempre cercado de mulheres. Eu disse aos meus antigos amantes para ensinar esse tipo de sexo para as namoradas e esposas deles. E você sabe que a esposa de um deles me ligou no ano passado para me agradecer?"

Ela estaciona no aeroporto, passando na frente de uma limusine para pegar a última vaga disponível, e em seguida tira a minha mala cheia de livros de dentro do porta-malas como se fosse uma pena.

"Você deveria escrever sobre mulheres que não levam desaforo para casa, como eu. As garotas precisam saber que elas podem quebrar as regras. Se as freiras tivessem me dito isso, eu poderia ter economizado vinte anos."

Enquanto me afasto, ela me chama: "Vocês, garotas duronas, ajudaram, mesmo uma solitária como eu."

Vindo dela, isso é um grande elogio.

- Deixo minha casa rumo ao aeroporto de Newark e acabo me sentando atrás de um grande e pesado motorista mais velho que parece um Buda raivoso. Ele freia e costura pelo trânsito do centro da cidade, e sua voz resmungando em russo se sobrepõe ao som do *talk show* de Howard Stern no rádio. Stern está se superando como o tipo de apresentador que diz coisas ofensivas com o intuito de chocar, fazendo piada sobre dois adolescentes brancos que entraram em uma escola atirando e mataram colegas de classe e professores em Littleton, no Colorado. Ele está sugerindo que eles deveriam ter feito sexo com as meninas antes.

Eu peço ao motorista para desligar o rádio, mas ele está muito ocupado gritando palavrões para as pessoas que atravessam a rua.

"Seus preguiçosos imundos!", ele grita pela janela. "Vocês estão arruinando a porra deste país!" Este último insulto é direcionado a três adolescentes latinos. "Malditos bandidos!" Este é dirigido a um casal negro. "Vou esmagar você!" Esta ameaça é para um ciclista entregador com uma camiseta jamaicana. "Por favor, pare de gritar", eu peço.

Isso apenas faz com que ele acrescente "preto" aos seus epítetos, o que torna ainda mais clara a razão por que ele está gritando.

Eu penso: *Tudo bem, não vou conseguir fazê-lo mudar no caminho daqui até Newark, mas se eu não o confrontar por causa desse monte de absurdos, é a mesma coisa que dizer que está tudo bem. Por outro lado, se eu realmente ficar aborrecida, vou chorar, e isso é constrangedor.*

"Sabe, algumas pessoas aqui pensam coisas ruins sobre os imigrantes russos também, e elas estão erradas..."

"Tá maluca?", ele explode. "Eu de Ucrânia, não Rússia! Ucrânia é lugar bom. Todo mundo branco. Sem pessoas sujas!"

Claramente, chamá-lo de russo é quase tão ruim quanto dizer que ele tem alguma coisa em comum com as pessoas com as quais está gritando.

Começo novamente: "Já que não tem ninguém negro nem de pele morena na Ucrânia, como pode saber?"

"Vadia!", ele perde as estribeiras. "Você não sabe de nada! As pessoas negras arruínam essa porra desse país!"

Eu sou o tipo de pessoa que consegue admitir apenas na sexta-feira que estava com raiva na segunda, dessa vez, porém, reúno coragem para dizer que ele está envergonhando a Ucrânia — mas, de repente, ele está gritando com uma jovem negra com um carrinho de bebê, como se ela estivesse atravessando a rua apenas para ficar no caminho dele.

"Vadia maldita!"

O rosto assustado dela é a gota d'água.

Eu grito para ele algumas palavras perigosamente parecidas com "Vá embora para a Rússia, onde é o seu lugar" e penso: *Quero dizer, Ucrânia.* Saio do táxi no meio do trânsito e bato a porta.

A dramaticidade da minha saída do táxi é arruinada quando ele começa a gritar para que um policial me prenda. Eu me dou conta de que não paguei pela corrida. E tenho que passar pela humilhação de jogar o dinheiro pela janela dele e ficar esperando enquanto ele conta cada nota e moeda. Meu único conforto é ver a mulher com o carrinho de bebê mostrar o dedo do meio para ele.

Depois de implorar pela compaixão de outro motorista de táxi, consigo chegar a Newark. Corro pelo aeroporto até meus pulmões doerem e embarco no avião — por pouco. Durante todo o voo até São Francisco, penso em coisas horríveis que deveria ter dito. Mas a resposta perfeita acabou ficando no ar.

No dia seguinte, fico sabendo que os planos de Howard Stern de continuar dizendo absurdos no rádio foram por água abaixo — ou pelo menos foram tirados do ar — por causa de seus comentários terríveis. Foram pesados demais até mesmo para os seus fãs, e seu chefe foi forçado a se desculpar por ele. De alguma forma sinto que isso é uma derrota para o taxista também. E tenho a feliz fantasia de que a raiva, somada ao excesso de peso, vão acabar com ele.

Eu faço um balanço: testemunhei os absurdos racistas que ainda acontecem nas ruas. Aprendi que a Rússia e a Ucrânia não são o mesmo país. Expressei minha raiva no momento em que a estava sentindo — e não chorei.

Nada mal para uma corrida de táxi.

- Estou indo para o aeroporto pela terceira vez em uma semana, tentando chamar um táxi debaixo de uma chuva torrencial. Estou atrasada, rabugenta e, quando um motorista finalmente para, não estou com a menor vontade de conversar com esse menino branco de aspecto desleixado de vinte e poucos anos. A única coisa pessoal que vejo é um desenho de um olho gigante apoiado no banco ao lado dele. Contenho minha curiosidade.

Depois de um longo silêncio, ele pergunta o que eu faço. Eu ofereço apenas três palavras — *Eu sou escritora* —, na esperança de que a brevidade desencoraje uma conversa.

"Então eu não poderia saber quem você é", ele diz, sério, "porque não leio."

Achando que ele está sendo sarcástico, não respondo.

"Eu também não assisto à televisão" ele continua. "Não navego na internet, não leio jornais ou livros nem jogo *video game*. Não faço nenhuma dessas coisas há quase um ano. Não quero que nada interprete o mundo para mim. Estou injetando vida na veia."

Minha resolução está se esvaindo. Ele me fez lembrar de um professor de estudos clássicos que nos mandou ler Platão, Shakespeare ou Dante como se tivéssemos encontrado os livros deles no meio da rua e não fizéssemos a mínima ideia de quem eles eram. Sempre amei a confiança que ele tinha no trabalho — e também a confiança que tinha em nós.

Por fim, não consigo mais resistir em perguntar a esse cara por que ele está bloqueando todos os sinais usuais. Ele explica que a namorada estava cursando matérias como estudos femininos e estudos da negritude, então colocou fita adesiva em cima do nome dos autores e pediu que ele julgasse os livros sem conhecer a identidade do autor. Ele ficou tão desorientado que começou a contar os filtros que estavam lhe dizendo o que pensar.

"Os filtros deixam entrar um copo de água", ele explica, "mas deixam de fora um oceano."

Acontece que dirigir um táxi é apenas parte de um ano que ele planejou, durante o qual pretende atravessar o país, fazendo trabalhos ocasionais, como consertar carros e colher frutas para se sustentar, tudo isso enquanto ignora completamente a mídia. Ele está conhecendo os Estados Unidos sem que tenham lhe dito antes o que ele vai ver.

Eu digo que ele é bastante parecido com um organizador. Nós estamos tentando criar espaços nos quais as pessoas possam ouvir e falar, sem antes colocar uns aos outros em categorias. Quando o ano dele acabar, sugiro que ele pegue o que aprendeu e ensine a outros.

"Está vendo?", ele diz seriamente, enquanto estacionamos no aeroporto de LaGuardia. "É isso que acontece sem os filtros."

Em vez de gorjeta, ele pede para fazermos uma troca.

"Escreva sobre a minha experiência", ele diz. "Explique que você conheceu um viciado em mídia em recuperação, um cara que costumava sonhar com as pessoas dos filmes em vez de com pessoas reais. Eu nunca lia um livro a não ser que algum crítico o tivesse recomendado. Eu era tão viciado em notícias, que dormia com os fones de ouvidos. Eu cheguei a ponto de me preocupar em perder um e-mail enquanto fazia amor com a minha namorada. Eu sofria de 'midiatite', mas agora estou tentando ver a vida sem mediações."

"Estou limpo há oito meses", ele diz, com seriedade. "Estou começando a acreditar que eu existo."

Por fim, pergunto sobre o desenho do grande olho.

"Foi a minha namorada que fez", ele responde, "para me lembrar de ver com os meus próprios olhos."

Eu aprendi com ele. Estou tentando ver com os meus próprios olhos também.

- Em Kyle, no Texas, dirigir é um estilo de vida. Os táxis são principalmente para pessoas que beberam demais, que estão velhas demais para dirigir ou que vivam com a ajuda que recebem do governo e não tenham carro, ou ainda visitantes como eu, indo para o aeroporto de Austin. Reparo que minha motorista chicana transformou o táxi dela em um mundo. Tem um bebê em um cesto de roupas no assento ao lado dela e um móbile de brinquedo preso ao lado do porta-luvas. Quando faço um comentário sobre sua criatividade, ela explica que, dessa forma, consegue trabalhar sem se separar da filha pequena. Como são seis da manhã e o dia promete ser muito quente, pergunto se é difícil.

"Não", ela responde com firmeza. "Difícil é ficar preocupada com minha filha mais velha voltando da escola sozinha. Dirigir com as minhas meninas é a parte mais feliz da minha vida."

- Em Detroit, observo um motorista branco com cara de durão, um tanto novo, que está vestindo uma camisa social, gravata-borboleta e paletó, como um missionário mórmon. Ele diz que é aniversário da mulher dele, e pede minha opinião para comprar uma lingerie para ela. Aos poucos, suas perguntas sobre calcinhas vão ficando cada vez detalhadas. Começo a me dar conta de que não existe mulher nenhuma. Até os pronomes mudam de *ela* para *eu*. E então ele começa a falar dos relativos méritos das calcinhas fio-dental, tentando fazer com que eu fale da minha própria roupa íntima.

  É como um telefonema obsceno sobre rodas. Não apenas isso: ele parece estar gostando do meu crescente desconforto. Aposto que não sou a primeira passageira que se vê obrigada a escolher entre sair do táxi ou deixá-lo chegar ao que claramente é seu destino culminante.

  Uma vez que estamos em alta velocidade em uma via expressa sem nenhum lugar onde tomar outro táxi, tento uma terceira opção. Com toda a firme autoridade que consigo reunir, digo a ele que se não parar de empurrar suas fantasias para cima de mim e de outros passageiros, vou denunciá-lo para o chefe dele e para a polícia.

Ele se desculpa desesperado, jura que nunca mais vai fazer isso e até promete que vai fazer terapia. Em seguida ficamos em silêncio. Silêncio mortal. Chegamos ao nosso destino e já estou quase saindo do carro quando ele diz, com uma calma suspeita e um ar de alívio: "Fico tão feliz por você ter sido dura comigo. Obrigado por me punir."

Já estou na calçada quando me dou conta: *Fiz exatamente o que ele tinha em mente.*

Anos se passam e eu esqueço esse cara esquisito. Então, estou em Detroit novamente e pego uma rara taxista mulher na faixa dos quarenta anos, excessivamente maquiada e encharcada de perfume. Como sempre, digo a ela que fico feliz por ser conduzida por uma mulher. Ela não diz nada. Só no fim da corrida pergunta: "Você se lembra de um jovem rapaz que a levou de táxi muito tempo atrás e queria conselhos sobre lingerie?"

Eu digo que sim, definitivamente me lembro.

"Bom, eu era aquele homem infeliz", ela diz. "Agora fiz cirurgias nas partes de cima e de baixo, e sou uma mulher feliz."

Eu a parabenizo pelo que se tornou uma escolha. Um número cada vez maior de pessoas tem a possibilidade de combinar o seu eu interior com um lugar no *continuum* de gênero que não lhes foi atribuído no nascimento.

Passado o tempo, a pergunta que eu devo me fazer é: o que eu teria sentido se eu soubesse que estava falando com uma mulher, não um homem? Tal é o poder de divisão de um binarismo chamado gênero.

- Ao entrar em um táxi no Aeroporto Friendship, não muito longe de Annapolis, no estado de Maryland, o motorista coloca um caderno de volta na pilha ao lado dele. Fica claro que ele tem usado todos os momentos livres para estudar. Ele está fazendo um bico no táxi, além do emprego que tem na área de alimentação da Academia Naval, como explica, e está estudando para ser engenheiro.

  Para mim, é um grande *déjà vu*. Muito tempo antes, em 1972, uma das minhas primeiras preleções com minha parceira e oradora Dorothy Pitman Hughes foi para os mais de quatro mil cadetes da Academia Naval. Éramos as únicas mulheres na série de preleções que incluía um *quarterback* do Dallas Cowboys, o romancista Herman Wouk e um vice-secretário de Defesa. Os cadetes eram todos homens, e apenas cerca de oitenta dos quatro mil não eram brancos. Fizemos o nosso melhor para apresentar o movimento feminista àquela enorme plateia sentada longe de nós em fileiras arregimentadas, mas não conseguimos distinguir se o urro de resposta da plateia era de aprovação ou desaprovação. Alguns cadetes tinham levado laranjas que haviam sido servidas no jantar e as jogaram no palco. Não tínhamos certeza se eram o equivalente a rosas ou a ovos podres.

  Antes da preleção, houve um jantar formal na casa do almirante James Calvert, o superintendente da Academia Naval. Eu e Dorothy ficamos surpresas ao ver que apenas homens filipinos estavam nos servindo. Por muitos anos, colocar homens filipinos para cumprir esse tipo de função doméstica foi a forma que a Marinha encontrou de ter o trabalho das mulheres executado sem as mulheres, mas eu achava que os anos 1960 e o movimento dos direitos civis tinham mudado isso. Quando perguntamos, o almirante Calvert nos assegurou que os filipinos ficavam felizes de fazer esse trabalho. Dorothy retrucou: "Como o meu pessoal na Geórgia ficava feliz em colher algodão?" Pude ver que o almirante ficou aliviado quando voltamos a discutir o Vietnã.

Durante a sobremesa, o cadete da marinha sentado ao meu lado me confidenciou que um dos serviçais filipinos talvez não estivesse tão feliz assim. Ele havia pedido emprestado os livros de engenharia do cadete.

Então conto ao meu motorista de Annapolis essa lembrança.

"Não acredito", ele diz. "Eu acho que o cara que estava servindo vocês era o meu irmão mais velho. Ele de fato se tornou engenheiro, e ajudou a construir o Teatro de Arte Popular, uma das maiores arenas de Manila."

Enquanto me encaminho para o aeroporto, olho para trás e vejo o motorista em seu táxi, com a luz interna acesa, estudando. Quando você viaja muito, toda história se torna um livro.

MINHAS DUAS HISTÓRIAS DE TAXISTA mais duradouras são aquelas que devo a amigos, além de aos motoristas.

- Em nossos dias de preleções compartilhadas, eu e Flo Kennedy estávamos sentadas no banco de trás de um táxi a caminho do aeroporto de Boston, discutindo o livro de Flo, *Abortion Rap*. A motorista, uma senhora irlandesa, a única taxista do tipo que eu já vi, se vira para nós quando para em um sinal de trânsito e diz as palavras imortais: "Querida, se os homens pudessem engravidar, o aborto seria um sacramento!"

  Será que ela iria querer que suas palavras se tornassem públicas? Não sei, mas queria muito ter perguntando o nome dela. Quando eu e Flo contamos essa história nos nossos discursos, a frase da motorista se espalhou por camisetas, buttons, paredes de clínicas e cartazes de protesto de Washington ao Vaticano, da Irlanda à Nigéria. Em 2012, quase quarenta anos depois daquela corrida de táxi, as palavras da taxista estavam em um cartaz do lado de fora da Convenção Nacional do Partido Republicano em Tampa, na Flórida, quando o partido escolheu Mitt Romney para concorrer à presidência dos Estados Unidos com uma plataforma que incluía a criminalização do aborto. Nem Flo nem a taxista viveram para vê-lo perder — mas, mesmo assim, elas estavam lá.

- Anos atrás, quando eu ficava com frequência na casa de um amigo no Brooklyn, comecei a usar o Black Pearl, um serviço de táxi naquele velho distrito onde mais de um terço dos moradores são afro-americanos. Como os táxis amarelos de Manhattan muitas vezes evitam os bairros negros e também recusam viagens longas para outros distritos — embora por lei eles sejam obrigados a levar os passageiros para onde quer que eles queiram ir —, muitos táxis ilegais e serviços de transporte de passageiros surgiram. Dentre eles, o mais antigo é o Black Pearl. O slogan deles sempre foi: "Nada de amarelar, vamos a qualquer lugar."

Toda vez que eu ligava para a central, um motorista aparecia dentro de poucos minutos, sempre em um grande carro norte-americano modelo antigo, com suspensão baixa e confortos como incenso, assentos cobertos de pele falsa, sistema de som *surround* e nenhuma barreira de segurança para interferir na conversa com o motorista. Era como ser transportada em uma placenta com Marvin Gaye, Aretha Franklin ou Chaka Khan — ouvindo qualquer coisa desde o blues mais antigo e do reggae ao dance ou ao rap mais atuais.

A primeira vez que agradeci a um motorista por essa experiência única — eu estava em êxtase e não tinha prestado a menor atenção no trânsito —, ele apenas sorriu.

"Um dia eu me virei para trás", ele disse "e um casal no banco de trás estava... dançando."

Eu descobri por intermédio dos motoristas como esse serviço de transporte era importante. Muitos táxis amarelos não apenas passavam direto pelas pessoas negras nas ruas — ou diziam: "Desculpe, não vou para o Brooklyn" —, mas mulheres negras prestes a dar à luz não podiam contar com um táxi para levá-las ao hospital, e tinham que achar um serviço de transporte com antecedência. Então, um afro-americano chamado Calvin Williams que voltara para o Brooklyn depois de servir na Guerra da Coreia inventou o Black Pearl. O serviço se tornou tão popular, que Calvin foi eleito para a Assembleia do Estado de Nova York, onde cumpriu dois mandatos.

No Black Pearl, todo motorista tem uma história. Depois de pegar o mesmo motorista algumas vezes, perguntei por que ele tinha o único carro com persianas que eu já tinha visto.

"Por aqui", ele respondeu, gesticulando para as ruas do bairro de Bedford-Stuyvesant, no Brooklyn, "é mais fácil conseguir dinheiro do que privacidade. Você pode pegar dinheiro emprestado ou roubar, mas é difícil achar um lugar com privacidade. Enquanto crescia, com sete irmãos e irmãs, eu me encontrava com a minha namorada debaixo das escadas, me esquivando de ratos e bêbados, ou ficava parado nas esquinas congelando com os meus amigos. Até mesmo quando ia ao Brooklyn Fox para ver o Jovem Stevie Wonder, ele era uma criança na época, os seguranças ficavam apontando as lanternas para cima e para baixo nos corredores. Tudo que eu queria era ficar em um lugar fresco no verão, em um lugar aquecido no inverno e ouvir música, ter um pequeno espaço privado onde pudesse ser feliz.

"Então, quando me aposentei do meu emprego na cidade e comecei a dirigir para a Black Pearl, pensei: *É isso! Eu sou um salva-vidas! Sou um Cavaleiro Negro com uma Armadura Prateada!* Eu sempre me certifico de que ninguém entre com armas, drogas ou álcool no meu carro. Então aumento o som, abaixo as cortinas e dirijo pelo tempo que meus passageiros quiserem."

Dentre seus clientes fixos, estavam garotas da escola católica local que passeavam no carro com os namorados que não deveriam ter; um muçulmano negro pai de cinco filhos cuja mulher não deixava que ele ouvisse música profana; dois bombeiros homens que voltavam para casa juntos depois do trabalho naquele que era conhecido por ser o serviço mais homofóbico da cidade; uma mãe solteira que precisava de um tempo longe dos filhos e do trabalho, e um casal mais velho que não era casado e queria um lugar onde pudessem ficar de mãos dadas sem que seus filhos e netos os vissem.

"Apenas comida e água são mais importantes do que música e privacidade", ele disse, sério. "Eu sou um salva-vidas."

III.

TAXISTAS SÃO EMPREENDEDORES DA ESTRADA. COMO MEU PAI, eles dirigem e sonham. As comissárias de bordo, porém, trabalham em grupo.

Quando comecei a viajar de avião com frequência, no começo dos anos 1970, os voos eram uma oportunidade de me alienar, escapar dos telefones, talvez assistir a um filme e, acima de tudo, dormir. Mesmo quando tinha que trabalhar a bordo, começava a cabecear de sono tão logo estivéssemos no ar. Como uma versão voadora do cachorro de Pavlov, ser carregada pelo ar fazia com que eu sentisse que não precisava fazer nenhum outro esforço.

Uma vez, quando fiquei acordada por tempo suficiente para admirar as calças de sarja cor de oliva do uniforme de uma comissária de bordo, ela permitiu que eu fizesse um pedido de calças iguais para mim usando o desconto dela, combinando, assim, compras com viagem. Foi o começo de uma vida fazendo amigas nos céus.

Percebi que as aeromoças eram todas jovens — e todas mulheres —, mas achava que era assim porque elas queriam viajar por alguns anos antes de fazer outra coisa, ou que aquele fosse um emprego inicial e parte da preparação para ser uma executiva da companhia aérea. Só comecei a prestar atenção quando passei a viajar constantemente entre Nova York, onde estávamos começando a dar forma à revista *Ms.*, e Washington, onde organizávamos o Fórum Político Nacional das Mulheres. Uma vez, quando a exaustão me fez adormecer com o cartão de crédito na mão, uma aeromoça bondosa pegou o cartão, passou-o pela máquina de bilhetes a bordo — a forma como se pagava por uma passagem de volta naquela época — e o colocou de volta na minha mão sem me acordar. Nem ela nem as outras sabiam quem eu era ou por que eu era uma frequentadora assídua da ponte-aérea que destoava da maioria de passageiros homens que iam para a capital do país, mas aparentemente compartilhávamos o sentimento de sermos intrusas.

Em viagens mais longas por várias companhias aéreas, comecei a passar um tempo na cozinha do avião, onde podia fazer perguntas e escutar. Aprendi que as primeiras aeromoças eram enfermeiras contratadas para fazerem as pessoas se sentirem seguras na época em que voar era uma novidade, os enjoos durante os voos eram frequentes e os passageiros ficavam temerosos. Alguns pilotos ficaram tão indignados com essa invasão feminina do espaço aéreo masculino deles, que pediram demissão. Tal como os primeiros astronautas norte-americanos, que compararam enviar uma mulher soviética ao espaço com enviar um macaco, a presença de uma mulher desvalorizava o domínio masculino.

Quando os homens que viajavam a negócios se tornaram a principal fonte de renda das companhias aéreas, tudo mudou. As aeromoças passaram a ser contratadas como garçonetes decorativas instruídas a se comportarem como gueixas. Havia até mesmo "voos executivos" apenas para homens, nos quais eram servidos bifes, conhaque e charutos, que eram acendidos pelas aeromoças. Apesar de ser obrigatório ter conhecimentos de primeiros-socorros, dominar os procedimentos de evacuação de pelo menos 75 tipos de aeronave, resgate debaixo d'água, sinalização de emergência, precauções contra sequestro e outras habilidades que exigiam seis semanas de curso — sem mencionar como lidar com passageiros e esquivar-se de alguns —, sua aparência era determinada nos mínimos detalhes no que dizia respeito a idade, altura, peso (que era regulado por meio de pesagens frequentes), penteado, maquiagem (incluindo uma única cor de batom), comprimento da saia e outros requisitos físicos que excluíam coisas como "nariz largo" — apenas uma das muitas determinações racistas em razão das quais as aeromoças eram majoritariamente brancas. Elas tinham que ser solteiras, além de jovens, e eram demitidas quando se casavam ou atingiam uma idade limite, que era em torno dos trinta e poucos anos. Em linhas gerais, o objetivo dos executivos de uma companhia aérea parecia ser contratar jovens mulheres inteligentes e decorativas, para serem usadas como chamarizes, exploradas e em seguida dispensadas por causa da idade. As escalas de voos eram tão exaustivas que em algumas companhias aéreas as aeromoças duravam em média apenas 18 meses. Como um executivo da United Airlines ficou famoso por dizer: "Se uma comissária de bordo ainda estivesse no emprego depois de três anos (...) eu saberia que estávamos contratando o tipo errado de garota. Ela não vai se casar."[2]

De volta à cozinha, as aeromoças ficavam contentes por poder me contar sobre as indignidades a que eram submetidas, de campanhas publicitárias com slogans como "Eu sou a Sandy, deixe eu levá-lo para o céu" e "Ela vai te servir — o que você quiser" a um "Air Strip" no qual deviam caminhar para cima e para baixo no corredor enquanto se despiam sensualmente até ficarem apenas de shortinho. Os passageiros eram influenciados por essa imagem da aeromoça, o que fazia com que elas ficassem em segundo lugar como objeto de piadas sexuais, perdendo apenas para as filhas de fazendeiros. Essa imagem foi difundida por filmes pornográficos como *Come Fly with Me* e *The Swinging Stewardesses*. Alguns pilotos esperavam ser servidos sexualmente nas escalas, e embora a resposta das aeromoças quase sempre fosse um sonoro não, os passageiros achavam que elas deviam estar dizendo sim. As companhias aéreas se esquivavam de processos por discriminação de gênero por se recusarem a contratar comissários de bordo homens alegando que cuidar dos passageiros e servir-lhes comida eram tarefas tão peculiarmente "femininas" que equivaliam a uma QPBF — qualificação profissional de boa-fé —, em geral reservada a amas de leite e doadores de esperma. As aeromoças podiam levar uma "advertência" por qualquer infração às regras, o que incluía responder a um passageiro bêbado desagradável ou se recusar a vender mais bebida a um passageiro já embriagado. Elas eram obrigadas a compartilhar quartos nas escalas enquanto a tripulação masculina tinha quartos individuais, e definitivamente não estavam galgando degraus na carreira para chegar a um cargo executivo.

Por outro lado, os pilotos, de cuja condição física dependiam muito mais, tinham de atender a bem menos requisitos físicos e se submetiam a bem menos pesagens, um fato observável nos rostos vermelhos e nas panças. Eles também ganhavam em média 400% mais do que as comissárias de bordo, e tinham o monopólio sobre a capacidade de pilotar porque a força aérea, que pagava e treinava a maioria deles, não treinava um piloto mulher desde a Segunda Guerra

Mundial. Naquela época, as WASPs (Women Airforce Service Pilots, pilotos mulheres a serviço das Forças Armadas) transportaram aviões pelo Atlântico; depois da guerra, porém, nenhuma Amelia Earhart precisava se inscrever.

Quanto mais ouvia tudo isso, mais eu admirava como aquele grupo de mulheres mantinha a humanidade, apesar de serem reguladas a ponto de serem desmerecidas caso não sorrissem constantemente. Como uma delas disse para mim: "Nem mesmo o meu rosto é meu."

Claro, as pessoas punidas às vezes passam as punições adiante, principalmente para membros do seu próprio grupo desvalorizado. Ao viajar para o Kansas para discursar em um campus com a minha parceira de discurso Dorothy Pitman Hughes e sua filha recém-nascida, uma aeromoça exigiu que Dorothy, que estava amamentando, fosse para o banheiro, como se dar de mamar fosse um ato obsceno. Foram necessárias a firme objeção de Dorothy, minha ameaça de escrever sobre o que estava acontecendo e a indignação de uma passageira branca próxima de nós para dissuadi-la. Quando eu estava viajando com Flo Kennedy, uma aeromoça insistiu que o avião não podia levantar voo até que a bolsa de Flo estivesse guardada no compartimento de bagagens acima de nós. Flo apontou para bolsas parecidas no colo de mulheres brancas e se recusou a guardar a sua, em seguida perguntou à aeromoça por que ela estava oprimindo outras mulheres quando ela própria era oprimida. Em solidariedade a Flo, retirei minha pasta do compartimento de cima, embora a pasta de fato fosse bagagem, e a coloquei no colo. Nem eu, nem Flo estávamos dispostas a ceder. Por fim, o avião levantou voo mesmo assim.

Mais tarde, nós ríamos dessas altercações, e Flo sempre me lembrava que elas nos davam a oportunidade de ensinar, embora cada uma fosse também um castigo para a alma.

Em geral, porém, as aeromoças eram uma revolução prestes a acontecer. Quando eu estava em um voo que partia de St. Louis, havia muito o aeroporto mais próximo da casa de Phyllis Schlafly — um fruto do

Fairness Doctrine*, porque foi uma das únicas mulheres que a imprensa conseguiu encontrar que era contra a Emenda da Igualdade de Direitos —, uma aeromoça sussurrou para mim: "Phyllis Schlafly estava em um dos meus voos, e eu a coloquei em um assento do meio!"

Eu soube que as coisas estavam mudando quando, em um avião que peguei em São Francisco, encontrei uma aeromoça com um button que dizia: "EU SOU A LINDA, VÁ PARA O CÉU SOZINHO". Então algumas comissárias se rebelaram contra o fato de terem apenas o primeiro nome nos crachás de identificação. Por que elas deveriam ser Susie ou Nan enquanto os pilotos eram Comandante Rothgart ou Piloto Armstrong? (Mais tarde também exigiram que os sobrenomes fossem acompanhados de Ms., de modo que não fossem identificadas pelo estado civil.) A exigência relativa ao sobrenome vinha junto com as exigências relativas a salários e segurança. Como Elizabeth Cady Stanton escreveu: "Quando um escravo se liberta das amarras, a primeira coisa que ele faz é se dar um nome."

Na metade dos anos 1970, um grupo recém-criado chamado Aeromoças pelos Direitos das Mulheres abriu um pequeno escritório no Rockfeller Center. Eu fui até lá e encontrei mulheres de diversas companhias aéreas convocando coletivas de imprensa, pressionando dentro e fora dos sindicatos das empresas nas quais trabalhavam, protestando contra a imagem delas nos anúncios das companhias aéreas e expondo riscos como o ar recirculado, que é reutilizado circulando mais de uma vez, o que colocava a tripulação e os passageiros em perigo. Cientes de que o trabalho seria mais reconhecido se homens também o fizessem, elas estavam tornando a integração

---

* A Fairness Doctrine, ou princípio da imparcialidade, era uma política da Comissão Federal de Comunicações dos Estados Unidos, introduzida em 1949, que exigia que os detentores de licença de radiodifusão e televisão apresentassem as questões controversas de interesse público e o fizessem de maneira honesta, imparcial e equilibrada. A doutrina foi revogada em 1987, e em 2011 a comissão removeu formalmente os elementos de linguagem associada que a fundamentavam. (*N. da E.*)

dos homens a essa força de trabalho exclusivamente feminina tão prioritária quanto integrar pilotos mulheres às cabines ocupadas apenas por homens. Pressionaram pela mudança de *aeromoças* para *comissárias de bordo*, uma vez que por si só *aeromoça* já demarcava a profissão pelo gênero.

Como aprendi ao ouvir essas mulheres inteligentes que eram tratadas como se não fossem inteligentes, aeromoças dos anos 1960 haviam formalizado uma queixa direcionada à Comissão para a Igualdade de Oportunidades de Emprego, tentando mudar a política de "sem homens, sem casamento" aplicada ao trabalho delas. Aileen Hernandez, a única mulher afro-americana na comissão, as apoiou. Anos depois, elas finalmente conseguiram, mas as companhias aéreas alegaram que a determinação era "inadequada" porque Hernandez, depois de deixar a comissão, se tornara presidente da Organização Nacional da Mulher. E um juiz de fato concordou. Foi por isso que a discriminação ainda era aceitável quando comecei a viajar com frequência de avião — e assim continuou até 1986.

Quando o megainvestidor Carl Icahn assumiu o controle da companhia aérea Trans World Airlines (TWA), ele esperava que as comissárias de bordo aceitassem não apenas um corte de salário, mas também um aumento na carga de trabalho — ao contrário dos (quase todos homens) mecânicos e pilotos. Em 1986, a comissária de bordo Vicki Frankovich liderou uma greve de impacto e abrangência sem precedentes — e fez campanha por um boicote público à TWA por causa dessa discriminação. A revista *Ms.* a elegeu uma das nossas Mulheres do Ano. Icahn teve o apoio dos pilotos e mecânicos, e meio que venceu, mas foi forçado a admitir que a greve das comissárias de bordo lhe custara 100 milhões de dólares.[3] Quando o encontrei, de maneira completamente acidental, descobri que ele estava furioso com o artigo da *Ms.* que apoiava Frankovich. Ele me disse que não discriminava as mulheres. Como prova, me informou que, se precisasse de um dos seus melhores executivos durante um feriado nacional, e esse executivo resolvesse passar o feriado com a família, ele também o demitiria.

Eu conseguia entender contra o quê as comissárias de bordo estavam lutando. Àquela altura, eu já tinha viajado tanto de avião e ouvido tantas delas, que tinha que me controlar para não dizer *nós* quando falava sobre os problemas da classe. Também comecei a conhecer o final das histórias de mulheres cujos primeiros capítulos eu testemunhara nos meus primeiros voos.

Nos anos 1970, em um voo para Milwaukee, por exemplo, uma aeromoça me contou que ficava ofendida com as feministas quando diziam que os homens podiam realizar o trabalho dela e que as mulheres podiam ser pilotos.

"Não é assim que o mundo funciona", ela disse, energicamente. "Vocês estão dizendo às pessoas para lutarem contra algo que faz parte da nossa natureza e da nossa biologia. Vocês só estão deixando as mulheres frustradas ao lhes dizer para fazer o impossível."

No fim dos anos 1980, eu a encontrei novamente em um voo para Albuquerque. Ela agora era mãe de duas menininhas e estava distribuindo broches iguais aos das comissárias de bordo e asas de avião iguais às dos pilotos para as crianças a bordo — como as companhias aéreas costumam fazer para dar as boas-vindas às famílias — e oferecia ambos para meninos e meninas escolherem. Ela tinha descoberto que havia meninos que gostavam do trabalho dela, de cuidar dos passageiros, e meninas que queriam pilotar um avião.

O que tinha feito aquela mulher mudar de opinião? Duas coisas, ela disse. Como a companhia aérea da qual era contratada fora obrigada a democratizar as contratações, ela passou a trabalhar com comissários de bordo e se deu conta de que eles eram capazes de fazer o trabalho porque "pessoas são pessoas". Além disso, ela lera que Whitney Young, o então já falecido líder da luta pelos direitos civis, certa vez confessou ter entrado em um avião na África e ter sentido um medo momentâneo e involuntário quando viu que o piloto era negro. Ele então se deu conta de quanto ódio havia sido instilado nele por uma cultura racista.

"Eu também não confiava em mim mesma nem em outras mulheres", ela disse, com lágrimas nos olhos. "Aprendi isso com a minha mãe, mas não vou ensinar isso às minhas filhas."

Quando a vi pela última vez, ela estava parada na parte da frente do avião, dando asas de piloto para duas garotinhas.

Algumas mulheres eram elas próprias verdadeiros romances. Tommie Hutto-Blake foi uma comissária de bordo que encontrei em 1972 no porão de uma igreja de Manhattan no primeiro encontro das Aeromoças pelos Direitos das Mulheres; depois, novamente, na Conferência Nacional da Mulher, em Houston, em 1977; mais tarde, como uma ativista em um evento político em Dallas, em 1994; mais uma vez, em 2008, quando ela estava fazendo campanha para Hillary Clinton; por fim, em um voo da American Airlines, pouco antes de se aposentar após 38 anos como comissária de bordo, 35 dos quais como sindicalista, e se tornar ativista política em tempo integral. Nessa última vez, ela era uma passageira especial. Fui levada até os fundos do avião, onde ela estava sentada, por duas comissárias de bordo mais jovens, e uma delas era a vice-presidente do sindicato e estava terminando a faculdade de Direito. Um longo caminho tinha sido percorrido desde charutos e fazer "Air Strips".

Nos anos 1970, li uma notícia no jornal sobre uma aeromoça afro-americana que aparecera para trabalhar com seu cabelo afro natural em uma época em que se esperava que as poucas comissárias de bordo negras parecessem tão "brancas" quanto possível. Ela agravara a afronta ao carregar consigo um exemplar de *Alma no exílio*, de Eldridge Cleaver. O piloto do avião se recusou a levantar voo até que ela fosse retirada do avião. Quando voltei a voar pela mesma companhia aérea, perguntei a uma aeromoça se houvera alguma queixa contra o piloto. Ela disse que sim, mas, até onde sabia, nada acontecera. Como o capitão de um navio no mar, ele podia fazer o que quisesse.

Mais de vinte anos depois, eu estava em uma estação de rádio em uma grande cidade para uma entrevista, e uma diretora da estação estava me mostrando o lugar. Ela era uma raridade em uma indústria na qual 85% dos diretores eram homens, então perguntei como ela chegara àquela posição. Ela me explicou que, depois de um divórcio, voltara a estudar, começara de baixo na rádio, se apaixonara por sua capacidade de criar uma comunidade e descobrira que tinha um talento para gerenciar pessoas.

"Você por acaso se lembra", ela me perguntou, quando terminamos nosso tour, "de uma história que saiu nos jornais sobre o piloto de uma companhia aérea que colocou uma comissária de bordo negra para fora do avião por estar lendo Eldridge Cleaver?".

Eu disse que com certeza me lembrava. Sempre me perguntara o que teria acontecido com ele.

"Bom, aquele piloto era o meu marido", ela disse, calmamente. "Então, eu pedi o divórcio. Essa atitude verdadeira foi o meu começo."

Com o passar dos anos, essas histórias nos céus iriam me ensinar mais do que eu jamais poderia imaginar: desde desregulamentação, guerras tarifárias e companhias aéreas não sindicalizadas até custos do combustível pós-guerra do Iraque, medo de sequestro de aviões e falências que de alguma forma exigiram cortes salariais de todos, menos dos executivos com paraquedas dourados. Experimentei a gentileza de comissárias de bordo que me levaram uma sobremesa ou uma refeição da primeira classe, permitiram que eu me deitasse no chão no meio de um corredor quando tive um espasmo nas costas, retiraram os apoios de braço de três assentos para que eu pudesse dormir deitada, que me colocaram ilegalmente na primeira classe quando havia um assento vago ou me deram uma garrafinha de champanhe ao se despedir como agradecimento por eu apoiar suas lutas trabalhistas. Elas ainda não são parte da escalada profissional para os cargos executivos das companhias aéreas e ainda estão muito mais sujeitas a sofrer cortes salariais do que os mecânicos e pilotos, quase todos homens, mesmo que cerca de um quarto dos comissários de bordo agora seja do sexo masculino. Porém, desde que elas conseguiram o direito de trabalhar mesmo depois de casadas e depois de completarem trinta anos, eu vi mais e mais mulheres cujas histórias começaram em voos décadas antes. Uma companhia aérea moderna é bastante diferente de uma vila parada no tempo na Índia, mas me ocorreu um dia que as minhas viagens aéreas têm muito em comum com a peregrinação por vilas indianas tanto tempo atrás. Se você faz qualquer coisa com a qual as pessoas se importam, as pessoas passam a se importar com você.

IV.

Um grande campus

Por que eu adoro os campi? Deixe-me enumerar as razões por que os adoro. Adoro os cafés e as salas de leitura onde uma pessoa pode se sentar e conversar ou pesquisar pelo tempo que quiser. Adoro os prédios sem endereço que apenas os que os conhecem sabem encontrar e as roupas extravagantes que nunca seriam usadas no mundo lá fora. Adoro as festas de momento que começam em algum lugar esquisito e não podem ser realocadas, e os seminários de momento nos quais qualquer discussão pode se transformar. Adoro os quadros de avisos que são uma educação por si só, a amizade entre pessoas que de outra maneira jamais teriam se conhecido, e o gosto pela inventividade que produz, digamos, uma bicicleta ergométrica que gera energia para um computador. Acima de tudo, adoro as formaturas. Elas são individuais e comunais, um fim e um começo, mais permanentes do que casamentos, mais inclusivas do que religiões, e possivelmente as cerimônias mais emocionantes no mundo.

Sempre me perguntam quantos campi já visitei. A verdade é que eu não tenho a menor ideia. Estive em muitos em cada mês da minha vida na estrada, e voltei a vários mais de uma vez. Tudo o que eu sei com certeza é que os campi das universidades e das faculdades, com algumas escolas de ensino médio e escolas preparatórias somadas, representavam a maior parte dos lugares que visitei durante a minha vida na estrada — e ainda representam.

Quando comecei a viajar para visitar campi, os protestos contra o alistamento militar e contra a guerra do Vietnã estavam empoderando os estudantes como força política — e havia muitos outros movimentos por vir. Eles promoveram mudanças, daquilo que é ensinado àquele que ganha estabilidade; de como a universidade investe seu dinheiro a onde os uniformes dos atletas são confeccionados; da participação dos estudantes nas tomadas de decisão no campus às marchas do movimento Take Back the Night contra a violência sexual no campus; da marginalização de algumas pessoas por classe, raça, sexualidade e habilidades físicas à inclusão de pessoas diferentes e novos cursos.

Durante minha própria experiência na faculdade, passei quatro anos da minha formação em ciências políticas sem aprender que o voto não foi simplesmente "dado" às mulheres, que o verdadeiro número de revoltas de escravos foi suprimido porque as rebeliões eram contagiosas, ou que o modelo da Constituição dos Estados Unidos não era a Grécia Antiga, mas sim a Confederação Iroquesa. Além disso, os cursos acadêmicos sobre a Europa superavam em muito o número de cursos sobre a África, mesmo que o continente africano seja o berço de todos nós e seja maior que a Europa, a China, a Índia e os Estados Unidos juntos. Quando vou a um campus agora e olho para a lista de cursos, a importância relativa refletida neles é muito melhor, mas ainda está longe de ser o ideal.

Sempre houve esse questionamento sobre o que está sendo ensinado. Como Gerda Lerner, uma pioneira na história das mulheres em geral e na história das mulheres afro-americanas em particular, resumiu: "Há muito tempo sabemos que o estupro é uma forma de nos aterrorizar e de nos manter subjugadas. Agora nós também sabemos que participamos, mesmo que involuntariamente, do estupro das nossas mentes."[1]

Não é de se admirar que estudos mostrem que a autoestima intelectual das mulheres tende a diminuir conforme os anos de educação aumentam. Nós estamos estudando a nossa própria ausência. Digo isso como um lembrete de que os campi não só ajudam a criar movimentos de justiça social, mas também precisam deles.

Hoje os campi norte-americanos se parecem mais com o país em termos de raça e de etnia — embora ainda não tenhamos chegado lá e o preconceito possa sobreviver à graduação na faculdade. Vejo mulheres superando em número seus companheiros homens em alguns campi, mas os diplomas geralmente são uma forma de sair do gueto de profissões subvalorizadas nas quais costumava haver predominância de mulheres para outro gueto na esfera das profissões de colarinho-branco. As mulheres em geral ainda ganham bem menos durante a vida do que os homens, mas têm que pagar a mesma quantia em dívidas com o financiamento dos estudos universitários.

Eu vejo os campi apresentando mais diversidade de idade. Mais de um terço dos universitários têm mais de 25 anos, e esse grupo está crescendo mais rápido do que o de estudantes em idade regular, uma mudança que foi iniciada por veteranos de guerra e pela GI Bill of Rights* e levada adiante por mulheres mais velhas que resolveram retomar os estudos. Eu me lembro de ver uma mulher de cerca de trinta anos, grávida, discutindo sobre o sistema de saúde com um estudante de dezoito anos, e pensar: *Isso só pode ser uma coisa boa para a formação educacional.*

---

* A GI Bill, oficialmente chamada de Servicemen's Readjustment Act, foi uma lei aprovada nos Estados Unidos em 1944 para garantir aos veteranos que lutaram na Segunda Guerra Mundial uma série de benefícios, entre os quais o financiamento de estudos técnicos e universitários. (*N. da T.*)

Em termos de campi, você pode dizer que eu fui do mimeógrafo ao Twitter; do toque de recolher às relações (inclusive sexuais) sem compromisso; dos cursos de verão que incluíam estudos femininos que não valiam créditos à Associação Nacional de Estudos sobre as Mulheres; da história afro-americana como uma exigência dos estudantes negros à história afro-americana como uma expectativa de todos os estudantes; de grupos de gays e lésbicas proibidos de se reunirem no campus a estudantes transgêneros e transexuais que desafiam todas as classificações binárias de gênero; das provas discursivas à escrita à mão como uma arte em vias de extinção; e dos seminários para um número limitado de ouvintes aos encontros ilimitados na internet.

Por exemplo, durante as minhas primeiras visitas a campi, vi estudantes pintando grandes X vermelhos nas calçadas em locais onde mulheres haviam sofrido abuso sexual — e acabarem sendo presas por vandalismo em vez de serem aplaudidas. Hoje, vejo as filhas e netas delas usando a Title IX — a lei de direitos civis federal que proíbe a descriminação na educação, incluindo os esportes — para ameaçar as universidades com a perda da verba federal se o assédio e a violência sexual criarem um ambiente hostil para a educação das mulheres. Durante décadas, as instituições de educação superior ocultaram as taxas de abuso e violência sexual para proteger a reputação do campus e encorajar os pais a enviarem suas filhas para estudar lá. Hoje vejo alguns campi que são honestos com relação a isso e têm políticas para lidar com o assédio sexual — que acontece em média com uma em cada cinco mulheres nos campi, e com alguns homens também.[2] Isso mostra que essa questão está começando a ser levada a sério, o que é uma razão para os pais confiarem nesses campi.

Assim como o feminismo mudou a academia ao expandir o que é ensinado, a academia às vezes mudou o feminismo. A linguagem acadêmica pode ser tão teórica a ponto de obscurecer a fonte do feminismo nas experiências vividas pelas mulheres. Uma das coisas mais tristes que ouço quando viajo é: "Eu não sei o suficiente para ser uma feminista." Ou mesmo: "Eu não sou inteligente o suficiente para ser uma feminista." Isso parte o meu coração.

Apesar de todas essas diferenças, com o passar do tempo eu percebi que há um padrão nas minhas visitas aos campi. Acontece assim:

Eu chego ao aeroporto — ou estação de trem ou de ônibus —, onde sou recebida por um ou mais membros do grupo de destemidos ativistas que me convidaram. No carro, a caminho do campus — ou do hotel, ou da sala de aula, ou da coletiva de imprensa —, fico sabendo que eles estão preocupados. No Sul ou no Centro-Oeste, eles podem me alertar para o fato de que aquele é o lugar mais "conservador" no qual eu já estive. Se estamos na Costa Leste ou Oeste, é mais provável que digam que é o mais "apático". Ou talvez seja "ativista", mas em relação aos problemas ambientais e econômicos, sem entender que pressionar as mulheres para terem muitos filhos é a principal causa de esgotamento ambiental e que os cursos na área de economia deveriam começar com a reprodução, e não apenas com a produção. Eles reservaram um auditório para aquela noite e divulgaram o evento, mas estão preocupados com a possibilidade de que quase ninguém apareça. Afinal, foram informados de que o feminismo é muito radical ou não é radical o suficiente, que é contra os homens ou é uma emulação dos homens, que é impossível porque os homens são de Marte e as mulheres são de Vênus ou desnecessário porque agora vivemos em uma era pós-feminismo e pós-racismo. A natureza e a especificidade da negativa dependem de onde estou no país e da época do ano, mas o fio comum é a insegurança.

Eu digo que eles fizeram o melhor que podiam — e que agora é com o universo. Então pergunto sobre acontecimentos atuais ou controvérsias no campus, a fim de saber o que usar como exemplos no meu discurso. Afinal, meu trabalho é tornar o trabalho deles mais fácil depois que eu vou embora do que era antes de eu chegar. As coisas já são fáceis para mim. Eu não preciso me preocupar em tirar boas notas, negociar as políticas do corpo docente, ser efetivada, publicar trabalhos em revistas acadêmicas, me tornar chefe de um departamento ou enfrentar outros obstáculos que aqueles que fazem parte da academia têm que enfrentar. Eu posso colocar questões e possibilidades que os estudantes querem que sejam colocadas. Também posso levar ideias de um campus para outro, no estilo polinizador da organização. Estou aqui para fazê-los parecerem razoáveis. Afinal de contas, vou embora amanhã de manhã.

No início, os estudantes que me recebem podem citar assuntos distantes — digamos, o aquecimento global ou a política exterior — como se apenas os acontecimentos grandiosos, distantes e amplamente divulgados pudessem ser sérios. Mas como as revoluções, assim como as casas, são construídas a partir da base, eu pergunto que mudanças eles querem ver no campus e no dia a dia da vida deles.

Dessa forma, eu descubro que, por exemplo, a faculdade de administração está ganhando um novo prédio enquanto a faculdade de educação ainda está funcionando em barracões Quonset;* ou que a legislatura do estado aumentou o valor da anualidade dos cursos universitários e cortou as bolsas de estudo, mas vai pagar 50 mil dólares por ano por prisioneiro para a Wackenhut, empresa de segurança que administra as prisões para obter lucro; ou que recrutadores militares estão oferecendo aos estudantes pobres, homens e mulheres, grandes bônus para que eles se alistem, mas que estão dando poucos esclarecimentos prévios sobre os combates ou as estatísticas de assédio sexual; ou que professores de cor de alguma forma nunca se tornam chefes de departamento; ou que os funcionários não qualificados, em sua maioria mulheres, estão ganhando uma miséria e são proibidos de se sindicalizar; ou que as fraternidades estão defendendo seus membros contra as acusações de assédio sexual ameaçando entrar com processo por difamação contra as

---

* O barracão Quonset (em inglês, *Quonset hut*), é um é um tipo de construção provisória que foi muito utilizado pelas forças armadas dos Estados Unidos da América durante a Segunda Guerra Mundial. São estruturas semicilíndricas, com cinco metros de largura e onze metros de comprimento e um raio de 2,4 metros, recobertas de chapas corrugadas de ferro zincado. Após a guerra, muitos foram vendidos pelas Forças Armadas norte-americanas a preços baixos, para serem empregados em múltiplos usos civis, e alguns ainda estão em uso nos dias atuais. (*N. da T.*)

mulheres que os denunciarem; ou que uma técnica de basquete "recém-
-assumida" lésbica tem que ser acompanhada por outro integrante do
corpo docente para monitorá-la durante as viagens da equipe; ou que
um professor da faculdade de direito é famoso por fazer perguntas
apenas a estudantes mulheres sobre casos com componentes sexuais;
ou que um professor da faculdade de medicina contrata prostitutas
para as aulas práticas de exames ginecológicos; ou que o time de futebol
americano gasta muito com grama sintética, mas não gasta nada na
prevenção de danos cerebrais — e muitos outros indicadores de uma
necessidade de mudança.

Resumindo, políticas sérias estão acontecendo bem ali, no campus.

Depois de visitar uma ou duas turmas, talvez jantar com os líderes
estudantis e os membros do corpo docente — quando descubro ainda
mais sobre o que está acontecendo no campus —, vamos para o auditório. Ao chegar lá, descobrimos que já está lotado, e que há pessoas
esperando do lado de fora. Talvez alguém monte um sistema de som para
as pessoas que não vão conseguir entrar, ou as pessoas sejam colocadas
em salas com circuito interno de televisão e papéis sejam distribuídos
para que elas possam mandar seus comentários para a discussão após
a palestra. Da mesma maneira que as mulheres individualmente são
com frequência subestimadas, um movimento de mulheres também é
subestimado, mas a verdade é que, se as pessoas se dão conta de que
alguém está disposto a falar sobre essas preocupações profundas e
diárias, elas aparecem.

Agora os organizadores se desculpam por terem pensado tão pequeno. As pesquisas de opinião pública há muito tempo provaram que há
apoio majoritário a praticamente todas as questões que o movimento
feminista levantou, mas aqueles de nós, homens e mulheres, que se
identificam com o feminismo ainda se sentem isolados, errados, fora de
compasso. No começo, achava-se que as feministas eram apenas donas
de casa suburbanas insatisfeitas; depois, um pequeno grupo de mulheres
militantes, "queimadoras de sutiãs"[3] e radicais; depois, mulheres que

viviam da assistência social do governo; depois, imitações de executivos munidas de pastas; depois, mulheres frustradas que se esqueceram de ter filhos; depois, eleitoras responsáveis por uma disparidade de gênero que realmente podia decidir uma eleição. Isso era perigoso demais, então, de repente, nos disseram que estávamos em uma era "pós-feminismo", então podíamos relaxar, parar, desistir. De fato, a ideia em comum em todas essas descrições tão díspares e contraditórias era enfraquecer e deter uma ameaça à hierarquia atual.

No entanto, controvérsia ensina. A acusação de que o feminismo é ruim para a família leva à compreensão de que é ruim para a variedade patriarcal de família, mas é bom para as famílias democráticas que são a base da democracia. A ideia de que as mulheres são "nossos próprios piores inimigos" nos força a admitir que não temos o poder necessário para sê-lo, mesmo que quiséssemos. Quando ocasionalmente um auditório tem que ser esvaziado e revistado depois que um grupo contra o aborto envia uma ameaça de bomba, eu percebo que, quando voltamos, a plateia aumenta em sinal de apoio.

Até agora, reparei também que, se uma plateia é formada metade por mulheres e metade por homens, as mulheres se preocupam com a reação dos homens ao redor delas. Porém, em uma plateia que é formada por dois terços de mulheres e um terço de homens, as mulheres reagem como reagiriam se estivessem apenas entre mulheres, e os homens as ouvem falar com sinceridade. Quando as pessoas de cor são a maioria, em vez da minoria, a plateia costuma proporcionar o melhor aprendizado que os ouvintes brancos podem ter.

Às vezes a hostilidade aparece, e isso ensina por si só. Sem os campi na região do Cinturão Bíblico,* eu não saberia que a crença de que o papel de subordinação das mulheres é um mandamento de Deus ainda

---

* O Cinturão Bíblico, em inglês, *Bible Belt*, é uma região no sudeste e centro-sul dos Estados Unidos na qual a prática da religião protestante, de cunho conservador, está profundamente enraizada na cultura e na política locais. (*N. da E.*)

está entre nós, ou que um estudante de uma família cristã rígida — ou um equivalente judeu ou muçulmano — precisa ter coragem para ir para qualquer faculdade na qual não se ensine o Novo Testamento, o Velho Testamento ou o Alcorão como a verdade absoluta. Uma aluna da Universidade Bob Jones que buscou terapia depois de sofrer violência sexual foi orientada a "arrepender-se", como se ela tivesse atraído o agressor. No Texas, vi pessoas do lado de fora de um auditório no qual eu ia discursar. Como os cartazes deles me chamavam de humanista, eu achei que fossem de boas-vindas — até que um ex-fundamentalista me explicou que, como o humanismo é ruim e secular, os cristãos estavam protestando contra o meu discurso.

Em algumas plateias, o feminismo é culpado, por exemplo, pelos divórcios, pelo declínio das taxas de natalidade ou pelos baixos salários — em vez de culparem as desigualdades no casamento ou a falta de creches ou os patrões exploradores —, mas isso também é um aprendizado. As pessoas que chegam achando que ninguém poderia discordar da igualdade salarial podem ter sua convicção contrariada quando alguém se levanta para dizer que o livre mercado cuida disso; salários desiguais significam apenas que as mulheres não valem tanto como funcionárias. Qualquer pessoa que acredite que estamos vivendo em uma era pós-feminista vai ficar sabendo que a violência contra as mulheres — do infanticídio feminino e dos casamentos de crianças ao assassinato em nome da honra e ao tráfico sexual — produziu um mundo atual no qual, pela primeira vez na história, há menos mulheres do que homens. Por outro lado, ouvir homens dizerem que querem humanizar o papel "masculino" que os está literalmente matando e que querem criar seus próprios filhos faz com que todos os presentes deixem de medir o progresso pelo que foi e estabelece um novo padrão: o que pode ser.

No geral, eu vi mudanças suficientes para acreditar que há mais por vir.

I.

- É 1971, e estou começando a falar sobre o movimento feminista — com Dorothy, não ainda sozinha — quando recebo um convite para discursar no jantar do *Harvard Law Review*, o periódico dos alunos da faculdade de direito de Harvard. O evento anual é reservado aos melhores alunos, e os convidados a discursar tendem a ser líderes políticos ou acadêmicos de prestígio na área do direito — definitivamente, todos homens. Depois que descubro que não é uma brincadeira de mau gosto, fica fácil recusar. Eu digo a eles que a mulher que devem convidar é Ruth Bader Ginsburg, uma advogada brilhante que foi uma das primeiras mulheres a entrar para a Faculdade de Direito de Harvard e que acabara de criar o primeiro Projeto dos Direitos da Mulher na União Norte-americana pelas Liberdades Civis.

Então, recebo um telefonema de Brenda Feigen, uma amiga que também foi uma das primeiras alunas mulheres na Faculdade de Direito de Harvard e que agora gerencia o Women's Rights Project junto com Ruth. Ela diz que eu tenho que ir — Ruth nunca será convidada porque deixou Harvard para ir para a Faculdade de Direito de Columbia e, além disso, se eu recusar, eles podem voltar a chamar apenas homens. Brenda promete me ajudar com a pesquisa e pedir a alunas de direito atuais que façam o mesmo. Eu lembro a ela que meu medo de falar em público é tão sério quanto o medo dela de andar de avião, mas ela diz que eu posso escrever cada palavra, dessa forma será mais como uma leitura do que um discurso. Este e outros argumentos finalmente me fazem dizer sim ao meu pior pesadelo.

É assim que vou parar no campus de Harvard com Brenda, entrevistando mulheres que compõem apenas 7% dos estudantes de direito da faculdade. Tomo conhecimento de que a tradição segregacionista do "Dia das Moças", a única ocasião em que as mulheres são chamadas a falar em aula, acabara de chegar ao fim, e que o corpo docente ainda é 100% branco e masculino. Tão autoconfiantes são os detentores do poder, que na plaquinha acima da porta do banheiro masculino na biblioteca está escrito apenas PROFESSORES. Eu escrevo tudo isso e fico ainda mais nervosa. Esses estudantes estão contando comigo.

Por fim, eu me encontro de pé em uma tribuna no Sheraton Plaza Hotel. No Harvard Club de Boston, onde o jantar geralmente acontece, as mulheres têm que entrar por uma porta lateral. Olho para baixo, para o vestido longo dos anos 1930 que encontrei em um brechó, e vejo que a saia de veludo vibra suavemente por causa dos meus joelhos trêmulos. Não sei quanto desse nervosismo fica perceptível na minha voz — Brenda está fingindo que está tudo bem comigo; que aquilo vai ser moleza —, mas, 27 anos depois, Ira Lupu, na época um estudante do terceiro ano de direito de Harvard na plateia, escreveria suas recordações: "O discurso dela foi retoricamente inexpressivo; ela parecia nervosa e falou baixo e sem nenhum efeito marcante ou pontuação física."[4]

Ele não sabia nem a metade.

Meu discurso é intitulado "Por que a Faculdade de Direito de Harvard precisa mais das mulheres do que as mulheres precisam dela". Dou um jeito de dar conta da parte principal, argumentando que somente a igualdade gera respeito pela lei, e que apenas famílias democráticas produzem democracia. Porém, sei que a plateia sabe que as estudantes de direito me deram munição — entrevistá-las já dera origem a rumores ressentidos entre o corpo docente —, então lanço mão do testemunho delas ao final:

Com essa visão humanista em mente, vocês podem imaginar como um ser humano do sexo feminino sofre na Faculdade de Direito de Harvard. Ela passa a maior parte do tempo se sentindo sozinha, uma vez que os colegas do sexo masculino muitas vezes a consideram um ser estranho. Ela passa o resto do tempo furiosa. E, muito mais sério, o catálogo de cursos não revela nenhum interesse pela metade da raça humana que ela representa. Há um curso sobre racismo e o direito norte-americano, mas nenhum sobre sexismo. Há um curso sobre leis internacionais que regulamentam a pesca de baleias, mas nenhum curso sobre os direitos internacionais das mulheres. Um destacado professor de direito administrativo disse, ontem à noite mesmo, que ele não sabia o que era a Comissão para a Igualdade de Oportunidades de Emprego. Esse mesmo homem, diante de um pedido para que fosse contratada pelo menos uma professora em tempo integral, respondeu que mulheres no corpo docente traziam problemas por causa de "vibrações sexuais" (...) e um eminente especialista em direito de valores mobiliários usou descrições de viúvas e esposas "estúpidas" para exemplificar casos de perda de capital (...) Os professores podem fazer piadas sobre o teste do "homem razoável", explicando que não existe mulher razoável. Eles podem descrever o estupro como "uma agressão muito pequena"; ficar boquiabertos diante de seios e pernas na primeira fileira; encorajar os assovios e as vaias dos colegas homens que costumam se seguir às observações de uma colega sobre os direitos das mulheres; e usar histórias de "mulheres burras" ou piadas sexuais que humilham as mulheres para ilustrar alguma questão legal (...) De agora em diante, nenhum homem pode chamar a si mesmo de liberal ou radical, ou mesmo de um defensor conservador do jogo limpo, se o trabalho dele depende de alguma forma do trabalho não remunerado ou mal remunerado de mulheres em casa ou nos escritórios. As discussões políticas não começam em Washington. As discussões políticas começam com aqueles que são oprimidos bem aqui.

Fico tão aliviada por ter terminado, que não consigo identificar se os aplausos são de aprovação, de desaprovação ou apenas por educação. Mas então acontece algo que, saberei mais tarde, é sem precedentes. Um homem corpulento vestindo smoking se levanta da sua mesa, o rosto vermelho de raiva, e protesta não contra o conteúdo do que eu disse, mas contra a simples ideia de eu ter ousado julgar a Faculdade de Direito de Harvard. Eu não sei quem ele é, mas definitivamente sei que ele está ultrajado. Quando ele finalmente se senta, faz-se silêncio no auditório — então as conversas aos poucos são retomadas, como um oceano cobrindo um vulcão.

Mais tarde, Brenda me conta que o homem era Vernon Countryman, um professor de direito de Harvard que lecionava sobre as relações credor-devedor. Não estou certa se devo ficar assustada ou orgulhosa pela reação dele, porém algo me diz que está mais para a segunda opção. Ele personificou aquilo com o que as mulheres na Faculdade de Direito de Harvard têm que lidar.

Apenas décadas mais tarde aquele mesmo estudante de direito de Harvard iria confirmar o que senti naquele momento: "Eu me lembro de ter ficado chocado diante do fato de que um professor de direito de Harvard pudesse se comportar publicamente de maneira tão incoerente e descontrolada", Ira Lupu escreveu. "Os comentários dele pareciam destinados a colocar Steinem no lugar dela como uma jovem mulher sem nenhum conhecimento sobre os fatos e os valores da Faculdade de Direito de Harvard, em vez de refutar as alegações dela de maneira rigorosa. O jantar terminou com a sensação silenciosa, mas generalizada, de que Countryman havia ratificado o discurso de Steinem sobre a grosseria e o desrespeito dos homens com relação às mulheres de uma forma que as palavras dela sozinhas não conseguiriam."[5]

Por fim, Lupu resolveu o mistério da razão para eu ter sido convidada a discursar em primeiro lugar. O ensaio tardio dele explica que Jana Sax, sua mulher à época, sentia uma "profunda alienação dos princípios e métodos refletidos na formação legal do seu companheiro".

Ela sugerira meu nome como palestrante, e o diretor da *Harvard Law Review* concordara. Cada um de nós representou um papel: a esposa, as estudantes de direito, Brenda, eu e até mesmo o professor enraivecido.

Dessa forma, a Faculdade de Direito de Harvard me dá um grande presente: eu me preocupo menos com reações hostis. No fim das contas, elas educaram uma plateia. Como a grande Flo Kennedy sugeriria mais tarde, quando começamos a dar palestras juntas: "Apenas pare, deixe que a plateia absorva a hostilidade, e então diga: 'Eu não paguei nada a ele para dizer isso.'"

- É o ano de 1972, e eu e Margaret Sloan estamos visitando campi no Texas. Um deles é o da Universidade Estadual de East Texas, onde futuros fazendeiros estudam agronomia, e outro é o da Universidade Metodista do Sul, em Dallas, onde futuros líderes estudam o que quer que desejem. Porém, por mais diferentes que sejam, um par de estudantes mulheres se aproxima de nós depois da palestra com a mesma veemente mensagem nas duas universidades: *Se vocês acham que isso é ruim, deviam ir até a Universidade para Mulheres do Texas.* Cada par é composto por uma mulher branca e uma mulher negra, algo incomum por si só.

  De volta a Nova York, continuamos recebendo mensagens das estudantes da Universidade para Mulheres do Texas. É uma campanha para nós irmos até lá, sem um programa para pagar as despesas de um palestrante — ou pelo menos sem um que estivesse disposto a nos convidar. Quem poderia resistir?

  Denton se revela uma cidade pequena, conhecida pelos rodeios e pelos verões quentes. As alunas nos levam para passear pelo campus de prédios baixos, além de uma torre em cujo topo fica a sala do diretor — como o posto de observação de onde o diretor supervisiona uma prisão, como observam as estudantes. A boa notícia sobre essa universidade para mulheres financiada pelo estado é que o seu baixo custo atrai mulheres que, de outra forma, talvez nunca pudessem frequentar a faculdade; incluindo estudantes negras e latinas. A notícia não tão boa é que a Universidade para Mulheres do Texas é conhecida por duas especialidades. Uma é a ciência doméstica, que, originalmente, era uma forma de elevar o trabalho das mulheres em casa, mas que se tornou um campo que as estudantes sentem que as está preparando para o casamento ou para os serviços domésticos. A outra é a enfermagem, a mais organizada das profissões que é majoritariamente feminina, mas na qual ainda se recebe menos do que em profissões similares, mas majoritariamente masculinas, como a farmácia. A pior notícia é que os muitos casos de assédio e violência sexual no campus foram tratados com cercas, toques de recolher e guardas do sexo masculino que restringiam as vítimas, mas não os agressores. Na verdade, as estudantes suspeitam de que alguns dos guardas *sejam* os estupradores.

Eu e Margaret estamos no auditório principal da Universidade para Mulheres do Texas. Ele está lotado de estudantes e explodindo com o novo feminismo, somado aos direitos civis e ao poder negro, além do recém-fundado La Raza Unida, um partido nacional criado por líderes norte-americanas de origem mexicana no Texas. O La Raza já surpreendeu as expectativas ao se tornar o primeiro partido político nacional a apoiar a liberdade reprodutiva, incluindo o aborto.

Muitas daquelas estudantes vivenciaram a dupla discriminação por causa de gênero e raça — não apenas em termos gerais, mas também por causa da raça dentro do movimento feminista, e por causa do gênero dentro do movimento negro. Elas aplaudem quando Margaret diz: "Eu ainda tenho cicatrizes na cabeça e poeira entre os dedos dos pés por marchar pela ponte em Selma. Uma vez fui abandonada à morte. Mas, quando a mobilização começou, eles me pediram para fazer café."

Elas riem aliviadas quando ela diz: "Eu quero me certificar de que, quando a revolução acontecer, eu não vou ficar apenas cozinhando polenta." E resume: "Eu não sou negra às segundas, terças e quartas e mulher às quintas, sextas e sábados."

Uma vez que muitas também foram criadas com concepções tradicionais sulistas da condição feminina, elas também aplaudem quando eu falo sobre as mulheres se sentirem uma pessoa pela metade sem um homem ao lado delas, seja em um sábado à noite ou ao longo da vida. Isso surpreenderia os homens também, eu explico, se eles se dessem conta do quão pouco importa *que* homem esteja ao nosso lado. Mais risadas e pedidos de "Conta!". Elas ficam contentes em ouvir o que uma mulher negra uma vez disse às suas irmãs brancas sulistas: "Um pedestal é uma prisão tanto quanto qualquer espaço pequeno."

Embora algumas pessoas na plateia gritem objeções à saraivada de palavras de baixo calão de Margareth — afinal, é uma poeta do sul de Chicago —, ela é aplaudida quando diz que, se os críticos não gostam da forma como ela fala, podem ir embora. Quando alguém me pergunta se eu acredito em Deus e eu respondo que não — eu acredito nas pessoas —, segue-se um silêncio mortal. Então eu continuo: se, no monoteísmo, Deus é homem, o homem é Deus. Por que Deus se parece, de maneira suspeita, com a classe dominante? Por que Jesus, um cara judeu do Oriente Médio, é loiro de olhos azuis? Há uma reação aliviada, as pessoas dão risada e fazem até mesmo alguns pedidos de "Conta!".

No fim, as estudantes organizadoras nos fazem o maior dos elogios: o resultado valeu o ano que elas passaram nos convencendo a ir até lá. Nós as fizemos parecer pessoas razoáveis por comparação.

De volta a Nova York, lemos clippings dos jornais de Denton que resumem os assuntos da nossa fala como "sexismo, racismo, discriminação profissional, filhos, seguro social, aborto, homossexualidade, bissexualidade", em uma discussão descrita como "emotiva e controversa, mas provocante, relevante". Também há citações de pessoas da plateia que classificam a palestra e a discussão de "constrangedoras" e "a pior coisa que já ouvi". Parece que as pessoas foram embora indignadas ou inspiradas. Para Margaret, é uma prova de necessidade que a ajuda a decidir fundar a Organização Nacional das Feministas Negras — junto com Eleanor Holmes Norton, da Comissão para a Igualdade de Oportunidades de Emprego, Jane Galvin Lewis, da Aliança para a Ação Feminina, a artista Faith Ringgold, a escritora Michele Wallace e muitas outras.

Depois que se muda para Oakland, Margaret continua organizando e trabalhando nos centros para as mulheres de lá. Quando vou visitá-la, nós rememoramos as histórias sobre as duas dúzias de campi que visitamos juntas em menos de um ano — mas nossa conversa sempre volta para a Universidade para Mulheres do Texas.

Trinta e cinco anos se passam até eu voltar àquele campus. Dessa vez, estou fazendo campanha para Hillary Clinton nas primárias para concorrer à presidência em 2008, e estou palestrando com Jehmu Greene, uma jovem afro-americana que, como eu, decidira, depois de um longo exame de consciência, fazer campanha para Hillary — por causa de sua maior experiência em combater a extrema direita — e apoiar Obama no futuro. Agora a universidade está oferecendo mestrado em Estudos Femininos, enquanto muitas outras não oferecem nem sequer um curso de graduação nessa área. Ainda mais raro, a Universidade para Mulheres do Texas em breve oferecerá um curso de doutorado. Também encoraja homens, assim como mulheres, a se matricularem no curso de enfermagem. E o mais incomum de tudo, nenhum aluno pode se formar sem ter tido aulas de estudos multiculturais femininos. Não é de se admirar que Oprah Winfrey tenha feito palestras aqui — duas vezes. Exceto por uma biblioteca ainda famosa por sua coleção de livros de culinária, o campus pouco lembra o que era no passado.

Depois de nossas breves conversas e de uma animada discussão sobre estimular as pessoas a votarem, uma mulher se aproxima para me dizer que estava no campus quando eu e Margaret estivemos aqui décadas atrás. Ela chama a nossa visita de uma "terapia de choque", que deu início a um ano de organização. O movimento de direitos humanos da Universidade para Mulheres do Texas forçou a administração a lidar com as injustiças sofridas pelas estudantes, enfrentou o sexismo e o racismo unido, e agora está trabalhando com imigrantes sem documentos no norte do Texas.

Eu tenho que dizer a ela que Margaret, que se mudara com a filha para a Califórnia cerca de um ano depois que estivemos na Universidade para Mulheres do Texas, morrera aos 57 anos depois de uma longa doença. A filha dela organizou um memorial na Califórnia e, juntas, nós duas organizamos um em Nova York. É difícil de acreditar que Margaret não está aqui neste campus, onde antes ela esteve tão viva.

"Você conhece os seriados médicos na televisão?", pergunta a mulher. "Quando o coração de alguém para e tem que ser reanimado com choque elétrico? Foi isso que você e Margaret fizeram por nós. Por favor, diga à filha dela que os nossos corações estão batendo desde então."

- Aprendemos mais onde sabemos menos. Para mim, isso significa a Universidade Gallaudet, em Washington D.C, a única instituição de educação superior no mundo que é destinada a estudantes surdos. É uma revelação.

    Fui até lá em 1983, para um dia de encontros com os estudantes e para, em seguida, dar uma palestra à noite. Tirando o fato de que preciso de um intérprete, esse campus se parece com qualquer outro. Os estudantes me perguntam como nós começamos a revista *Ms.*, uma vez que eles estão pensando em começar a publicar uma revista no campus. Eu pergunto a eles sobre os cursos de que mais gostam. Há uma controvérsia sobre o reitor. Os estudantes querem participação na escolha do próximo, de modo que ao menos tenham um líder que também seja surdo e entenda o mundo deles. Nós conversamos sobre táticas para tornar isso possível, desde petições até greves no ensino. Eu percebo que é mais difícil assumir riscos quando não há nenhum outro campus como aquele no qual você está, mas eles estão determinados. Como mais de 80% dos estudantes da universidade, aqueles com os quais me encontro vêm de famílias sem deficiência auditiva, e eles valorizam esse curto período em que estão com pessoas que compartilham das experiências e da cultura delas.

    Eu sei o suficiente para olhar para a pessoa que está falando comigo, e não para o intérprete que traduz a linguagem de sinais de forma audível para mim. Eu tenho a sensação de entender e de ser entendida.

    Quanto mais tempo eu passo com os estudantes da Gallaudet, no entanto, mais eu penetro em um mundo no qual a vivacidade da expressão é uma forma de arte universal. Como as palavras deles são cinéticas e os rostos, expressivos, eu sinto como se estivesse completamente presente na conversa de uma forma rara. Eu sei o quanto estaria perdendo sem um intérprete de sinais fazendo a ponte, mas eles estão fazendo um esforço para me incluir. As jovens me contam como se sentem mal interpretadas quando estão, por exemplo, em uma sala cheia de homens que ouvem, por causa do estereótipo de que as mulheres surdas são duplamente indefesas, não importa quão forte elas realmente sejam. Aprendo quão menores são as possibilidades de uma mulher surda, estatisticamente falando, conseguir um emprego, se casar ou ter um relacionamento duradouro — menores ainda do que as dos homens surdos —, devido a esse código moral restritivo. No entanto, tanto os homens quanto as mulheres são tão rápidos, sutis e cheios de nuances ao falar comigo e entre si, que eu sinto como se minhas palavras audíveis fossem como tijolos, e as palavras visuais deles, conchas marinhas e penas.

Desde que Judy Heumann e outros ativistas pelos direitos das pessoas com deficiência destacaram a questão da inclusão em Houston, em 1977, as palestrantes feministas melhoraram no sentido de pedir que, nas reuniões, houvesse um intérprete de sinais e acesso para pessoas em cadeira de rodas, embora nem sempre isso aconteça. Na Gallaudet, entretanto, não há apenas um intérprete de sinais onde a plateia pode vê-lo e eu não, mas sim um em cada lado do palco, e também um em cada uma das doze ou mais plataformas especiais em meio ao público. Isso significa que eu posso ver um coro de movimentos enquanto falo. Há também a interpretação de sinais das letras de música e das poesias. É como assistir a um balé — um balé democrático que todos podemos aprender, se tentarmos.

Quando deixo o mundo dos sinais e volto para o mundo dos ouvintes, não sou mais exatamente a mesma pessoa. Eu vi um mundo expressivo e visual que não é como o mundo no qual eu transito. Ao voltar para casa, fico desapontada. Onde estão todas aquelas pessoas expressivas?

Cinco anos depois, leio que o movimento estudantil lá, com o nome lindamente direto de *Deaf President Now* [Reitor Surdo Agora], foi bem-sucedido. Em 1988, a Universidade Gallaudet finalmente contratou seu primeiro reitor surdo e até mesmo nomeou o primeiro diretor surdo para o seu conselho de administradores. Foi uma vitória longamente esperada em um campus no qual Abraham Lincoln autorizou os primeiros diplomas. Eu também vejo que, nos outros campi, os ativistas estão encarando a surdez e a deficiência como questões de direitos civis, e não como um problema médico que precisa ser resolvido. Estão desenvolvendo um campo completamente novo chamado estudos da deficiência. Assim como os estudos sobre os negros e os estudos sobre as mulheres, esses programas iniciados por um movimento de justiça social têm como objetivo mudar o sistema para incluir as pessoas, e não o contrário. Uma vez que a deficiência pode ser um estado do qual as pessoas podem igualmente entrar e sair — desde acidentes de esqui a ferimentos de guerra, de dar à luz a envelhecer e usar muletas —, rampas no lugar de degraus passam a ser importantes para a maioria das pessoas em algum momento da vida. Alguns até mesmo estão citando os 360 milhões de pessoas surdas no mundo — ou o 1 milhão nos Estados Unidos — e estudando a linguagem de sinais como disciplina de línguas obrigatória.

Será que chegará o dia em que a linguagem de sinais será parte da alfabetização? Em que saber uma linguagem audível assim como uma física seja algo rotineiro? Graças àqueles estudantes da Gallaudet, eu posso imaginar que sim.

- Nos campi que oferecem cursos de treinamento em hospitalidade ou hotelaria, os visitantes geralmente ficam em um hotel que é o laboratório prático para os estudantes. Estou tomando café no lobby de um desses hotéis no Meio-Oeste quando um rapaz alto, esguio e loiro, usando botas de vaqueiro, pergunta se pode se sentar comigo. Como ele parece muito tímido — e porque diz que há muito tempo admira a mim e um determinado jogador de baseball profissional —, fico surpresa. Nunca antes fui abordada assim.

  Enquanto conversamos sobre seus planos de abrir uma pousada no interior, eu tenho a estranha e esmagadora sensação de estar falando com outra mulher. Ele é um vaqueiro, bastante taciturno e masculino, porém não consigo afastar essa sensação. Quando finalmente reúno coragem para dizer isso, ele responde: "Faz sentido, é porque eu fui criado como uma menina."

  Então, ele me conta a história. Eu a reconto de memória. Não é o tipo de história que se possa esquecer.

Eu cresci em uma família que vivia fora da cidade, em uma grande e velha casa no deserto. Havia três gerações de nós. Eu sabia que o meu avô era também o meu pai, e ele também era o pai da minha mãe, mas eu não sabia que havia algo errado nisso. O que eu sabia e odiava era que, quando parávamos para abastecer o carro e não tínhamos dinheiro suficiente para pagar pela gasolina, minha mãe, ou algum outro parente, me mandava ir até a loja do posto e pagar um boquete para o cara que trabalhava lá. Eu não lembro quando isso começou, eu tinha talvez quatro ou cinco anos, mas já tinha aprendido a fazer esse tipo de serviço sexual para o meu avô. Ele costumava dizer que eu deveria ter sido a neta dele. Talvez ele se sentisse estranho por fazer isso com um garoto, então minha mãe começou a me vestir com roupas de menina e me chamar por um nome de menina. Quando eu ia para a escola, usava roupas de menino, mas não tinha nenhum amigo. Eu aprendi logo que a minha família era aquela com a qual as outras famílias falavam para seus filhos não brincarem.

    Assim que tive idade o suficiente para fugir, menti sobre a minha idade e me alistei na Marinha. Eu me senti mais seguro do que jamais havia me sentido em casa. Sair dali foi a primeira coisa que me salvou. Quando voltei para casa e aluguei um quarto na cidade, havia um centro de atendimento para mulheres onde os grupos conversavam sobre diversas coisas, incluindo abuso sexual na infância. Eu não tinha a menor ideia de que isso acontecia com outras pessoas. A terapeuta de lá me explicou que uma vez que as mulheres começavam a conversar umas com as outras, elas descobriam que isso acontecia muito, especialmente, mas não apenas, com as meninas. Quando os sobreviventes precisavam de ajuda, mas não podiam pagar pela terapia, essa terapeuta os ajudava a formar grupos — e eu me juntei a um deles; eram seis mulheres e eu. Eu descobri que não era minha culpa. Mas quando as pessoas na cidade ficaram sabendo que nós estávamos compartilhando segredos de família, até mesmo o centro de atendimento às mulheres teve que afastar a terapeuta. Mesmo assim, ela continuou a se encontrar com a gente por conta própria.

    Porém, o que realmente me salvou foi o que vocês sentiam. Eu me vesti e vivi como uma menina até ter uns oito anos, por isso nunca me senti um homem como o meu avô. Como a minha terapeuta disse: Eu nunca me identifiquei com o agressor. Se eu tivesse feito isso, poderia ter começado a praticar abusos também. É terrível ser a vítima, e acreditar que sexo é a única coisa para a qual você serve — sem ajuda, as meninas crescem acreditando nisso. Mas alguns meninos começam a abusar sexualmente de outras pessoas porque essa é uma forma de ser homem. Isso envolve culpa, ficar com medo de ser preso se contar a verdade, reprimir todo tipo de empatia — tudo que torne mais difícil ir embora. Eu não diria que tive sorte, mas teria sido pior se eu tivesse pensado que precisava controlar ou abusar sexualmente de outras pessoas.

Ele está me contando essa história para me agradecer. Como o movimento feminista surgiu a partir de mulheres que falavam umas com as outras, o abuso sexual infantil passou a ser considerado um fato, e não uma fantasia freudiana — e as pessoas começaram a acreditar nas crianças.

Nós terminamos nosso café. Ele é uma pessoa rara — um homem que sabe o que é ser uma mulher — e também alguém que acabou com o abuso em uma geração. Eu agradeço a ele por ter sobrevivido — e por ter me ensinado. Há muitos tipos de lição a se aprender em um campus.

- É 1995 e estou no Dominican College, perto de São Francisco. Como o anfiteatro a céu aberto no campus acomoda mil pessoas, ele está prestes a ser o local onde serão angariados fundos para a ONG de planejamento familiar Planned Parenthood. Ninguém deu um pio em protesto. As clínicas da Planned Parenthood deram assistência de saúde para tantas pessoas e por tanto tempo, que ela se tornou uma das organizações mais confiáveis dos Estados Unidos. Até mesmo algumas das pessoas que protestam contra o aborto parecem ter se dado conta de que organizar manifestações contra as clínicas só volta a opinião pública contra eles, especialmente porque apenas 3% dos serviços oferecidos pela Planned Parenthood estão relacionados ao aborto.

  Mas isso é a calmaria antes da tempestade. O arcebispo John Quinn, de São Francisco, escreve uma carta ao reitor da faculdade me censurando como uma "uma das principais defensoras do aborto praticamente irrestrito nos Estados Unidos". Embora não receba nem um centavo da Igreja Católica, a faculdade foi fundada por freiras dominicanas muitos anos antes. Elas não estão mais por aqui para falar por si mesmas, mas o arcebispo diz que o legado delas está sendo traído.

As coisas simplesmente seguem seu curso, tanto as acusações quanto o evento. Alguns doadores de fato retiram seu apoio financeiro à faculdade, o que é prejudicial. Porém, quando os conselheiros se mantêm firmes no apoio ao discurso livre no campus, novos doadores compensam a perda dos antigos. Quando muito, o arcebispo apenas conseguiu mais cobertura de imprensa de uma era de declínio do número de fiéis, padres idosos, fechamento de dezenas de igrejas históricas, revelação de abuso sexual cometido por padres e muitos outros problemas que fizeram com que ele fosse convocado ao Vaticano para uma consulta estratégica.

No dia, fico impressionada ao ver um pequeno avião de protesto circulando sobre o anfiteatro, puxando uma faixa contra o aborto. Alguém grita: "Vejam! Os 'a favor da vida' têm uma força aérea!"

Todos riem. O evento acontece. Apesar de eu saber que esse avião solitário é do tipo comercial, que pode ser contratado para aniversários, casamentos e propaganda, o simbolismo do seu constante sobrevoo me entristece.

Conversando mais tarde com Dolores Huerta, minha amiga havia trinta anos — que a vida inteira mobilizou trabalhadores do campo e esforços para eleger as mulheres progressistas —, conto a ela que não consigo afastar a tristeza diante dessa distância simbólica entre um avião representando a Igreja e a vida real das mulheres aqui embaixo.

Ela me recorda o mantra das organizadoras: *As raízes podem existir sem flores, mas nenhuma flor pode existir sem raiz.* A religião pode ser uma flor, mas as pessoas são as raízes.

Três meses depois, o arcebispo John Quinn se aposenta, aos 66 anos, nove anos antes do planejado. Os jornais de São Francisco noticiam que ele era muito distante das pessoas.

- No interior de Oklahoma, onde os poços de petróleo crescem nos campos ao lado do gado e do trigo invernal, estou falando no auditório cheio de estudantes de uma universidade, em uma discussão pós-palestra. A maioria das pessoas está tentando entender como tornar o dia a dia delas mais justo — seja na hora de decidir quem é efetivado em um cargo ou quem arruma as crianças para a escola —, mas eu percebo que um grupo de vinte e poucas pessoas brancas com camisetas de Jesus não está participando.

  Por fim, um rapaz com camiseta de Jesus se levanta para protestar contra o meu apoio à legalização do aborto, o que é estranho, porque nós não estávamos falando sobre aborto. Ele diz que o aborto nem sequer está na Constituição, então como pode ser garantido por ela? Uma estudante universitária que tem cara de doze anos se levanta para dizer que as mulheres também não estão incluídas na Constituição, mas, agora que somos cidadãs, temos a liberdade reprodutiva como parte do nosso direito constitucional à privacidade. Se entre os Pais Fundadores houvesse Mães Fundadoras, essa liberdade estaria na Declaração dos Direitos, para começar.

  A plateia aplaude. Percebo que conseguimos chegar ao estágio mágico em que as pessoas começam a responder as perguntas umas das outras. Eu posso ficar apenas ouvindo e aprendendo. Um homem mais velho, que parece ser o líder do grupo com camisetas de Jesus, diz que a Bíblia proíbe o aborto no seu mandamento "Não matarás". Mas, como estamos no Cinturão Bíblico, as pessoas realmente conhecem a sua Bíblia, e uma mulher mais velha cita o Êxodo 21:22-23, uma passagem que diz que um homem que faz com que uma mulher grávida perca o bebê deve pagar uma multa, mas não é acusado de assassinato, a menos que a mulher morra. Assim, a Bíblia deixa claro que uma vida dependente não é o mesmo que uma vida independente.

Isso silencia as pessoas com as camisetas, mas provavelmente não por muito tempo; eu posso vê-los confabulando. Enquanto isso, outra estudante se levanta para se pronunciar contra as leis de consentimento parental e judicial que tratam uma jovem mulher como se ela fosse propriedade dos pais ou do Estado.

"Se você tem idade suficiente para ficar grávida", ela diz, "então tem idade suficiente para interromper a gravidez."

Um homem intervém, destacando que, se uma mulher que está servindo o Exército for estuprada por outro soldado, ou até mesmo pelo inimigo, ela não consegue fazer um aborto no hospital militar ou em nenhum lugar financiado pelo governo. Não lhe é garantida nem mesmo a dispensa para ir buscar um local por conta própria. Há um murmúrio de desaprovação e de aprendizado.

Uma enfermeira se levanta para explicar o bracelete metálico que está usando. É parecido com os braceletes para lembrar os prisioneiros da Guerra do Vietnã, nos quais em geral está inscrita a data de aniversário de alguém querido, mas ela explica que no dela estão inscritas as datas de nascimento e morte de Rosie Jimenez, a primeira mulher — mas não a última — a morrer por causa de um aborto ilegal porque a Emenda Hyde proíbe não apenas o uso de fundos dos impostos militares, mas também dos fundos da saúde ou de qualquer dólar pago em impostos para a realização de abortos. Rosie estava vivendo com dinheiro da assistência social, a apenas alguns meses de se formar professora, de modo que pudesse sustentar a si e à filha de cinco anos. Porém, ela engravidou, cruzou a fronteira com o México para fazer um aborto ilegal, o único tipo pelo qual podia pagar, retornou ao Texas e passou setes dias com dores e febre em um hospital, recebendo tratamento para um choque séptico — o que representou cem vezes mais em dinheiro de impostos pagos pelo contribuinte do que o custo de um aborto. Ela morreu, deixando a filha e um cheque de 700 dólares de uma bolsa de estudos, prova do seu futuro promissor. Isso aconteceu apenas dois meses depois que a Emenda Hyde entrou em vigor. Centenas, talvez milhares, de mulheres perderam a saúde ou a vida desde então.

Sem tirar o olho do grupo com camisetas, explico que a liberdade reprodutiva significa o que o nome diz e também protege o direito de ter um filho. Uma mulher não pode ser forçada a fazer um aborto, da mesma maneira que não pode ser forçada a não engravidar por meio de esterilização ou de qualquer outra coisa: o movimento feminista se dedica tanto ao segundo quanto ao primeiro caso — incluindo a capacidade econômica de sustentar um filho. Apenas parece que não porque as pessoas contrárias ao aborto seguro e legal se concentraram nisso.

Eu espero que o silencioso grupo com camisetas de Jesus esteja se dando conta de que isso protege a escolha deles também — que um governo com o poder de proibir o controle de natalidade ou o aborto também poderia obrigar as pessoas a fazerem um ou o outro —, mas não tenho essa sorte. De repente, eles se levantam todos ao mesmo tempo e entoam: "Aborto! Assassinato! Aborto! Assassinato!", e vão embora juntos.

No silêncio que se segue, posso sentir as pessoas tentando entender o que deu errado. Eu também fico me perguntando o que poderia ter dito ou feito. Expresso meu desapontamento por eles terem ido embora, o que parece quebrar o encanto.

Um jovem rapaz branco de jeans — esguio, tímido, talvez com quase trinta anos — levanta a mão e começa a contar uma história que parece não ter relação com nada daquilo. Ele inventou um novo tipo de broca para perfuratrizes de petróleo. Acaba de vender a patente e recebeu uma quantia inesperada de dinheiro. Ele gostaria de doar 90 mil dólares, cerca de metade do seu lucro, à causa da liberdade reprodutiva como um direito humano básico — como a liberdade de expressão.

Todos ficam em silêncio, depois riem, por fim comemoram. Nunca, nas quatro décadas que passei viajando e angariando fundos, algo parecido aconteceu novamente. Quando as pessoas se comprometem a doar dinheiro, isso geralmente ocorre depois de um pedido e em quantias estipuladas. Além disso, elas tendem a doar de acordo com o que os outros estão doando. Para mim e para todas as pessoas naquele auditório, aquele rapaz mostrou como dar sem ninguém ter pedido e de acordo com a capacidade de cada um — mais do que capacidade, uma vez que ele dividiu um lucro incomum. Ele deu a todos nós a dádiva da espontaneidade — e da esperança.

Nós mantivemos contato. Ele veio para Nova York e apareceu para dizer oi. Quando saí em outra viagem, uma jovem mulher se apresentou como irmã dele. Quando eu e ele nos cruzamos em Denver, tomamos café da manhã juntos. De tempos em tempos, a estrada parece nos juntar. Aquele dia em Oklahoma se tornou um marco nas nossas vidas.

II.

PARA MIM, CONVERSAR OU ORGANIZAR DEPOIS DE IR A UM CAMPUS ou de fazer qualquer outra palestra é a grande recompensa — porque nesse momento estou aprendendo. Em geral damos continuidade em um restaurante ou espaço de confraternização do campus, ou simplesmente nos sentamos no chão no lugar mais próximo disponível. Com uma palestra compartilhada à qual responder — além do meu pedido de superarmos a definição hierárquica e fingirmos que estamos todos sentados em círculo, mesmo que sejamos quinhentas ou cinco mil pessoas —, as pessoas se levantam e dizem coisas que talvez não dissessem aos amigos e familiares. É como se a plateia criasse seu próprio campo magnético que atrai histórias e ideias.

Eu também leio em voz alta os bilhetes entregues a mim pela plateia — sobre, digamos, cortes de novos cursos conquistados com dificuldade e que ainda não fazem parte do currículo principal, mas bastante dinheiro destinado ao novo estádio de futebol americano — porque posso fazer isso sem ser punida. É comum que sejamos envolvidos por uma espécie de alquimia. Quando alguém de um lado da sala faz uma pergunta, e alguém do outro lado da sala responde, eu sei que a mágica aconteceu. O grupo ganhou vida própria.

Há questões profundas para homens assim como para mulheres. Se há uma sobre a qual os homens mais querem falar, é sobre quanto sentiram falta de ter um pai acolhedor, ou qualquer homem na vida deles que se importasse. Uma vez que remexem nisso, a questão é como se tornar esse pai ou esse homem. Esse desejo de infância é um dos maiores aliados que o feminismo poderia ter. Os homens também falam sobre suas mães sendo tratadas com violência ou humilhadas pelos pais ou padrastos. Já vi os maiores e mais durões atletas de faculdade com lágrimas escorrendo pelo rosto porque estavam lembrando como se sentiram ao testemunhar as próprias mães apanhando.

Qualquer que seja a composição da plateia, eu aprendi a ter fé nas respostas inteligentes, divertidas e reveladoras e nas surpresas de uma discussão que geralmente dura mais do que a palestra em si. Eu queria poder mostrar milhares de vídeos do YouTube de pessoas se levantando e perguntando o que precisam saber, ou compartilhando o que aprenderam, ou contando suas histórias, ou pedindo ajuda, ou me salvando de algum impasse que eu não consigo resolver.

Um exemplo:

- Em uma faculdade de direito no Canadá, estamos profundamente mergulhados na discussão da lei como um instrumento universal que as feministas não deveriam esperar que fosse flexível. Eu estou argumentando que é para isso que temos os juízes — caso contrário, a justiça poderia ser administrada por um computador. Os estudantes de direito, em sua maioria homens, argumentam que qualquer exceção é perigosa e cria um "terreno escorregadio". Abra uma exceção, e o número vai crescer até que a lei seja derrubada de fato.

  Eu não sou advogada. Fico empacada. Esses jovens rapazes podem ou não representar o senso comum da maioria na plateia, mas eles triunfaram.

  Então uma jovem alta, vestindo calça jeans, se levanta no fundo da sala.

  "Bem", ela diz, calmamente, "eu tenho uma jiboia."

  Isso silencia a plateia imediatamente.

  "Uma vez por mês", ela continua, "vou até um laboratório de dissecação no campus pegar camundongos congelados para alimentar minha jiboia. Mas este mês havia um novo professor encarregado, e ele me disse: 'Eu não posso lhe dar camundongos congelados. Se eu lhe der camundongo congelado, todo mundo vai querer camundongo congelado.'"

Há uma explosão tão forte de risadas, que até os homens que estavam argumentando antes não conseguem resistir. Ela foi clara: nem todo mundo quer a mesma coisa. Uma lei justa pode ser flexível. Para ser justa, a lei *tem* que ser flexível. Ela salvou o dia.

- Em um centro universitário na Califórnia, um auditório cheio de mulheres que voltaram a estudar está envolvido em uma discussão longa e séria sobre como é difícil fazer com que seus companheiros homens dividam de forma igualitária as tarefas domésticas e os cuidados com os filhos. Não é apenas porque os homens resistem a essa ideia; é porque as próprias mulheres se sentem culpadas, ou não querem ser vistas como chatas, ou não sabem como dividir as tarefas e os cuidados com os filhos porque nunca viram isso em suas próprias casas.

    Uma mulher se levanta para falar: "Feche os olhos e finja que você está morando com uma mulher: como você dividiria as tarefas domésticas?"

    Há uma longa pausa.

    "Agora, não baixe seus padrões."

    Há aplausos de aprovação.

- Em outro campus, algumas mulheres me falam sobre homens que deixam suas cuecas no chão e não consideram que têm a obrigação de catá-las — nem sequer se dão conta de que estão ali. A essa altura, os gritos e as risadas se tornaram bastante ruidosos, e eu começo a me preocupar com uma jovem japonesa em silêncio, sentada perto da frente. Talvez nós a estejamos ofendendo.

    Como se tivesse lido meus pensamentos, ela se levanta e se vira para encarar todas as cerca de quinhentas mulheres.

"Quando o meu marido deixa a cueca dele no chão", ela diz, baixinho, "eu acho bastante útil *pregá-la* no assoalho." Em meio às risadas e aos aplausos, essa jovem tímida parece surpresa ao se ver rindo também. Ela conta ao grupo que é a primeira vez que diz alguma coisa em público.

• Em uma discussão sobre as vantagens de ter homens mais novos como maridos e amantes — porque é mais provável que eles tratem as mulheres de igual para igual —, uma mulher se levanta e diz: "É claro que eles nos entendem melhor! Nós somos as mães deles!"

Novamente, eu me preocupo com uma mulher bem mais velha na primeira fileira que tem um olhar de desaprovação. Quando pergunto se a estamos ofendendo, ela se levanta, olha para a plateia e diz:

"Quando estiver tendo um caso com um homem mais novo..." Eu percebo que ela não diz *se*, mas *quando*. "Tente nunca ficar por cima. Você vai ficar parecendo um buldogue."

Essa observação, vindo de uma mulher improvável — porém uma que certamente esteve nessa situação — fez todos morrerem de rir.

SE TEM UMA COISA que essas visitas aos campi confirmaram para mim é que a milagrosa, porém impessoal, internet não é o suficiente. Como na época abolicionista e sufragista, quando havia apenas cerca de seiscentas faculdades com aproximadamente cem alunos cada — e organizadores itinerantes como as irmãs Grimké, Frederick Douglass e Sojourner Truth viajavam para discursar em prefeituras, herdades, igrejas e campos — nada podia substituir estar no mesmo local. É exatamente por isso que temos que continuar criando os mundos temporários dos encontros, pequenos e grandes, nos campi e em qualquer outro lugar. Neles, descobrimos que não estamos sozinhos, aprendemos uns com os outros e assim continuamos a caminhar na direção de objetivos compartilhados. Organizadores individuais do movimento dos direitos civis contavam com uma rede de igrejas negras, e não apenas telefones e mimeógrafos, e os veteranos que discursavam contra a guerra no Vietnã tinham cafeterias e shows de rock. Hoje, que há pelo menos quatro mil campi com mais de 15 milhões de estudantes — ainda não diversos o bastante, porém mais diversos do que nunca —, eles são o sustentáculo para organizadores andarilhos como eu.

Eu recomendo tentar esse tipo de militância de base por uma semana ou um ano, por um mês ou por toda a vida — trabalhar por qualquer mudança que você queira ver no mundo. Então um dia você estará conversando com um desconhecido que não faz a menor ideia de que você teve um papel na vitória que ele ou ela está celebrando.

Você vai ficar sabendo, por exemplo, que estudantes, funcionários e docentes criaram uma creche que mudou quem pode ir para uma faculdade; ou que o candidato mais qualificado foi eleito em vez daquele com mais financiamento; ou que os estudantes norte-americanos do ensino médio trabalharam durante o verão para pagar as mensalidades escolares dos seus companheiros na África; ou que um governador tomou conhecimento de condenações equivocadas, inclusive de mulheres que mataram seus agressores em legítima defesa, e comutou as sentenças de todos que estavam no corredor da morte; ou que executivos insistiram na licença-paternidade e em tempo equivalente com os filhos; ou que um estado inteiro se levantou contra a transformação das suas prisões e escolas públicas em centros corporativos para geração de lucro; ou que a violência doméstica se tornou motivo para a demissão de policiais, e a brutalidade policial despencou; ou que um sistema educacional encomendou livros que cobrissem todos os continentes e suas populações igualmente; ou que os cursos de História Norte-americana passaram a de fato começar quando as primeiras pessoas ocuparam essa terra que eles chamaram de Ilha da Tartaruga; ou que a posse de armas diminuiu e que o transporte público aumentou; ou que a liberdade reprodutiva se tornou a Quinta Liberdade — e outras esperanças que apenas você e o seu futuro eu podem imaginar.

Então, como se em resposta a um enigma proposto anos antes, você vai se dar conta de que esse crescimento veio de sementes que você plantou, regou ou carregou de um lugar para outro — e você vai ser recompensado da forma que nós, seres comunitários, mais precisamos: você vai saber que fez a diferença.

V.

Quando a política é pessoal

As HISTÓRIAS DA MINHA MÃE SOBRE O SOFRIMENTO DURANTE a Depressão — e como Franklin e Eleanor Roosevelt nos ajudaram a sair dela — me ensinaram que a política é parte do nosso dia a dia. Ela descreveu como fazia sopa com os restos de cascas das batatas e em seguida ouvia os discursos de Roosevelt no rádio para animar o espírito. Ou sobre cortar um cobertor para fazer um casaco mais quentinho para a minha irmã mais velha e protegê-la do ridículo dizendo que, se as pessoas podiam gostar de um novo tipo de primeira-dama, elas podiam gostar de um novo tipo de casaco. Ela me contou até mesmo que meu avô tinha morrido não de pneumonia, como todo mundo dizia, mas de coração partido depois de perder tudo pelo que havia trabalhado. Se ele tivesse vivido para ver o presidente Roosevelt gerar empregos e dignidade onde eram mais necessários — construindo prédios, plantando florestas, até mesmo pintando murais nas agências dos correios —, ela tinha certeza de que ele ainda estaria conosco.

Fazia total sentido para mim que as histórias da minha mãe começassem em um lugar pessoal e chegassem a um ponto político. Assim como a crença dela de que Franklin e Eleanor Roosevelt compreendiam nossas vidas na base, mesmo que eles tivessem nascido no topo.

"Sempre olhe para o que as pessoas fazem", como dizia a minha mãe, "e não para quem elas são."

Ela também tinha certeza de que os Roosevelt queriam que nos tornássemos independentes, e não dependentes. Uma vez que, como a maioria das crianças, eu dizia coisas como "Não é justo" e "Você não manda em mim", essa ideia me fazia amá-los ainda mais.

Nem todas as histórias da minha mãe tinham um final feliz. Quando eu vi uma foto de jornal suspeita da polícia arrastando pessoas de pele escura pelas ruas da cidade, ela me explicou que havia revoltas raciais nas proximidades de Detroit — porque a Depressão não terminara para pessoas chamadas "negros". Eu imaginei as pessoas fazendo sopa de casca de batata e casacos de cobertores, mas, mesmo assim, de alguma forma, eu não conseguia imaginar minha família sendo atacada pela polícia. Ela também se sentava comigo enquanto ouvíamos uma novela de rádio sobre uma mãe e uma criança tentando sobreviver em um lugar chamado campo de concentração. Eu sabia que minha mãe não queria me assustar, apenas me ensinar algo sério, e isso fazia com que eu me sentisse importante e adulta. Anos depois, eu me perguntei se ela tinha a intenção de, com essas pequenas doses de realidade cruel, me imunizar contra a depressão que nela poderia ser desencadeada por coisas tão simples quanto um filme triste ou um animal ferido.

No entanto, nunca perguntei por que o meu pai despreocupado tinha zero interesse por política. Ambos eram gentis e amáveis, só eram bastante diferentes.

Eu tinha onze anos quando o presidente Roosevelt morreu. Na época, eu e minha mãe estávamos morando em uma pequena cidade no estado de Massachusetts, para onde havíamos nos mudado depois que ela e meu pai se separaram. Ainda me lembro da forma exata das rachaduras na calçada onde eu estava andando de bicicleta quando a minha mãe saiu de casa para me contar. Era difícil acreditar que Franklin e Eleanor não fariam mais parte das nossas vidas. Foi ainda mais difícil quando eu percebi que nem todo mundo lamentava esse fato. Algumas pessoas na cidade culpavam o presidente por termos nos envolvido na Segunda Guerra Mundial, outros achavam que a ideia dele sobre as Nações Unidas apenas iria permitir que estrangeiros nos dissessem o que fazer. Uma tirinha de jornal disse: "Adeus ao presidente Rosenfeld." Minha mãe me explicou que não, Roosevelt não era judeu; era apenas que pessoas preconceituosas tendiam a colocar no mesmo saco coisas das quais não gostavam.

Nossa única companhia no nosso luto era um homem idoso do outro lado da rua que usava uma gravata com as iniciais FDR, de Franklin Delano Roosevelt, bordadas nela, algo que ele nos mostrou como se fôssemos coconspiradores. Minha mãe foi corajosa o suficiente para colocar uma foto do presidente emoldurada com um pano preto na nossa janela da frente, mas não foi corajosa o suficiente para explicar aos vizinhos o que aquilo significava. Eu estava começando a suspeitar de que os conflitos se sucediam à política assim como a noite se sucede ao dia, e a simples ideia de conflito já era suficiente para deprimir minha já deprimida mãe. Eu mesma chorava quando ficava com raiva, depois não conseguia explicar por que estava com raiva. Mais tarde eu descobriria que isso era endêmico entre as mulheres. A raiva é supostamente "não feminina", por isso nós a suprimimos — até que ela transborda.

Eu podia ver que não dizer o que pensava fazia minha mãe se sentir pior. Essa foi a primeira evidência que tive do truísmo de que a depressão é a raiva reprimida; consequentemente, as mulheres têm duas vezes mais chance de desenvolver depressão. Minha mãe pagou um alto preço por se preocupar e, ao mesmo tempo, poder fazer tão pouca coisa a respeito. Dessa forma, ela me conduziu a um posicionamento ativista que ela mesma nunca pôde ter.

Minha própria vida política não começou até o meu último ano do ensino médio. Eu estava morando com a minha irmã em Washington, D.C., onde ela trabalhava como gerente de compras em uma loja de departamentos e dividia a casa com outras três jovens trabalhadoras. Elas achavam que eu estava com saudade de casa, e me parecia uma traição dizer-lhes a verdade. Como era responsável apenas por mim mesma, eu estava no paraíso.

Em minha nova escola, todo mundo parecia pensar apenas em entrar para a faculdade. Alguns estudantes chegavam a fazer as provas de admissão para a faculdade antes *só para treinar*, algo de que eu nunca antes ouvira falar. Eles vinham de famílias que tinham contas bancárias recheadas, em vez de dependerem de contracheques; que ofereciam jantares em vez de jantarem em frente à tevê, e que viajavam de férias para países dos quais as famílias dos seus amigos de Toledo tinham vindo fugindo da pobreza.

Muitos dos meus novos colegas de classe vinham de famílias de militares de alta patente, e consideravam o candidato à presidência Dwight D. Eisenhower ao mesmo tempo um herói de guerra e uma figura paterna. Para mim, Adlai Stevenson, um candidato relutante recrutado pelos democratas, se parecia mais com Roosevelt, mas eu não ia discutir. Eu tinha um novo namorado lindo que estava se preparando para ir para a academia militar de West Point. Ele era filho e neto de generais. Foi por acidente que descobri que um comitê improvisado de apoio à candidatura presidencial de Stevenson ficava a apenas uma viagem de bonde de distância.

No momento em que entrei naquela enorme sala lotada de telefones tocando e pessoas apressadas, senti que era o lugar mais excitante em que eu já estivera. Membros da equipe estavam administrando os trabalhos sentados diante de mesas abarrotadas, voluntários falavam intensamente enquanto enfiavam coisas em envelopes e adolescentes estavam empilhando tabuletas para colocar nos jardins nos estados vizinhos de Maryland e da Virgínia, onde as pessoas podiam de fato votar para presidente, ao contrário dos moradores de Washington, D.C., que supostamente deveriam se manter neutros. E o mais incrível: tudo aquilo era aberto a qualquer um que passasse na rua.

Logo ganhei um local de trabalho ao lado de outras jovens voluntárias, manchando as mãos com tinta roxa enquanto operávamos um mimeógrafo no qual produzíamos em série panfletos que diziam *Estudantes com Stevenson*. Era um informativo destinado a atrair voluntários, já que ninguém com menos de 21 anos podia votar.

Dava para perceber que havia uma clara hierarquia. Os homens da equipe tomavam as decisões e as mulheres as executavam, até mesmo as que tinham idade o suficiente para ser mãe deles. Os membros da equipe que eram pagos para fazer aquele trabalho eram brancos, e os poucos homens e mulheres negros eram voluntários ou entregadores. Ainda assim, aquilo era muito mais parecido com o mundo real do que a minha escola. Passei meus primeiros dias lá tentando entender por que os corredores cheios de estudantes pareciam tão esquisitos. De repente me dei conta de que todos eram brancos. Perguntei a um professor se isso refletia a vizinhança, e ele respondeu que claro que não, que aquilo refletia a segregação. Washington era duas cidades separadas, ele explicou, e a maioria negra queria escolas separadas também. Além disso, a cidade já melhorara muito desde que os escravos tinham construído a Casa Branca.

Isso era novidade para mim. Minha escola em Toledo era segregada socialmente também — não apenas por raça, mas por aqueles cujas famílias tinham televisão, falavam polonês ou húngaro em casa, ou tinham um pai que era o supervisor, em vez de ser aquele que trabalha na linha de produção —, mas ao menos todos assistíamos às mesmas aulas, comíamos no mesmo refeitório e torcíamos para o mesmo time de futebol americano.

De modo geral, aquele comitê da candidatura à presidência de Stevenson era o lugar mais aberto e receptivo em que eu já estivera. Em um sábado, quando eu e outras jovens mulheres chegamos, porém, descobrimos que tínhamos sido banidas para o andar de cima. Ficamos arrasadas. Um dos membros da equipe nos explicou que Stevenson poderia aparecer e ele não devia ser visto com nenhuma mulher a não ser que ela fosse velha o suficiente para ser mãe dele. Afinal, ele era aquela coisa terrível — divorciado —, algo que nenhum presidente jamais fora. Embora todos parecessem saber que Eisenhower tinha importado a linda inglesa que fora sua motorista durante a guerra — e até mesmo conseguira para ela cidadania norte-americana —, ele tinha a esposa, Mamie, para ser uma primeira-dama apropriada. As aparências eram a única coisa que importava.

Nós não nos importamos de ser escondidas; era como se tivéssemos alguma doença contagiosa que poderia colocar em risco uma causa que era importante para nós. Quando saíamos para comer um hambúrguer de dez centavos na lanchonete White Castle local, conversávamos sobre como nos manter longe das vistas das pessoas. Não conversávamos sobre os homens da equipe que avaliavam nossa aparência, se roçavam em nós em espaços estreitos e se tornaram ameaças a serem evitadas. Nossa presença era o problema; o comportamento deles era inevitável. Evitá-los ao mesmo tempo que mantínhamos seus egos intactos era apenas parte da nossa função.

A verdade é que nós teríamos aguentado quase qualquer coisa para ficar naquele lugar animado com aquele ar de luta pelos excluídos — embora ainda não soubéssemos que nós também éramos excluídas. Ou, para dizer de outra forma, não acreditávamos que podíamos ser incluídas. Eu não sabia que uma mudança política poderia fazer com que me sentisse mais segura nas ruas, ou me dar uma identidade própria em vez de me casar com uma, ou mandar minhas colegas de turma de

Toledo para a faculdade em vez de para as fábricas, ou tirar meus então colegas de turma de seu gueto branco. Eu não me dava conta de que as mudanças promovidas pela política poderiam ter ajudado minha mãe a continuar a ser a jornalista pioneira que ela fora anos antes de eu nascer.

Meu único pensamento era: *Onde mais eu poderia achar tanta abertura, agitação e esperança?* Eu estava viciada.

E continuo viciada em campanhas até hoje. Apesar de todos os seus defeitos, as campanhas se baseiam no fato de que cada voto conta e, portanto, cada pessoa conta. Como sociedades independentes, elas são mais abertas do que a academia, mais idealistas do que as corporações, mais agregadoras do que as religiões e mais acessíveis que o próprio governo. As épocas de campanha são as únicas oportunidades de um amplo debate público sobre o que queremos para o futuro. São capazes de mudar consciências ainda mais do que quem é eleito. Resumindo, as campanhas podem ser a coisa mais próxima que temos da própria democracia.

MORAR NA ÍNDIA, ONDE as pessoas ficavam na fila durante horas e até mesmo dias para votar, confirmou meu excêntrico amor por campanhas. Assim como voltar para casa e encontrar um crescente e corajoso movimento pelos direitos civis, composto de pessoas dispostas a arriscar a vida para se registrar e votar.

No entanto, como escritora *freelancer*, era difícil conciliar o que eu amava com o que eu fazia. Quando eu me candidatava para cobrir um grande líder político, me pediam para escrever sobre a mulher dele. Se desse duro, eu conseguia fazer coisas das quais me orgulhava — por exemplo, um perfil de Truman Capote ou uma longa reportagem sobre a pílula anticoncepcional —, mas o mundo da política permitia a entrada de poucas mulheres, mesmo como jornalistas.

Então, em 1968, eu me juntei a um grupo de escritores — liderado por Clay Felker, meu editor na *Esquire* — que estava criando a revista

New York. Eu era a única "repórter mulher", mas finalmente ia poder escrever sobre política. A *New York* foi a casa do Novo Jornalismo de Tom Wolfe e também de Jimmy Breslin, um cronista de rua que escrevia sobre a vida em Nova York. Uma vez que Wolfe escrevia satiricamente, como quem está de fora, sobre assuntos que provavelmente detestava, e Breslin escrevia de dentro sobre a vida de pessoas que provavelmente amava, eles ajudaram a estabelecer o direito dos escritores de não ficção de serem tanto pessoais quanto políticos — desde que fôssemos fiéis aos fatos.[1]

Quando me juntei às equipes de imprensa que viajavam nos aviões junto com as equipes de campanha, percebi que cada uma parecia refletir a personalidade do candidato. Eugene McCarthy se isolava, falava sobre filosofia e dizia aos repórteres que apenas as pessoas mais instruídas o apoiavam — como se isso fosse uma coisa boa. Isso ditava o tom da equipe dele, que também parecia sofisticada e distante. Por outro lado, Richard Nixon fazia o mesmo discurso a cada parada, desaparecia por trás de portas fechadas com líderes políticos locais e, uma vez a cada viagem de campanha, voltava para dentro do avião para cumprimentar cada um dos repórteres com um dado pessoal sobre eles que fora cuidadosamente memorizado, mas que quase sempre estava desatualizado. Os jornalistas em seu avião pareciam tentar compensar o fato de na verdade não gostarem dele sendo menos críticos, e não havia o ar de animação usual que envolvia falar com um candidato.

Quando o avião de campanha de Bobby Kennedy foi programado para parar em uma reserva indígena, a equipe dele foi contra porque não havia votos suficientes para justificar o tempo gasto. Ele os acusou de não se importarem e fez a parada assim mesmo. O avião dele era provavelmente o único no qual havia um cantor folk tocando violão no corredor. Como muitos repórteres amavam Bobby, eles tentavam compensar — sendo críticos. Mais tarde eu me perguntaria se a culpa dos jornalistas por causa de seus sentimentos pessoais tinha feito com que os leitores não pudessem saber quem Bobby Kennedy era até depois de sua morte, ou quem Richard Nixon era até que ele chegasse à Casa Branca.

COMO VOLUNTÁRIA, TRABALHAR EM campanhas significou muitas coisas diferentes para mim. Eu fui responsável por colocar coisas em envelopes, panfletei, fiz piquetes, telefonei para potenciais eleitores e arrecadei fundos. Fiz *lobby*, pesquisei, escrevi discursos e, uma vez, trabalhei no comitê de plataforma, embora tenha feito esse trabalho apenas porque Bella Abzug não podia. Encurtei a minha vida ao tentar conseguir qualquer coisa em convenções políticas, depois a encurtei ainda mais ao ficar acordada noites inteiras escrevendo o rascunho de declarações coletivas e comunicados para a imprensa para protestos de movimentos contra a exclusão nas convenções. Fiz campanha para mais candidatos do que consigo me lembrar. Só em 1996, olho para uma agenda que lista 29 candidatos, sem contar um presidente. Já discursei em jardins nos fundos de casas para uma dúzia de vizinhos, em grandes shows de rock e de bandas grunge, em reuniões regadas a chá em salas silenciosas, na traseira de caminhões empunhando um megafone, e a pé, pedindo votos de porta em porta. Depois que o movimento feminista tinha realmente engrenado, nós às vezes nos víamos discursando em marchas em Washington com mais de um milhão de pessoas. Eu recomendo todas essas tarefas, grandes e pequenas. Uma das melhores coisas a respeito das campanhas políticas é que a experiência é mais importante do que tudo, e as pessoas apenas tentam fazer o que precisa ser feito. Um trabalhador doméstico articulando para receber o salário mínimo pode ser um dos principais oradores, e alguém com um doutorado pode ficar telefonando para incentivar as pessoas a irem votar.

Quando olho para trás, identifico três estágios, embora na época eu não soubesse que eram estágios.

Primeiro, eu atuava como voluntária em campanhas e fazia o que quer que me mandassem fazer — por exemplo, telefonar para eleitores até achar que seria necessária uma cirurgia para remover o telefone da minha orelha. Eu ligava para contribuintes da cidade grande enquanto estava na estrada de modo que eu pudesse dizer: "Você não sabe como as coisas estão por aqui." Às vezes eu também fazia coisas bastante inusitadas, como orientar George McGovern a usar meias mais longas, mais apropriadas para a TV, quando ele foi candidato à presidência; comprar comida chinesa para os voluntários de Kennedy; ou ajudar a realizar uma festa em uma discoteca a fim de levantar fundos para a campanha de Lyndon Johnson contra Goldwater. O momento de que mais me orgulho foi quando escrevi um discurso televisionado para Shirley Chisholm na campanha dela para a presidência dos Estados Unidos, em 1972. O nome dela aparecia nas cédulas eleitorais em apenas 14 estados, mas ela era a primeira candidata negra a concorrer à presidência por um grande partido e a primeira mulher a concorrer à nomeação para candidata à presidência pelo Partido Democrata. Sozinha, ela tirou o cartaz de "apenas homens brancos" da porta da Casa Branca. Como fora "obscurecida" — nas palavras de Flo Kennedy — de um debate na televisão antes das prévias de Nova York, Chisholm e o coordenador de campanha dela, Ludwig Gelobter, entraram com uma ação legal demandando tempos iguais na televisão. Ela conseguiu meia hora, no último minuto. Ludwig me pediu para escrever de um dia para o outro um discurso que combinasse todos os inteligentes posicionamentos de Shirley. Ficar acordada escrevendo o discurso, depois lhe assistir falando na televisão, me encheu de um entusiasmo que não vou esquecer.

Em segundo lugar, ajudei a fundar — e depois fiz campanha junto — grupos de movimentos feministas, como o Fórum Político Nacional da Mulher, que apoiava mulheres que defendiam a igualdade em cargos comissionados e em cargos para os quais era preciso ser eleito, e os Eleitores Pró-Escolha, um comitê de ação política que ajudou candidatos homens e mulheres de todos os partidos que apoiavam a liberdade reprodutiva. A revista *Ms.* classificou os candidatos à presidência de acordo com sua visão a respeito de tudo, de igualdade salarial e creches ao Fator Machista — com o que queríamos dizer apoio às forças armadas e à pena de morte. Isso não impediu que Richard Nixon chegasse à Casa Branca, mas um grupo de mulheres australianas que visitou o escritório da *Ms.* nos disse que elas usaram nosso sistema de classificação para ajudar a dar a maioria ao Partido Trabalhista. Além disso, o Fórum Político Nacional da Mulher reuniu os nomes de diversas mulheres qualificadas para serem indicadas a cargos importantes. Mais de quarenta anos depois, Mitt Romney ia assumir o crédito por ter "pastas cheias de currículos de mulheres" quando foi governador do estado de Massachusetts, apresentando isso como uma de suas credenciais para concorrer à presidência. Na verdade, essas pastas haviam sido preparadas e impostas a ele pelo Fórum Político das Mulheres de Massachusetts, como o grupo vinha fazendo havia décadas.

Só quando já tinha sessenta anos cheguei à terceira — e a minha favorita — forma de campanha, independente de qualquer organização. Com alguns amigos que também eram ativistas e organizadores, rodei o país em uma van, encontrei lugares para ficar em estados-pêndulos, decisivos no processo eleitoral, onde ativistas locais nos disseram que éramos necessários, e organizei reuniões em ginásios de escolas, livrarias, shopping centers, boliches, shows de rock, churrascos em quintais, comícios em campi, estações de metrô, sedes de sindicatos, filas da imigração, salas de cinema e lojas de *bagels* — todos lugares onde os eleitores estão, mas aonde os candidatos raramente vão. Como não estava trabalhando para nenhum candidato, eu não tinha que dizer apenas o que o candidato ou candidata diria, ou arriscar causar problemas por falar demais. Uma vez que éramos todos agentes independentes que pagavam os custos das nossas viagens com pequenas somas arrecadadas entre amigos, podíamos ser emissários confiáveis, pessoas que não se beneficiavam de nenhuma outra maneira a não ser como cidadãos e que podiam dizer por que estavam apoiando determinado candidato.

Na época da campanha eleitoral de Obama para a Casa Branca, já tínhamos estendido essas viagens para lugares distantes. No estado-pêndulo do Colorado, que foi crucial para a vitória de Obama e no qual também havia algumas iniciativas de plebiscito ameaçadoras, alugamos uma casa em Denver e, usando-a como centro das nossas atividades, íamos todos os dias para salas de estar e centros comunitários cheios de mulheres independentes ou republicanas, os grupos que tinham maior probabilidade de serem negligenciados pelo Partido Democrata. Elas se sentiam abandonados pela Guerra Republicana Contra as Mulheres, e ainda assim eram rejeitadas por mulheres do Partido Democrata com uma postura acusatória, que diziam *"Como você pode ser republicana?"*. Em vez disso, nós falávamos sobre as razões para apoiar líderes políticos que nos apoiam, não importam os rótulos partidários. Era o tipo de campanha que só um movimento poderia fazer.

No fim, o Colorado derrotou as iniciativas de plebiscito tendenciosas, incluindo uma que iria conferir personalidade jurídica a um óvulo fertilizado, e também deu seu apoio a Obama. Na noite da eleição, ele conquistou esse estado composto de 80% de pessoas brancas com cerca de 60% dos votos das mulheres de todas as raças, e mais de 70% dos votos de todas as mulheres solteiras. Mais ainda do que no restante do país, John McCain teria ganhado se apenas os homens tivessem votado. Nós dançamos com a multidão nas ruas do centro de Denver para celebrar a vitória de Barack Obama, um homem com uma grande mente e um bom coração, como o primeiro presidente afro-americano dos Estados Unidos.

Em dias muito bons, eu sabia que nosso pequeno grupo era parte da grande tradição de abolicionistas e sufragistas que viajavam em carroças puxadas por cavalos e em trens para reuniões em gabinetes, câmaras municipais, igrejas, escolas, granjas e celeiros. Eles não podiam contar apenas com as cartas, os jornais e os livros para difundir suas ideias, assim como nós não devemos contar apenas com a televisão, os e-mails, o Skype e o Twitter. Naquela época e hoje em dia, pegamos a estrada para realizar encontros comunitários nos quais os ouvintes podem falar e os falantes podem ouvir, fatos podem ser discutidos e a empatia pode gerar confiança e entendimento.

Em cada um desses estágios de campanha, eu me senti inspirada, furiosa, desesperançada, esperançosa, insone, surpresa, traída, exausta, instruída, energizada, desesperada e impaciente — mas nunca arrependida. Não me senti tentada a me juntar a uma equipe de campanha. Isso é importante, mas é uma via de mão única. Ser voluntária como cidadã — ou com um grupo ou um movimento que defenda uma causa — permite que as ideias fluam em ambas as direções. Também não me senti tentada a me candidatar. Isso significaria incluir conflitos na minha dieta diária. Percebi que os grandes líderes políticos se sentem estimulados pelos conflitos. Eu me sinto estimulada ao ouvir as histórias das pessoas e ao tentar chegar a soluções compartilhadas. Esse é o trabalho de um organizador.

Às vezes, quando eu estou no meio de tudo isso, posso ouvir minha mãe dizendo: "A democracia é simplesmente algo que você deve fazer todos os dias, como escovar os dentes."

I.

COMO FREELANCER, FINALMENTE CONSEGUI SER ENVIADA À CAPITAL do país — para escrever sobre o estilo da Casa Branca durante o mandato de Kennedy. O trabalho me pagaria menos do que eu ia gastar viajando de Nova York para Washington e voltando, mas eu estava tão fascinada com os Kennedy quanto todo mundo. Eu também ia ler pesquisas que em outras circunstâncias seriam tediosas no escritório na Ala Oeste de Ted Sorensen, redator dos discursos de JFK, que eu conhecia por causa das campanhas. O simples fato de estar naquele campo de energia política era recompensa suficiente. Como Sorensen considerava o humor o seu ponto fraco, havia uma pequena chance de que eu pudesse contribuir com uma palavra ou outra para um discurso que ele estivesse terminando em cima da hora.

Um homem de estirpe sóbria do Nebraska, Ted comprava seus próprios selos, para o caso de uma carta não ser considerada relacionada ao trabalho. Ele definitivamente não tomava parte na vida social glamorosa de Kennedy. Na verdade, desaprovava os casos extraconjugais de Kennedy, principalmente porque às vezes era ele quem tinha que acobertá-los. Ele também achava que fumar fazia uma mulher parecer imoral, e como eu acreditava que um cigarro fazia eu me parecer com uma escritora — embora não conseguisse tragar sem ficar enjoada —, fumava e me sentia julgada por ele. Muito mais importante do que tudo isso era o seu domínio do paralelismo, com frases elegantes e inspiradoras como: "Não pergunte o que o seu país pode fazer por você, mas o que você pode fazer pelo seu país." Se ficasse no escritório dele por um ou dois dias, eu esperava aprender alguma coisa, contribuir com algo, ou as duas coisas.

Foi por isso que, em um dia de novembro, eu estava dando uma olhada em clippings da imprensa enquanto Ted se apressava para terminar um discurso para a viagem de Kennedy a Dallas. Ele correu com a cópia final em mãos pelo gramado da Casa Branca, onde um helicóptero esperava para levar o presidente até o *Air Force One*. Eu observei enquanto Kennedy, aquele homem familiar a quem eu nunca conheci, caminhou pelo vento gerado pelas hélices.

Era a última vez que eu e Ted o veríamos.

No dia seguinte, em Nova York, eu podia identificar, pela cara das pessoas nas ruas, quem sabia sobre o atentado e quem não sabia. Ted me telefonara para dizer que a bala havia despedaçado o crânio do presidente. Não havia esperança.

Eu pensei: *Quando o passado morre, nós ficamos de luto pelos mortos. Quando o futuro morre, ficamos de luto por nós mesmos.*

QUANDO O VICE-PRESIDENTE LYNDON Johnson assumiu a presidência, Bobby Kennedy deixou o cargo de procurador-geral para dar a LBJ o direito de nomear quem quisesse. Depois, o irmão mais novo do presidente Kennedy declarou sua candidatura ao Senado dos Estados

Unidos pelo estado de Nova York. Parecia ser um esforço doloroso ocupar o espaço que antes tinha sido do irmão. Bobby Kennedy detestava até mesmo falar em público. Uma vez eu o ouvi dar uma breve palestra e me identifiquei com sua travessia desconfortável de uma frase a outra.

Na esperança de publicar uma reportagem independente, segui Bobby Kennedy para cima e para baixo durante um dia de campanha na cidade de Nova York. Ele era um candidato bastante incomum. Quando queria se esquivar da pergunta de um repórter, por exemplo, ele não dava simplesmente uma resposta vazia, como a maioria dos políticos faz. "Como você pode ver", ele dizia, "estou tentando me esquivar dessa pergunta." Ele parecia interessado em se ocupar apenas das pessoas que fizessem perguntas para as quais realmente não sabiam a resposta.

Jack Newfield, do *Village Voice*, me contou o segredo para entrevistar Bobby: levar junto para a entrevista alguém que não conhecesse o assunto — ou, melhor ainda, alguém que discordasse. Aí então Bobby via um motivo para explicar, e você conseguia um monte de aspas.

Em Manhattan, dois famosos escritores, o jornalista Gay Talese e o romancista Saul Bellow, se juntaram à campanha de Kennedy para o Senado naquele mesmo dia. Eu conhecia Talese e havia conhecido Bellow recentemente, quando o entrevistara e o seguira por sua querida Chicago. Nós três dividimos um táxi para ir aos eventos de Kennedy. Sentada entre os dois no banco de trás, eu estava prestes a compartilhar a valiosa dica de Jack Newfield quando Talese se inclinou na minha frente — como se eu não estivesse falando ou não estivesse presente — e disse para Bellow: "Você sabe como todo ano tem uma garota bonita que vem para Nova York e finge ser escritora? Então, a garota bonita este ano é a Gloria."

E então eles começaram a discutir sobre o terrível trânsito.

Minha reação inicial foi ficar constrangida. Será que Bellow ia se arrepender de ter concedido uma entrevista a alguém que estava agora sendo chamada de escritora sem méritos?

Mas, uma vez que estava fora do táxi e longe da presença autoconfiante deles, eu fiquei com raiva. Como Talese podia se comportar como se eu nem sequer estivesse ali? Por que eu não tinha protestado? Ou gritado? Por que não tinha saído e batido a porta do táxi com força?

QUATRO ANOS DEPOIS, EU estava trabalhando como voluntária para Eugene McCarthy em sua primeira tentativa de ser nomeado candidato à presidência pelo Partido Democrata — sem imaginar que algum dia eu escreveria sobre isso — quando cheguei ao inóspito terceiro andar da sede do comitê de campanha em Manhattan. Sentei-me em um círculo de cadeiras instáveis com outros escritores e editores que estavam ajudando com os comunicados de imprensa e com os documentos sobre as posições de um candidato que nunca tínhamos encontrado. McCarthy era a terceira opção do movimento pela paz contra a Guerra do Vietnã, mas ele foi o único que aceitou enfrentar o presidente Johnson em New Hampshire, na primeira primária da campanha de 1968. O senador Robert Kennedy e o então senador George McGovern haviam sido convidados antes, mas ambos haviam recusado. Para qualquer um que se opusesse à Guerra do Vietnã, aquele senador reservado e sardônico de Minnesota era a única opção aceitável.

Tudo isso ajudava a explicar por que éramos um grupo tão discrepante, que incluía uma mulher republicana que tinha esperanças de que reforçar a causa antiguerra ajudaria o pacífico Nelson Rockefeller a derrotar o falcão Nixon nas primárias republicanas, e outro apóstata democrata que eu conhecia do nosso esforço de mobilizar escritores e editores a fim de sonegar a porcentagem dos nossos impostos destinada a financiar a guerra no Vietnã. Embora tivéssemos imaginado consequências terríveis, acabou sendo como socar um travesseiro: nossos impostos não pagos foram simplesmente confiscados de nossas contas bancárias, uma forma esquisita de votar.

Como McCarthy estava indo para a cidade para um evento beneficente, quatro de nós, escritores voluntários, fomos incumbidos de entrevistá-lo e escrever um suplemento do jornal de domingo para a campanha dele em New Hampshire. Nós o encontramos em sua suíte no Hotel St. Regis, todos preparados com perguntas sobre os assuntos mais importantes. Porém, no fim das contas, teria dado no mesmo se tivéssemos ficado em casa. O que quer que perguntássemos, McCarthy apenas se virava para um assistente e o instruía a encontrar esta ou aquela citação que usara anteriormente. Ele era distante e frio. Ao contrário de Bobby Kennedy, ele não parecia se importar se sabíamos ou não a resposta — só o que importava era que um dia ele dera uma. Essa sessão esquisita ficou ainda mais esquisita quando ele nos alertou para não escrevermos sobre o Vietnã. Por quê? Porque New Hampshire era um "estado belicoso".

Nós nos recompusemos o suficiente para argumentar que a oposição dele à Guerra do Vietnã era a fonte do seu apelo, principalmente entre os jovens de todo o país, que estavam se voluntariando para trabalhar em New Hampshire e até mesmo cortando os longos cabelos hippies e adotando o lema "De cara limpa por Gene". Por fim, ele concordou que incluíssemos o Vietnã, mas só se colocássemos essa parte ao lado do apoio dele aos benefícios para os veteranos de guerra. No fim, ele me lembrava o executivo da financeira Household Finance que costumava ouvir aos apelos do meu pai por um empréstimo, se recostar na cadeira, juntar as mãos como se estivesse rezando e dizer "Não".

DEPOIS DO RESULTADO SURPREENDENTE de McCarthy em New Hampshire, Bobby Kennedy anunciou que ia se candidatar à presidência no fim das contas. Além disso, LBJ, um presidente em exercício que fora envergonhado por aquele pouco conhecido senador de Minnesota, surpreendeu o país ao anunciar que não ia concorrer novamente. Agora que Bobby Kennedy era o único candidato importante de fora, a campanha de McCarthy decidiu pintá-lo como um oportunista por não ter encarado "as neves de New Hampshire". A ausência dele naquela primária anulava todas as suas virtudes, assim como a presença de McCarthy em New Hampshire anulava todos os seus defeitos.

Lá em cima, na sede do comitê de campanha de McCarthy, onde eu ainda trabalhava como voluntária, não era mais suficiente apoiar McCarthy como candidato; também era necessário ser contra Kennedy como homem. Divisões sociais amargas surgiram entre pessoas que, não fosse isso, concordavam sobre as questões. Amigos não se falavam mais, objetivos comuns foram esquecidos e fofocas sobre quem havia se bandeado para qual lado político de repente se tornaram tão interessantes quanto quem estava tendo um caso com quem — porém menos tolerantes.

Quatro décadas depois, eu seria lembrada dessa tensão dolorosa quando os seguidores de Hillary Clinton e Barack Obama caíram no mesmo tipo de divisão. Embora esses dois candidatos à presidência fossem bem mais semelhantes em diversos aspectos do que McCarthy e Kennedy — e apesar de eles de fato gostarem um do outro, ao contrário de McCarthy, que desprezava Bobby Kennedy e o considerava um mau católico —, Obama se tornou o rosto do futuro, como McCarthy tinha feito depois de New Hampshire, e Hillary Clinton supostamente se tornou parte do passado por possuir um sobrenome político, como acontecera com Bobby Kennedy.

É claro que essa comparação é imperfeita. Bobby Kennedy não simbolizava o "passado" para a grande maioria dos eleitores negros e hispânicos que o apoiavam como um símbolo de esperança, e o eleitorado de McCarthy para o "futuro" era majoritariamente branco e não pobre. Além disso, nem McCarthy, nem Kennedy representavam um grande avanço histórico, como era o caso tanto de Hillary Clinton quanto de Barack Obama. As políticas deles também eram orgânicas demais para imaginar qualquer um deles se metamorfoseando, como Eugene McCarthy faria mais tarde, para apoiar Ronald Reagan contra

Jimmy Carter, um choque para os idealistas mais velhos que tinham ficado "De cara limpa para Gene". Porém, em cada época, sentimentos profundos a respeito de justiça social no próprio país e uma guerra impopular fora do país produziram candidatos que não eram muito diferentes em conteúdo, mas eram diferentes o suficiente na forma e no estilo para gerar um conflito entre aliados próximos. McCarthy e Obama simbolizavam a esperança porque eram novos e desconhecidos, enquanto Kennedy e Clinton pareciam pragmatistas apenas porque tinham estado perto do poder. Na verdade, todos os quatro eram ambas as coisas.

EU FUGI DESSA GUERRA incivilizada e fui para a Califórnia, onde Cesar Chavez e seus Trabalhadores Rurais Unidos haviam me pedido para ajudar a levar ao conhecimento do público o boicote ao consumo com o qual eles esperavam pressionar os produtores a dar aos trabalhadores rurais os mesmos direitos que os outros trabalhadores. E foram Cesar e sua principal organizadora, Dolores Huerta, que me fizeram lembrar do que eu tinha aprendido na Índia: a visão mais clara é sempre a de baixo. A compaixão de Kennedy e sua peculiar habilidade de se identificar com os excluídos eram muito mais importantes do que o fato de ele ter anunciado sua candidatura antes ou depois das primárias de New Hampshire. Apenas Bobby Kennedy tinha apoiado a greve dos trabalhadores rurais, mesmo que os produtores fossem importantes contribuintes do Partido Democrata. Apenas Bobby Kennedy tinha credenciais e um histórico aceitável para os latinos e afro-americanos, uma nação dentro de outra nação.

Um mês depois, de volta à minha casa em Nova York, liguei a televisão e vi Bobby Kennedy dar a notícia do assassinato de Martin Luther King Jr. para uma multidão de pessoas negras em Indianapolis. As forças de segurança e a sua própria equipe de campanha insistiram que não fosse ele a dar a notícia àquela multidão volátil, mas ele subiu no palco mesmo assim. Ficou em pé em silêncio diante do microfone até que a multidão entendesse que havia algo errado — e se calasse também. Então, ele anunciou a morte de Martin Luther King. Em meio a gritos e choro, simplesmente continuou a falar com a voz baixa — sobre o legado de King como um homem devotado ao "amor e à justiça", sobre o homem branco que atirara nele e que fora preso, e sobre a escolha que se apresentava ao país naquele momento: entre se vingar e se curar.

Por fim, disse: "Para aqueles de vocês que são negros e estão tentados a se deixar tomar pelo ódio e pela desconfiança... Um membro da minha família também foi assassinado... por um homem branco."

Houve silêncio. E depois aplausos, que continuaram por um longo tempo.

MENOS DE DOIS MESES mais tarde, logo depois que uma vitória nas primárias na Califórnia e em Dakota do Sul provavelmente teria dado a Bobby Kennedy a nomeação como candidato à presidência pelo Partido Democrata, um autointitulado nacionalista árabe assassinou Bobby quando ele saía de um discurso vitorioso em Los Angeles. Em um quarto de hotel de beira de estrada, eu estivera assistindo ao discurso de Kennedy e aos rostos familiares de amigos como Dolores Huerta e Rafer Johnson, que estavam comemorando com ele. E então houve tiros, o corpo dele no chão de concreto... Eu simplesmente continuei assistindo. Ver as mesmas cenas letais por vezes seguidas tinha se tornado uma forma de luto nacional.

COM MCCARTHY NOVAMENTE COMO o único candidato contrário à guerra, Clay Felker sugeriu que eu me juntasse às equipes de imprensa no avião de campanha dele e escrevesse um artigo para a revista *New York* intitulado "Tentando amar Eugene".[2] Na verdade, isso era o que eu e muitos outros estávamos tentando fazer.

Ao voar para quatro estados em cinco dias, testemunhei uma cultura política de viagens que me prepararia para muitas campanhas que estavam por vir. Em primeiro lugar, a equipe do candidato estava dividida entre pragmatistas profissionais e apoiadores verdadeiros, cada grupo preocupado com a influência do outro sobre o candidato. Em segundo lugar, havia pessoas em cada parada que eram boas ou não tão boas em conseguir a plateia correta para os mais diversos eventos em locais que eram um pouco pequenos demais, de modo que os repórteres escrevessem: "Falando para uma multidão que lotava..." Em terceiro lugar, havia os próprios jornalistas, um corpo de imprensa itinerante que escondia suas emoções sob uma armadura de objetividade e trapaceava por um assento ao lado do candidato, com o objetivo de conseguir alguma informação exclusiva antes de enviar a matéria.

Como a pessoa mais embaixo nessa pirâmide jornalística — uma posição que eu esperava não estar relacionada com o fato de que eu também era a única mulher —, tive apenas uma oportunidade de me sentar ao lado de McCarthy. Uma vez que o apelo político dele era baseado no fato de ele se opor à guerra de Lyndon B. Johnson, eu perguntei aquilo sobre o que tinha andado pensando: *Ele estava aliviado agora por não ter sido o vice-presidente de LBJ?*

"Sim", ele respondeu de maneira ambígua. "Os vice-presidentes não têm muita influência nas políticas."

Se tivesse sido escolhido, como uma vez tentou ser, será que continuaria a ser um candidato da paz? Houve uma longa pausa. Em uma entrevista anterior, eu fizera outra pergunta quando ele não respondeu a primeira. Agora eu já sabia que a chave para conseguir a resposta era esperar.

"Eu teria que ter ficado em silêncio", ele disse.

Nada sobre protestar contra a guerra, muito menos sobre renunciar.

Apenas a minha pergunta sobre a recente demissão de alguns de seus jovens assessores suscitou alguma emoção. Ele estava com raiva das críticas da imprensa a uma demissão que ele entendia como rotineira e justificada. Como disse o próprio McCarthy: "Alguns deles são como os vagabundos que costumam fazer bicos nas estações de esqui no verão. Eles deveriam ir para casa e arranjar um emprego. Eles só gostam de ficar à toa."

Fiquei surpresa com essa descrição de jovens homens cuja crença nele tinha transformado uma campanha política em um movimento. Depois dessa entrevista, comecei a prestar mais atenção aos poucos jovens da equipe que haviam restado no avião. Ao contrário dos entusiastas que tinham formado um exército em New Hampshire, eles haviam adotado a frieza, o cinismo e o desdém de McCarthy pelos sentimentos.

Se eu tivesse seguido os meus instintos, teria deixado de ser voluntária de McCarthy no momento em que o conheci. Assim que Bobby Kennedy declarou sua candidatura, eu teria passado a trabalhar para ele, em vez de apenas escapar para a Califórnia. O medo do confronto com aqueles que apoiavam McCarthy ferrenhamente me impediu de confiar no que eu sabia.

UMA VEZ QUE OS democratas tinham sido responsáveis pela Guerra do Vietnã, será que um presidente republicano seria capaz de terminá-la mais cedo? Abordar essa questão era minha tarefa para a *New York* no meu próximo registro de uma longa viagem de campanha a bordo do avião de Richard Nixon. Tinham sido necessários três assassinatos — de Martin Luther King Jr. e de dois Kennedys — para deixar o país diante da opção entre Nixon e Hubert Humphrey. Nenhum dos dois representava a maioria do país que agora estava contra a guerra no Vietnã. Essa escolha marcou o ponto mais baixo da minha vida de campanhas até então.

Depois de uma viagem de oito dias cruzando o continente, nosso avião cheio de jornalistas e de membros da equipe de campanha foi parar em Tampa, onde o governador da Flórida, Claude Kirk, enchera um auditório com cartazes patrióticos e arquibancadas lotadas de partidários de Nixon entoando frases de apoio. Mesmo sentados na parte superior reservada para a imprensa, de onde dava para ver todo o piso inferior, nós mal conseguíamos ver uns aos outros por sobre os balões, os cartazes e o entusiasmo coreografado. Retomando um jogo que o corpo de imprensa havia inventado para se manter atento enquanto Nixon fazia O Discurso, Max Frankel, do *The New York Times*, nos enviou um bilhete: "O um dólar de prêmio ainda está disponível para quem achar o primeiro rosto negro na plateia." Era um dólar difícil de se ganhar.

Atrás de nós, um coro começou a cantar "The Battle Hymn of the Republic". A letra, escrita pela abolicionista Julia Ward Howe, celebrava o fim da guerra e "as vinhas da ira" quando se ouvia com atenção — o que ninguém fazia. Demorou um pouco para nos darmos conta da familiaridade da música, mas quando isso aconteceu, uma parte da armadura da objetividade começou a rachar nos repórteres homens ao meu redor.

"Eles não deveriam cantar o hino favorito de Bobby", falou um repórter, calmamente. "Não combina com eles."

De repente, eu senti meus olhos se encherem de lágrimas. Era como se estivéssemos cercados de pessoas ressentidas e com medo dos vizinhos — ou melhor, por pessoas boas cujo instinto de ter medo dos vizinhos estava sendo manipulado —, e essas pessoas pouco generosas iam ganhar, e não apenas a eleição, mas também o poder de se impor, nos Estados Unidos e em muitos outros países, por um longo período sombrio por vir. Eu tinha vivenciado funerais, a violência nas ruas de Chicago em 1968 e muita tristeza pessoal sem derramar uma lágrima, mas aquele comício ridículo em Tampa era demais. Não era a vitória de um homem nem sequer a morte de outro. Era o ressentimento daqueles que temiam a nova maioria que os movimentos pelos direitos civis e contra a guerra e a rebelião feminista estavam criando. Foi como eu escrevi na época: *É possível que já estejamos bastante velhos até os conservadores saírem e os homens com compaixão voltarem.*

COMO EU APRENDERIA NOS anos seguintes, eu não sabia nem a metade. Naquela época, até Nixon apoiava a Emenda da Igualdade de Direitos e permitia que seu Departamento de Justiça apoiasse os direitos civis, assim como Goldwater e mais tarde o primeiro presidente Bush fizeram. Na época de Bush II, nenhum desses candidatos anteriores teria conseguido passar pelas primárias republicanas inundadas por ônibus lotados de eleitores de cerca de trinta mil igrejas fundamentalistas, além de outros brancos ultraconservadores, muitos dos quais haviam sido democratas antes que o partido se tornasse "inclusivo demais" no que dizia respeito a seres humanos negros, pardos e do sexo feminino. Assim como nenhum republicano liberal ou centrista remanescente poderia concorrer em uma plataforma nacional de direita conservadora moldada por figuras como o senador Jesse Helms, o famoso racista e ex-senador democrata da Carolina do Norte, que durante muito tempo se opôs às sanções contra a África do Sul do apartheid. Ele estava entre os primeiros a abandonar o Partido Democrata e se tornar republicano, enfurecidos pela Lei dos Direitos Civis de 1964. Certamente, o presidente Eisenhower, que alertara sobre o complexo militar-industrial, não teria mais lugar no partido.

Aos poucos, o controle da plataforma republicana e da maioria das primárias foi sendo tomado por interesses econômicos e religiosos que se opunham aos esforços para aumentar a igualdade de raça, sexo, classe e sexualidade.[3] Eles ficariam mais arraigados em oposição à era Clinton, e mais ainda na era Obama. Um grupo de direita conservador e supostamente populista chamado Tea Party — financiado por ricos superconservadores como os irmãos Koch — tornaria o Partido Republicano tão extremista, que boa parte da sua plataforma não teria recebido apoio da maioria dos republicanos nas pesquisas de opinião pública. Isso, por sua vez, encorajou alguns democratas a se tornarem mais ávidos por dinheiro e mais cautelosos a fim de ganhar.

Eu testemunharia mulheres republicanas — em especial aquelas que um dia puderam dizer que o seu partido fora o primeiro a apoiar a Emenda dos Direitos Iguais e que era tão bom quanto ou melhor do que os democratas no que dizia respeito à igualdade — se juntarem ao grupo dos independentes, ou desistirem da política, ou ainda serem rejeitadas por mulheres democratas que as condenavam por um dia terem sido republicanas.

Quando eu estava fazendo campanha na estrada e me encontrando com mulheres republicanas ou independentes, o que tentava dizer era: *Você não abandonou o seu partido. Foi o seu partido que a abandonou. Esqueça os rótulos partidários. Apenas vote nas questões e nos candidatos que apoiam a igualdade.*

II.

SE EU JÁ TINHA SIDO FISGADA PELA POLÍTICA E PELAS CAMPANHAS antes da campanha de Bella Abzug para o Congresso em 1970, fiquei ainda mais viciada depois disso. Bella foi a primeira mulher para quem eu fiz campanha. Inteligente, corajosa e uma pessoa extraordinária, ela era um movimento em uma mulher só e ousou se candidatar ao Congresso por Manhattan, em uma época em que muitas feministas ainda estavam protestando contra o Congresso.

Nós nos conhecemos em meados dos anos 1960, em uma manifestação contra a Guerra do Vietnã na frente do Pentágono, e fiquei incomodada com a impetuosidade dela. Eu nunca vira uma mulher tão livre da necessidade de se comportar como uma dama. Então, quando nós duas estávamos trabalhando como voluntárias na campanha para prefeito de Nova York de John Lindsay, em 1965, pude ver o lado caloroso, sua bondade e suas habilidades políticas. Aos poucos eu me dei conta de que a minha primeira reação havia sido um problema meu, não dela.

Conforme fui conhecendo Bella melhor, fiquei sabendo que, quando era uma jovem advogada, ela pegara um caso de direitos civis tão impopular que fora forçada a dormir em estações de ônibus no Mississippi. Nenhum hotel quis hospedá-la, e as famílias negras, embora estivessem gratas pela sua intervenção em favor de Willie McGee, um homem negro acusado de estuprar uma mulher branca, estariam se colocando em perigo se a abrigassem. Um júri composto apenas de brancos sentenciara o homem à pena de morte depois de deliberar por dois minutos e meio, e Bella entrou com um recurso que adiou a pena de morte. Ainda assim, depois de oito anos na cadeia, ele foi executado, ainda alegando inocência.

Ela também foi uma ativista pioneira na oposição aos testes nucleares, e uma líder do movimento mundial das mulheres pela paz. Ironicamente, Bella uma vez fora rejeitada como porta-voz do grupo ativista Mulheres em Luta pela Paz. Apesar de ter um casamento feliz e ser mãe de duas meninas, a imagem dela não era "maternal" o suficiente.

No geral, ela era um ótimo exemplo de expansão para além das fronteiras usuais da candidatura, penetrando nos movimentos de justiça social. Ela não se limitava a responder à opinião pública, ela a modificava. Não observava para onde estavam soprando os ventos, ela se tornava o vento.

Ela também tinha um ego tão grande quanto o seu coração, e acreditava, assim como o marido, Martin Abzug, que deveria ser presidente. Mesmo assim, encarava a si mesma com senso de humor. Quando eu estava promovendo eventos para angariar fundos para ela nos mesmos bairros de subúrbio liberais que tinham apoiado Eugene McCarthy, tive que contar a ela que sua candidatura não estava sendo bem recebida por lá.

"Mas é claro que não", ela disse. "Eu represento tudo aquilo do que eles queriam fugir quando se mudaram para o subúrbio."

Como filha de um açougueiro judeu imigrante do Bronx, explicou, ela estava um degrau abaixo na escala social; já McCarthy, um poeta nada judeu de cabelos grisalhos oriundo de Minnesota, estava um degrau acima. Ela dizia isso com a mesma alegria com que contava sobre derrotar os meninos nas partidas de bola de gude na rua, ou sobre ir para a faculdade de metrô levando um sanduíche de linguiça de fígado preparado pela mãe dela para o almoço, ou sobre amar o nome da loja do pai dela, o Açougue Viva e Deixe Viver.

Era ótimo trabalhar com Bella. Para começar, eu não tinha mais que dar minhas sugestões ao homem sentado ao meu lado para que elas

© Marianne Barcellona

Começando mais uma viagem, Nova York, 1980.

Meu pai, Leo Steinem, em sua fotografia favorita, 1949.

Da coleção pessoal de Gloria Steinem

Com a parceira de discursos Florynce Kennedy, em um *campus* nos anos 1970.

Com Alice Walker próximo às Badlands, em 1994.

Da coleção pessoal de Gloria Steinem

Com Bella Abzug, tentando dizer politicamente que "estamos todos no mesmo barco".

Fotografado por John Pedin, do *New York Daily News*

Com minha mãe, Ruth Nuneviller Steinem, na Oberlin College, em 1972.

Com Wilma Mankiller na caminhonete de Charlie Soap, em Tahlequah, Oklahoma, 1991.

Cortesia de Annie Leibovitz

Com Loretta Swit, correndo para angariar fundos, na Pista de Corrida Freestate, Laurel, Maryland, 1982.

© Mary Ellen Mark

Com as funcionárias da Southern Mutual Help Association (SMHA) Joyce Alexander, Bessie Bourgeois, Lorna Bourg (organizadora) e Bernadette Stewart, Louisiana, maio de 1980.

Cortesia de Annie Leibovitz.

Em casa, na cidade de Nova York, 2010.

fossem levadas a sério. Outra razão era que eu não era mais excluída das reuniões de estratégia por alguém que dizia: "Nada de garotas." Até mesmo andar na rua com ela era um aprendizado. Os motoristas de caminhão se inclinavam para fora da janela para gritar: "Acabe com a raça deles, Bella!"

As mulheres paravam para dizer que tinham orgulho dela. Os vizinhos perguntavam se ela poderia ajudá-los com senhorios abusivos ou na criação de uma nova creche. De um jeito muito nova-iorquino, ela me lembrava os seguidores de Gandhi caminhando pelas vilas.

Naquela primeira disputa por uma vaga no Congresso, o oponente dela foi Barry Farber, um apresentador de um programa de rádio cuja principal característica era sua capacidade de falar sem parar sobre qualquer coisa.[4] Ela o derrotou ao ir aos supermercados e às estações de metrô e ouvir as pessoas, em vez de apenas discursar para elas. Ela foi eleita para o Congresso em 1970, enquanto a guerra assolava o Vietnã e Richard Nixon estava na Casa Branca. Era difícil imaginar duas pessoas mais diferentes uma da outra do que Bella e Nixon. De fato, depois que o escândalo de Watergate veio à tona, ela foi um dos primeiros membros do Congresso a pedir o impeachment dele.

UM ANO DEPOIS DE BELLA ser eleita, ela, Shirley Chisholm e a colega congressista, Patsy Mink, do Havaí, decidiram fazer a história avançar. Embora na nova onda de feminismo houvesse muitos grupos lutando em diversas frentes, não havia uma organização nacional que fizesse todos eles avançarem possibilitando que mais mulheres a favor da igualdade fossem eleitas e nomeadas para cargos importantes. Estava claro que nem o Partido Republicano nem o Democrata fariam isso por conta própria. Na verdade, ambos os partidos duvidavam de que houvesse mulheres capazes de vencer as eleições ou que fossem "qualificadas" para uma nomeação.

Quando Bella, Shirley e Patsy chamaram cerca de uma dúzia de nós em uma sala de reuniões do Congresso para falar sobre a fundação de uma nova organização nacional, eu senti como se já estivéssemos quebrando barreiras simplesmente por estarmos ali. Foi a primeira de muitas reuniões desse tipo. Nosso trabalho era pesquisar algumas centenas de nomes para uma reunião de fundação que incluiria mulheres dos novos grupos feministas assim como daqueles já estabelecidos, como a Associação de Jovens Mulheres Cristãs, o Conselho Nacional da Mulher Negra e o Conselho Nacional da Mulher Judia. Tudo isso precisava ser feito para ontem se quiséssemos formar um grupo nacional que pudesse ter algum impacto nas eleições seguintes, em 1972.

Em Washington pode fazer tanto calor que, em uma ocasião, a embaixada britânica deu um pagamento extra a seus funcionários por trabalharem em um clima tropical. Estava quente assim em julho de 1971, quando 320 mulheres de todos os tipos começaram a chegar para três dias de grandes encontros e noites de reuniões políticas. Não tenho certeza se alguma de nós saiu do hotel em algum momento para ver a luz do dia. Fomos salvas do caos graças ao comando criativo de Aileen Hernandez, uma organizadora trabalhista que fora a primeira afro-americana e a primeira mulher na Comissão para a Igualdade de Oportunidades de Emprego e também a primeira afro-americana presidente da Organização Nacional da Mulher. Escolhemos por meio de votação nos intitularmos Fórum Político Nacional da Mulher; termos uma estrutura que incluísse grupos políticos estaduais, municipais e locais; sermos uma organização multipartidária; e adotarmos uma declaração de objetivos que combatesse o sexismo, o racismo, a violência institucional e a pobreza por meio da eleição e da nomeação de mulheres a favor da igualdade para cargos políticos.

Eu fui eleita para um conselho de políticas temporário composto por 24 membros, junto com Bella, Betty Friedan, Shirley Chisholm, Fannie Lou Hamer, Dorothy Height, Beulah Sanders, da Organização Nacional pelo Direito à Assistência Social, a líder nativa norte-americana

LaDonna Harris e muitas outras. Nosso trabalho era dar início a grupos estaduais e municipais e nos encontrarmos com aqueles que já estivessem se formando por contágio, apenas por lerem as notícias de jornal sobre o Fórum. Eu viajei para uma dúzia de estados, da familiar Califórnia ao desconhecido Tennessee. Tudo isso aconteceu tão rápido que uma vez fui tirada de um trem de Nova York para a Filadélfia na parada errada por um grupo que eu achava que deveria ser o afiliado do Fórum Político Nacional da Mulher, que na verdade estava me esperando na parada seguinte. Felizmente, os dois grupos mais tarde se fundiram.

Em casa, compareci à fundação da Convenção das Políticas da Mulher de Manhattan, quando pelo menos seiscentas mulheres compareceram para um dia inteiro de reuniões presididas por Eleanor Holmes Norton, então chefe da comissão de direitos humanos da cidade de Nova York. Pelo menos um terço das mulheres que compareceram eram negras, latinas, asiáticas e mais. Era a única reunião que eu tinha visto em Manhattan que se parecia com Manhattan.

Uma vez que as divisões foram estabelecidas e a estrutura estava definida, o objetivo do Fórum Político Nacional da Mulher era aumentar o número e a diversidade de delegadas mulheres nas convenções nacionais de ambos os partidos, Democrata e Republicano, em 1972, e fazer com que a Emenda dos Direitos Iguais, a liberdade reprodutiva e outras questões básicas de igualdade fossem incluídas nas plataformas de ambos os partidos. Era uma tarefa que levaria anos. Quando todas as seções estaduais do Fórum Político Nacional da Mulher estavam constituídas e funcionando, faltavam menos de dois meses para a primeira convenção.

Na Convenção Democrática que aconteceu em julho, em Miami, as políticas mulheres estavam no centro das atenções nacionais pela primeira vez desde a luta pelo direito ao voto. Todos nós éramos uma mistura de excitação e medo. Naquela época, as convenções ainda eram reuniões de trabalho nas quais decisões importantes eram tomadas, e não apenas uma vitrine política televisionada. Precisávamos de lugares onde centenas de delegadas pudessem se reunir todas as manhãs para tomar decisões táticas como contestar ou não as vagas das delegações não representativas, além de lutar pelos pontos importantes para as minorias na plataforma política, responder às perguntas da imprensa e outros dilemas diários dos quais nossos destinos poderiam depender. Além de Bella, Shirley e outras líderes, o Fórum Político Nacional da Mulher elegeu uma porta-voz para a convenção de cada partido a fim de que a imprensa e outras pessoas de fora soubessem a quem procurar.

Esse trabalho parecia ser a última coisa que eu gostaria de fazer, então pedi para não ser indicada e fiquei longe de uma primeira reunião do Fórum, na qual essas eleições seriam realizadas. Infelizmente, como vim a saber, uma porta-voz relutante era considerada mais capaz de representar o grupo, enquanto uma porta-voz mais entusiasmada poderia buscar ser o centro das atenções. Betty Friedan estava na reunião e era uma das que faziam campanha para serem eleitas, mas eu fui eleita à revelia. Como eu acabaria aprendendo, evitar o conflito faz com que o conflito vá atrás de você.

E houve conflito. Eu havia visto Friedan apenas em reuniões de grupo. Ao contrário do que se pensa, as feministas não conhecem todas umas às outras, e nós éramos de idades diferentes e de diferentes partes de um movimento diversificado. Eu sabia que concorrer para ser porta-voz e perder seria doloroso para qualquer pessoa, especialmente para Friedan. Depois de escrever *Mística feminina*, um livro que salvou a sanidade de milhões de donas de casa com formação universitária, moradoras dos subúrbios, que estavam sentindo que *devia haver mais na vida do que apenas aquilo*, ela fora coroada "A Mãe do Movimento de Libertação das Mulheres" pelo *The New York Times*. Mais cedo, naquele mesmo verão, quando não fora reeleita para um cargo no Fórum Político Nacional da Mulher, ela ameaçara entrar com um processo e mandou um advogado para examinar as cédulas de votação; mas nenhuma irregularidade foi encontrada.

Ela também levou para o lado pessoal quando Bella Abzug disse que não queria substituir "uma elite branca, masculina e de classe média por uma elite branca, feminina e de classe média". Eu concordava com Bella e achava que não havia nenhum problema em dizer isso, já que nós também nos enquadrávamos nessa descrição. Nós estávamos explicando que queríamos transformar o sistema, e não imitá-lo. Mesmo assim, Betty gritou com Bella por ser contra a elite, e gritou comigo por convidar minha parceira de discursos, Flo Kennedy, para a reunião de fundação do Fórum Político Nacional da Mulher. Ela temia que Flo intimidasse as pessoas na reunião, embora na realidade Flo tivesse estabelecido um tom unificador. Além disso, Friedan deixara claro na imprensa, por muitos anos, que achava que Bella, Kate Millett, eu e outras estávamos prejudicando o movimento ao apoiarmos as reivindicações das lésbicas, das mães que dependiam da assistência social e de outras que ela considerava que não faziam parte da corrente principal do movimento. Como Betty escreveu no *The New York Times*: "As perturbadoras do movimento feminino eram aquelas que continuamente tentavam promover o lesbianismo ou o ódio aos homens, muito embora muitas não fossem lésbicas e na privacidade não agissem como se odiassem os homens." Junto com Flo Kennedy, Kate Millett, Robin Morgan e outras, eu fui acusada de ser uma das perturbadoras.[5]

 A antipatia de Betty por Bella, por mim e por outras persistiria por anos. Por exemplo, todas nós que fundamos a revista *Ms.* encarávamos com tranquilidade o sacrifício financeiro e a angariação de fundos que a revista pedia, mas ficamos chocadas quando fomos acusadas por Friedan de "lucrarmos com o movimento". Mais doloroso ainda para mim foi quando Friedan se recusou a apertar a mão da minha mãe quando Millie Jeffrey, uma líder das mulheres sindicalistas, tentou apresentá-las. Eu e Bella lidávamos com essa hostilidade cada uma à sua maneira. Bella, certa vez, literalmente danificou suas cordas vocais ao responder Betty aos berros e, como resultado, Friedan passou a atacá-la menos. Eu nunca respondi pessoalmente nem por escrito, por acreditar que isso só serviria para alimentar ainda mais o estereótipo de que as mulheres não são capazes de se unir, por isso Friedan não tinha medo de mim e me atacava mais. Para falar a verdade, e em retrospecto, eu estava evitando o confronto. Estava sendo a filha da minha mãe. Eu precisava de alguém que me ensinasse a sobreviver a conflitos, e Friedan definitivamente foi essa pessoa.

Às vésperas da convenção democrática em Miami, fiquei preocupada com a possibilidade de as tensões particulares virem a público, não apenas com relação a Bella e eu, mas também a nomes em ascensão, como Sissy Farenthold, uma legisladora do Texas que estava entre as rivais de Friedan pela liderança do Fórum. Essa tensão era simbolizada pela distância entre o elegante hotel à beira-mar no qual muitos representantes do Partido Democrata, profissionais da imprensa e Friedan estavam hospedados, e o motel de segunda onde ficava o quartel-general do Fórum Político Nacional da Mulher e onde a maioria de nós dormia. Como Nora Ephron noticiaria: "Todos os dias, Friedan telefonava para o quartel-general do F.P.N.M. no sombrio Hotel Betsy Ross, no centro da cidade, e ameaçava convocar uma coletiva de imprensa para expor o grupo; todos os dias (...) as líderes do movimento esperavam, com uma espécie de fascinação horrorizada, para ver o que Betty Friedan faria em seguida."

Porém, a nova presença de mulheres e o ativismo feminino dentro e em torno da convenção gerou boas notícias suficientes para compensar toda a preocupação. Mais de um terço dos delegados eram mulheres — quatro anos antes representavam apenas 13% —, superando até mesmo o recorde de Eleanor Roosevelt de 15% em 1936; ainda não era o objetivo dela (e nosso) de 50/50, mas, mesmo assim, era um recorde. Havia uma forte pauta feminina na plataforma, onde quatro anos antes não havia nenhuma. Nosso único verdadeiro fracasso foi nossa incapacidade de conseguir incluir o apoio à liberdade reprodutiva — porque o senador George McGovern, o provável nomeado, temia concorrer tendo esse tema em sua plataforma. Ainda assim, foi a primeira vez que esse direito humano foi levantado como uma questão e votado por um grande grupo.

Nós também vimos nossa parceira na criação do Fórum, Shirley Chisholm, receber os votos de 151 delegados por sua candidatura simbólica em apoio à igualdade política e contra a Guerra do Vietnã, à qual ela se opusera em seu primeiro discurso no Congresso.[6] A mera presença de Shirley na corrida chamou atenção nacional para os objetivos do Fórum, e, embora o total do seu orçamento de campanha provavelmente correspondesse ao que outros concorrentes à nomeação para candidato à presidência gastavam com entrega de comida, ela simplesmente continuou indo adiante. Na verdade, ela poderia ter recebido os votos de mais delegados se McGovern não tivesse atingido o número de votos necessários para vencer a disputa antes que a votação tivesse terminado.

Até mesmo Theodore White, um cronista das campanhas presidenciais que raramente se interessava pelos não poderosos, noticiou que o Fórum Político Nacional da Mulher colocou as mulheres no mapa político. Sobre o nosso modesto quartel-general, no que ele chamou de Hotel Betsy Ross "caindo aos pedaços", ele escreveu: "Uma pessoa poderia ficar fascinada com o alcance das oitavas agudas das vozes femininas reunidas, com os quartos com as camas desfeitas, as malas meio desarrumadas, embalagens de iogurte, com os peitos cobertos por jeans e sutiãs — porém apenas por um momento. O Hotel Betsy Ross era um centro de energia. Mimeógrafos e máquinas de xerox cuspiam folhetos (...), os ramais estavam sempre ocupados, fusíveis queimavam e, a cada noite, depois de escurecer, entregadoras tomavam ônibus para o norte pela Collins Avenue com o objetivo de persuadir os funcionários do turno da noite dos mais de quarenta grandes hotéis da cidade a encherem as caixas de correspondência ou deixar que elas passassem os panfletos por debaixo da porta dos delegados (...) Quando a convenção terminou, o poder das mulheres em 1972 era real."

Esse foi o início das campanhas realizadas no âmbito de um movimento, em vez de no território de um candidato. Até então eu havia apoiado campanhas escrevendo sobre elas ou me voluntariando para trabalhar nelas. Agora eu estava aprendendo que a melhor forma de ajudar era fortalecer os movimentos que incorporavam princípios, para que os próprios movimentos pudessem dar apoio aos candidatos comprometidos com esses princípios. Mais do que qualquer voluntário ou membro da equipe durante uma candidatura — ou qualquer jornalista ou ativista fazendo observações de fora —, um movimento pode desbravar novas questões e motivar eleitores. Como Bella sempre soube, nós não nos limitamos a pedir apoio, nós criamos o apoio — a partir do que Bella chamava de "disparidade de gênero". Mulheres de todos os grupos estavam até certo ponto mais inclinadas a votar pela igualdade, pela saúde e pela educação, e contra a violência como forma de resolver conflitos, do que os seus correspondentes masculinos. Não era uma questão de biologia, mas sim, de experiência.

EM 1984 EU VI algo que não tinha certeza de que um dia veria: uma mulher como candidata a vice-presidente na chapa de um grande partido, não apenas como um símbolo, mas como alguém que tinha chances de vencer. Geraldine Ferraro não era mais velha nem mais afeita a conflitos do que eu, mas sobrevivera à oposição política e aos ataques da imprensa por fazer campanha com as militâncias de base. De fato, ela percorreu mais quilômetros país adentro do que o seu colega candidato à presidência, Walter Mondale, e duas vezes mais do que seus oponentes, Ronald Reagan e George Bush juntos.

Reparei que ela tinha o apoio de cidadãos comuns que se reuniam em salões grandes e pequenos. Até mesmo na Convenção Democrática em São Francisco, ela trocou uma recepção elegante e elitista por um evento popular organizado pelo Fórum Político Nacional da Mulher, e ficou de pé em um enorme palco cercada por líderes mulheres eleitas — uma categoria que não teria enchido uma sala pequena alguns anos antes. Os pais colocavam as filhinhas nos ombros para que vissem o futuro, e várias mulheres tinham lágrimas escorrendo pelo rosto. Eles não estavam testemunhando a vitória de uma mulher, mas aquilo que elas também podiam se tornar.

E Ferraro precisaria do apoio delas. Em cada parada, representantes católicos a condenavam por apoiar o planejamento familiar e a legalização do aborto. Eu percebi que eles não tinham atacado o senador Ted Kennedy, que também era católico e a favor da legalização do aborto, da mesma forma — como se admitissem tacitamente que as mulheres rebeldes e insubmissas eram o problema. Os repórteres também insistiam em perguntar a Ferraro se uma mulher seria "forte o suficiente" para "fazer o que era preciso", ou seja, declarar guerra, embora não perguntassem aos candidatos homens se eles teriam discernimento suficiente para não o fazer. Florestas foram gastas na impressão de jornais que discutiam o cabelo dela, mas nem um parágrafo sobre o topete obviamente pintado e cheio de laquê de Reagan. Barbara Bush disse aos repórteres que Ferraro era algo que não podia ser dito na televisão, mas que "rimava com fraca". Acima de tudo, Ferraro foi acusada de lucrar com negociações questionáveis de imóveis feitas pelo marido dela, uma acusação que parecia em parte motivada pelo sobrenome italiano deles. Essas acusações diminuíram apenas depois que ela passou horas respondendo a perguntas até que os repórteres não tivessem mais o que perguntar.

Em um comício de campanha na Pensilvânia, eu subira em um palco improvisado para ficar na lateral, junto com outros repórteres, todos esperando pela chegada de Ferraro. Fiquei espantada ao receber uma ovação dessa plateia grande e diversificada. Quando Ferraro subiu no palco, ela também foi ovacionada — porém menos e não tão alto. Como assim? Ela estava fazendo história, e eu não. Eu disse isso a um repórter experiente. Ele olhou para mim como se eu estivesse dizendo que havia oxigênio no ar.

"Os norte-americanos não gostam muito de políticos", ele explicou, pacientemente. "E, se eles confiam em Ferraro, eles creditam isso ao movimento feminista, do qual você é parte."

Isso deixou claro para mim que, no futuro, qualquer uma de nós que fosse reconhecida como parte de um movimento de justiça social tinha que usar isso para apoiar os candidatos nos quais acreditávamos. Por mais controversos que nossos movimentos possam ser, ao menos os eleitores sabem que eles lutam por princípios. Ser apoiado por um deles era um sinal de que os políticos não eram todos iguais.

QUANDO COMECEI A FAZER campanha no estilo dos movimentos, eu pensava: *É como se o destino tivesse me enviado uma boa experiência para eu continuar a aparecer.* E então mais e mais mulheres fantásticas surgiram ao longo dos anos. De fato, 1992 foi chamado de o Ano da Mulher, embora a senadora Barbara Mikulski tenha observado que "Não podemos ser reduzidas a uma mania, um luxo ou um ano". Mais tarde ela provaria isso ao ser eleita cinco vezes e servir por trinta anos.

O salto quântico no número de mulheres no Congresso em 1992 foi resultado das consequências das audiências de confirmação de Clarence Thomas. Ver a digna Anita Hill encarar um Comitê Judiciário do Senado composto inteiramente de homens brancos — e depois ver Thomas ser confirmado para a Suprema Corte — inspirou mais mulheres a serem eleitas para o Congresso naquele único ano do que tinham sido eleitas em qualquer década anterior — embora elas ainda representassem apenas pouco mais de 10% de um corpo que deveria ser 50/50.* Essa

---

* Anita Hill é uma advogada e acadêmica norte-americana que protagonizou um episódio polêmico durante o processo de nomeação do juiz Clarence Thomas para a Suprema Corte dos Estados Unidos. Durante as audiências de confirmação, Hill acusou Thomas de tê-la assediado sexualmente quando trabalharam juntos dez anos antes. Sua credibilidade foi questionada pelos apoiadores de Thomas e, depois de um longo debate, o Senado confirmou a nomeação de Thomas por 52 votos a 48, a menor margem desde o século XIX. O interesse público e o debate sobre o testemunho dela chamaram a atenção para a questão do assédio sexual no local de trabalho, e a forma como o Comitê Judiciário do Senado, composto apenas de homens, questionou e rejeitou seu testemunho causou revolta entre advogadas e políticas e foi um dos fatores que contribuíram para o grande número de mulheres eleitas para o Congresso em 1992. (*N. da E.*)

marca não seria ultrapassada até 2013, quando havia vinte mulheres no Senado e 81 na Casa Branca. Entretanto o impacto mais abrangente e duradouro das audiências do Judiciário do Senado não foi o Ano da Mulher — e talvez nem a ascensão à Suprema Corte de um jovem e conservador Clarence Thomas, que provavelmente ficaria lá por um bom tempo; foi uma nova compreensão nacional da intimidação sexualizada como forma de manter as mulheres em uma posição subordinada. O país inteiro aprendeu que o assédio sexual era ilegal. Milhões de mulheres souberam que não estavam sozinhas nessa experiência. Usar o sexo para humilhar e dominar nunca mais seria visto como uma coisa normal.

III.

DURANTE TODO O TEMPO EM QUE FIZ CAMPANHA, OUVI DUAS perguntas: "Quando vamos ter uma presidente mulher?" e "Quando vamos ter um presidente negro?".

Ironicamente, a campanha das primárias de 2008 entre Hillary Clinton e Barack Obama, que nos deu ambas as opções, foi a melhor concorrência em termos de candidatos e o pior em termos de conflito.

Eu conhecia Hillary Clinton em grande parte como a maioria de nós a conhece, como uma figura pública nos bons e maus momentos, que se tornou parte da nossa vida e até mesmo dos nossos sonhos. Uma vez a apresentei a mil mulheres que estavam no salão de um hotel, em um café da manhã na cidade de Nova York. De pé atrás dela enquanto ela falava, eu podia ver a pasta da Casa Branca na tribuna com o discurso cuidadosamente arrumado — e também que ela não o estava lendo. Em vez disso, respondia a pessoas que haviam falado antes dela, dirigindo-se a ativistas e líderes que tinha visto na plateia e posicionando o trabalho delas em um contexto nacional e mundial — tudo em frases tão claras e elegantes que ninguém acreditaria que ela não as havia escrito antes. Era uma proeza *in loco*, talvez a maior que já ouvi.

Porém, o determinante para mim foi ouvi-la discursar depois da apresentação da peça de Eve Ensler *Necessary Targets*, baseada em entrevistas com mulheres em um dos campos criados para tratar mulheres vítimas de sofrimento, humilhação e torturas inimagináveis nas guerras étnicas dentro da antiga Iugoslávia. Falar para um público que acabara de ouvir esses horrores de partir o coração parecia impossível para qualquer pessoa, e Hillary tinha o fardo extra de representar a administração Clinton, que havia sido criticada pela demora em dar um fim a esse genocídio.

Apesar disso, ela se levantou em silêncio, sem nenhuma chance de se preparar, e começou a falar calmamente — sobre sofrimento, sobre a importância de ser testemunha de um sofrimento. E o mais importante de tudo, admitiu a demora dos Estados Unidos em intervir. Quando se sentou, ela havia unido a plateia e nos dado um lugar em que todas podíamos nos encontrar: a simples verdade.

Então, quando ela deixou a Casa Branca e decidiu concorrer ao Senado dos Estados Unidos em sua nova residência no estado de Nova York — algo que nenhuma primeira-dama, nem mesmo Eleanor Roosevelt, ousara fazer —, fui pega de surpresa pela hostilidade de algumas mulheres em relação a ela. Elas a chamaram de fria, calculista, ambiciosa e até mesmo "não feminista" por usar a experiência política que adquirira ao desempenhar o papel de esposa de um presidente. Essas mulheres não eram as extremistas da direita que haviam acusado os Clinton de tudo, de realizar fraudes imobiliárias no Arkansas a assassinar um assessor da Casa Branca com quem Hillary supostamente tivera um caso. Pelo contrário, elas concordavam com ela em grande parte no que dizia respeito às principais questões, embora algumas fossem tão ferrenhas em sua oposição que passaram a ser chamados de Detratoras de Hillary. Foram necessárias semanas na estrada ouvindo as mulheres para que eu entendesse por quê.

Em salas de estar de Dallas a Chicago, percebi que as Detratoras de Hillary em geral acabavam se revelando ser as mulheres mais parecidas com ela: brancas, instruídas e casadas ou relacionadas de alguma maneira a homens poderosos. Elas não representavam de maneira nenhuma todas aquelas mulheres, mas o número ainda assim era surpreendente. Além disso, não se opunham ao fato de filhos, irmãos e genros terem usado conexões familiares e sobrenomes políticos para promover suas carreiras — por exemplo, os Bush, os Rockefeller ou os Kennedy —, mas não concordavam que Hillary fizesse o mesmo. Quanto mais falavam, mais claro ficava que seus maridos não compartilhavam o poder com elas. O fato de Hillary ter um marido que a tratava como uma igual — que sempre dissera que os Estados Unidos tinham ganhado "dois presidentes pelo preço de um" — apenas dramatizava a falta de poder e respeito delas. Depois de uma longa noite e muito vinho, uma mulher me contou que o casamento de Hillary a fizera perceber quão desigual o seu próprio casamento era.

Em São Francisco e Seattle, ouvi mulheres que se identificavam como Detratoras de Hillary condenando-a por ficar com o marido apesar dos casos amorosos dele amplamente divulgados pela imprensa. Na verdade, muitas delas também sofriam com um marido infiel, mas não tinham a capacidade ou a força de vontade necessárias para deixá-los. Queriam que Hillary punisse um homem poderoso em público por elas. Eu lembrei a elas que outros presidentes, de Roosevelt a Kennedy, tiveram casos, mas as detratoras se identificavam com aquelas primeiras-damas e achavam que elas não podiam deixá-los. Eram a força e a independência de Hillary que faziam com que elas a culpassem. Quando tentei explicar a condenação pública que Hillary teria enfrentado caso tivesse abandonado seus deveres na Casa Branca por uma razão tão pessoal, isso mudou a opinião de algumas — mas não muitas.

Por fim, resolvi explicar minhas próprias razões para achar que os Clinton provavelmente encarnavam, como no verso de Shakespeare, "o casamento de mentes verdadeiras". Eu já os vira juntos durante uma longa tarde, na ocasião da cerimônia de entrega da Medalha da Liberdade na Casa Branca. Uma das agraciadas com a medalha era minha amiga Wilma Mankiller, chefe da Nação Cheroqui. Eu e ela ficamos impressionadas com a óbvia conexão entre os Clinton enquanto iam de um grupo de premiados e suas famílias a outro, conversando com os convidados e entre si. Em uma sala cheia de pessoas interessantes, eles pareciam igualmente interessados em ouvir um ao outro e conversar entre si. O que estavam compartilhando, eu não sei, mas o que ficava claro era a intimidade e o prazer que tinham na companhia um do outro. Sobre quantos casais juntos havia tanto tempo seria possível dizer isso?

No entanto, quando eu mencionava isso, algumas das Detratoras de Hillary ficaram ainda mais enfurecidas. Muitas eram esposas havia muito tempo e outras eram esposas novas substituindo antigas, mas o fato de que Bill valorizava Hillary como uma parceira de igual para igual — e vice-versa — parecia deixá-las ainda mais conscientes de que seu próprio casamento era diferente. Ocorreu-me que, se a conexão sexual é a única ligação entre um marido e uma mulher, um caso pode fazer com que ela se sinta substituível — e talvez com que seja substituída de fato. Isso não era apenas emocionalmente doloroso, mas devastador quando também significava perder a identidade social e a segurança econômica. Comecei a entender que Hillary representava o oposto bastante público e evidente da vida precária e desigual que algumas mulheres estavam vivendo. Em um sentido clássico, elas estavam tentando matar o mensageiro e não quem enviou a mensagem.

As projeções delas me fizeram perceber que eu também estava projetando. Eu não conseguia entender por que Hillary queria voltar para Washington e, para tal, fizera campanha para o Senado. Depois de oito anos na Casa Branca cercada de predadores políticos e com cada movimento sendo acompanhado de ações judiciais hostis e ataques da imprensa — de grupos da ultradireita que gastavam rios de dinheiro com teorias da conspiração anti-Clinton —, por que passar mais seis anos no Senado com um alvo pintado nas costas? Parecia quixotesco e autopunitivo, principalmente agora que ela tinha opções tão incríveis, como criar sua própria fundação e apoiar o empoderamento feminino ao redor do planeta.

Por fim, tive que admitir que a segunda opção teria sido a minha escolha, mas não a dela. Se ela estava disposta a encarar um grau de combate que eu não podia nem imaginar, eu deveria comemorar.

Como minha contribuição à campanha dela para o Senado, comecei a convidar as Detratoras de Hillary para eventos em salas de estar nos quais a própria Hillary estaria arrecadando fundos. Para a minha surpresa, quase todas mudaram de opinião depois que passaram um tempo na companhia dela. Aquela mulher que elas tinham imaginado que fosse inteligente, fria e calculista acabava se mostrando inteligente, afetuosa e interessada. Em vez de ser alguém que relevava o comportamento do marido, ela era, como uma delas disse, "uma ótima amiga" em potencial, alguém que as apoiaria.

Elas também conheceram sua competência. Por exemplo, George Soros, o investidor e filantropo de origem húngara, a apresentou em sua sala de estar em Manhattan dizendo: "Hillary sabe mais sobre a Europa Oriental do que qualquer outro norte-americano."

Depois que foi eleita para o Senado dos Estados Unidos por mérito próprio, ela trabalhou construtivamente, até mesmo com antigos inimigos, e foi solidamente reeleita para um segundo mandato. Comecei a ouvir as primeiras conversas sérias sobre uma candidatura presidencial de Hillary Clinton. Quando começou a se aproximar a época da eleição de 2008, a popularidade dela era maior do que a de qualquer outro potencial candidato, republicano ou democrata.

Nesse ínterim, fiquei sabendo, durante as campanhas que fiz em Illinois com os Eleitores Pró-Escolha, que um jovem legislador estadual que já cumprira dois mandatos chamado Barack Obama ajudara a derrotar um projeto de lei destinado a enfraquecer a decisão histórica do caso

Roe v. Wade no estado.* Quando compareci à Convenção Democrática de 2004, em Boston, porém, fiquei tão surpresa quanto o resto do país ao ouvir seu bem-sucedido e inspirador discurso. A ascensão dele foi muito mais parecida com um movimento do que com a forma habitual de fazer política.

Depois de ser eleito para o Senado dos Estados Unidos, Obama apareceu em um evento em uma sala de estar de Manhattan para comemorar e levantar fundos para ajudar a pagar suas dívidas de campanha. Eu observei enquanto seus apoiadores o incentivavam a desobedecer as regras tradicionais para um senador novato e se recusar a seguir o exemplo tímido de um recém-eleito. Ele estava relutante, citando sua necessidade de aprender e o poder da presidência Bush. Eu também o incentivei. Afinal, todo mundo sabia que George W. Bush nunca teria se tornado presidente sem a família dele, e todo mundo também sabia que Obama tinha se tornado senador contra todas as expectativas.

No ano seguinte, forças progressistas em busca de um novo candidato — não apenas no Senado, mas para a presidência — estavam sondando Obama com propostas para, como ele disse, "dar um salto no escuro". Embora tenha resistido no começo, o esforço para recrutá-lo gradualmente se tornou um movimento com vida própria. Embora líderes afro-americanos como Shirley Chisholm e o reverendo Jesse Jackson já tivessem concorrido à indicação, Obama se tornou o primeiro com sérias chances de se tornar o candidato à presidência de um dos principais partidos. Juntos, ele e Hillary poderiam transformar aquela

---

* O Roe vs. Wade foi um caso judicial envolvendo a questão da legalidade do aborto. Em 1970, duas advogadas entraram com uma ação em um tribunal de Dallas, em nome de Norma L. Mc Corvey ("Jane Roe"), com o objetivo de garantir que ela tivesse direito a fazer um aborto, então ilegal no estado do Texas. O caso chegou à Suprema Corte dos Estados Unidos, que, em 1973, em uma decisão histórica, determinou que a mulher, amparada no direito fundamental à privacidade garantido pela Constituição norte-americana, podia decidir por conta própria se queria ou não dar continuidade à gravidez e nenhum dos estados podia legislar contra esse direito. (*N. da E.*)

eleição na primeira da história com candidatos que se pareciam com o país. Ainda não era época de campanha eleitoral, mas, aonde quer que eu fosse, dos campi às salas de estar, perguntas sobre a possibilidade de um novo tipo de presidente estavam sendo levantadas.

Embora Obama fosse mais novo, com menos experiência nacional, internacional e dentro do Senado do que Hillary, ainda assim eu achava que era cedo demais para que o país aceitasse uma mulher no comando. Além disso, o apelo kennediano de Obama criou uma chance rara e preciosa de romper a barreira racial. Para mim, porém, o conteúdo que eles compartilhavam era muito mais importante do que as formas diferentes. Ela era uma defensora dos direitos civis. Ele era um feminista. Eles eram um eco nos dias modernos da era do abolicionismo e do movimento sufragista, quando homens negros, mulheres negras e mulheres brancas — os grupos que a supremacia branca masculina trabalhara tão dura e cruelmente para manter distantes — mudaram completamente o país ao trabalharem juntos pelo sufrágio adulto universal.

Quando estava na estrada antes das primárias, testemunhei um ressurgimento dessa aliança inconsciente nas plateias, que estavam interessadas em política como nunca antes. Havia entusiasmo para aqueles dois novos rostos que representavam uma visão de mundo compartilhada. Nas plateias tanto de estados predominantemente democratas quanto de estados predominantemente republicanos, o apoio era medido mais como o resultado de um teste de Rorschach* do que por meio de uma divisão por raça ou sexo. Por exemplo, 94% dos democratas negros tinham uma percepção favorável de Hillary Clinton em comparação com os 88% que tinham uma percepção favorável de Obama. Afinal, ele era novo no cenário nacional e os Clinton tinham construído uma reputação de inclusão racial que levou a romancista afro-americana Toni

---

* Popularmente conhecido como o "teste do borrão de tinta", é uma técnica de avaliação psicológica projetiva, em que o intérprete, com base nas respostas do indivíduo que faz o teste, reconstrói os aspectos de sua personalidade. (*N. da T.*)

Morrison, em um episódio que ficou famoso, a chamar Bill Clinton de "o primeiro presidente negro". Tanto as mulheres brancas quanto as negras estavam mais inclinadas do que seus companheiros homens a apoiar Hillary Clinton — e, na minha opinião, também mais inclinadas a acreditar que ela não conseguiria vencer. Eleitores negros de ambos os sexos estavam mais inclinados a apoiar Obama do que os eleitores brancos e também a acreditar que ele não conseguiria vencer. Cada um desses grupos se tornara pessimista por causa da profundidade do preconceito que já tinham vivenciado.

Algumas das plateias compostas em sua maioria por brancos pareciam esperar que o país expiasse os pecados do passado ao eleger Obama. Como um professor de música branco se levantou na plateia para dizer: "O racismo também me coloca na prisão, uma prisão de culpa."

Muitos pais de menininhas, negras e brancas, as levavam aos comícios de Hillary para que elas soubessem que elas também poderiam ser presidentes. As mulheres mais velhas em especial consideravam Hillary Clinton a última e melhor chance de verem uma mulher na Casa Branca. E não qualquer mulher,[7] como uma delas disse: "Isso não tem a ver só com biologia. Não queremos uma Margaret Thatcher, que cortou o leite das crianças nas escolas."

Elas queriam Hillary Clinton porque ela apoiava a maioria dos interesses das mulheres. Por outro lado, muitas mães solteiras negras disseram que apoiavam Obama porque os filhos delas precisavam de um modelo masculino negro positivo. Um pai branco divorciado me disse que a história de vida de Obama o inspirara a dirigir centenas de quilômetros para ver o filho todas as semanas.

"Eu não quero ser o pai que Obama quase não viu", ele explicou. "Eu quero ser o pai que ele desejou ter tido."

Em Austin, no Texas, uma mulher negra de oitenta anos disse que estava apoiando Hillary porque "tinha visto muitas mulheres que mereciam o cargo, e muitos jovens homens que surgiram no meio do caminho e o tomaram".

A imprensa, no entanto, em vez de divulgar esses pontos de vista compartilhados e que muitas vezes ultrapassavam fronteiras como um trunfo para o Partido Democrata — afinal, os eleitores democratas teriam que se unir em torno de um dos candidatos em algum momento —, reagiu com desapontamento e até condescendência. Eles pareciam querer uma divisão digna de virar notícia. Logo os jornalistas frustrados começaram a criar conflitos ao transformar cada milímetro de diferença entre Hillary Clinton e Barack Obama em um quilômetro. Clinton foi completamente resumida ao seu sexo, e Obama foi completamente resumido à sua raça. Os jornalistas pareciam torcedores que chegavam para um jogo de futebol e ficavam indignados ao descobrir que todos os jogadores estavam no mesmo time.

Ocorreu-me que, no passado abolicionista e sufragista, um movimento universal sufragista de homens negros e mulheres negras e brancas também havia sido conscientemente dividido quando o direito ao voto foi dado apenas para os homens negros — e, em seguida, até mesmo esse direito foi limitado com violência, provas de alfabetização impossíveis e impostos para votar. Agora, esse eco de "dividir para conquistar" do passado estava polarizando as bases eleitorais de dois "pioneiros" na quebra de barreiras, não importando que os dois candidatos fossem quase idênticos em conteúdo. Como na história, uma potencial maioria poderosa estava sendo dividida por uma poderosa minoria entrincheirada.

Talvez atribuir um motivo do tipo "dividir para conquistar" fosse injusto em um país que trata tudo como se fosse uma corrida de cavalos, mas tinha que haver alguma razão para a imprensa não considerar o que eu testemunhava na estrada — a alegria pelos dois "primeiros" com propósitos semelhantes —, algo que valia a pena noticiar.

Em pouco tempo, se uma pessoa ou um grupo escolhia um dos dois candidatos, considerava-se que condenava o outro. Eu podia sentir as fissuras se abrindo entre pessoas que haviam sido aliadas em torno de determinadas questões durante anos. A longa lâmina dos repórteres — além da falta de visão de alguns militantes em ambas as campanhas — aprofundavam essas fissuras até elas sangrarem.

Para explicar por que deveríamos estabelecer uma relação entre racismo e sexismo em vez de estabelecer a precedência de um sobre o outro — e nos unir em torno de uma dessas duas possibilidades inéditas em uma eleição nacional — eu escrevi um artigo para o *New York Times* chamado "Coalizão *versus* Competição".[8] Chamei as questões de "um ou outro" da imprensa de "burras e destrutivas", uma vez que os dois candidatos eram bastante parecidos com relação à maioria das questões. Além disso, ainda era muito cedo para saber quem iria sobreviver às primárias, e por isso terminei assim: "Nós poderíamos dobrar as nossas chances ao trabalharmos para um desses candidatos, e não contra o outro. Por enquanto, decidi como vou responder aos repórteres quando eles perguntam se eu estou apoiando Hillary Clinton ou Barack Obama. Vou simplesmente dizer: sim."

Com a proximidade da primária de Nova York, eu certamente não era contra nenhum dos dois candidatos, mas ainda tinha que decidir em quem votar. Então me sentei diante de um bloco de anotações amarelo e fiz uma lista de prós e contras de cada um deles. Sobre as principais questões, havia diferença na ênfase, mas ambos queriam um país no qual o futuro de um indivíduo não fosse limitado por seu sexo, sua raça, sua classe ou sua sexualidade. Ambos defendiam uma política externa que estivesse menos focada no petróleo e no apoio a ditadores e mais preocupada em apoiar democracias e preservar o meio ambiente. Hillary havia votado no Senado a favor da primeira intervenção militar dos Estados Unidos no Iraque — e alguns dos partidários de Obama estavam fazendo alarde sobre isso —, mas o próprio Obama foi honesto o suficiente para dizer que, se tivesse estado no Senado naquela época e tivessem lhe dado as mesmas informações falsas sobre as "armas de destruição em massa" do Iraque, ele mesmo não saberia qual teria sido o seu voto. A única diferença óbvia era a experiência. Como companheira, Hillary Clinton passara doze anos no governo de um estado, oito anos na Casa Branca, além de mais oito por conta própria no Senado — e durante todos esses anos combateu os extremistas da direita que controlavam o que um dia fora o Partido Republicano; o próximo presidente encararia a mesma oposição. Obama tivera uma experiência multicultural importantíssima ao crescer, um tempo de experiência como organizador em Chicago que significava muito para mim, sete anos em uma legislatura estadual, três anos no Senado, porém muito menos experiência combatendo e sendo atacado pelos políticos da extrema direita. Tanto a boa quanto a má notícia eram de que ele era um pacifista, exímio na arte de achar um meio-termo. Aquelas primárias eram um raro caso no qual a candidata mulher tinha mais experiência em conflitos políticos de grande escala do que o candidato homem. Ela estava mais acostumada com extremistas para quem não havia meio-termo.

Eu sabia que fora do movimento feminista eu seria mais bem vista se optasse por Obama. As mulheres são sempre mais bem vistas quando se sacrificam por algo maior — e *algo maior* sempre significa incluir os homens, muito embora *algo maior* para os homens nem sempre signifique incluir as mulheres. Ao escolher Hillary, eu seria considerada egoísta por apoiar uma mulher "como" eu. Porém, isso também era um aviso. A necessidade de aprovação é uma doença cultural feminina, e geralmente é um sinal de que estamos fazendo a coisa errada.

Havia mais uma observação no meu bloco amarelo. Como acreditava que ainda era muito cedo para que Hillary ou qualquer outra mulher fosse aceita como a comandante do país, eu escrevi: *Se eu fosse Obama, não me sentiria particularmente traído pela falta de apoio de alguém como eu, uma nova aliada. Se eu fosse Hillary Clinton, eu provavelmente me sentiria traída por uma partidária de longa data que me abandonasse por causa de um novo rosto.* Eu outras palavras: Obama não precisava de mim para ganhar. Hillary Clinton poderia precisar de mim para perder.

MAIS UMA VEZ A estrada me ensinou — ao me mostrar ao que os eleitores estavam sendo submetidos. Comecei a achar que a espera por uma presidente mulher poderia ser mais longa do que eu tinha imaginado. Nas lojas de presentes dos aeroportos, um quebra-nozes no formato de um boneco de Hillary Clinton era vendido como um suvenir das eleições. Suas pernas eram as hastes e suas partes íntimas eram o local onde as nozes deveriam ser colocadas para serem quebradas. Quando perguntei a uma vendedora no aeroporto da capital Washington se houvera alguma reclamação, ela disse que sim, que houvera algumas, mas que estava vendendo bem. Quando perguntei a ela se havia um quebra-nozes similar com um boneco dos candidatos homens, ela respondeu: "Com certeza não!"

Nos campi, vi jovens rapazes usando camisetas com a frase QUE PENA QUE O.J. NÃO SE CASOU COM HILLARY.* Todos os que vi usando essa camiseta eram brancos. Quando perguntei aos estudantes o que eles achavam desse slogan, eles concordaram que não era legal. E me asseguraram que a maioria dos caras simplesmente colocava em suas camisetas e nas páginas do Facebook OS CARAS ANTES DAS MINAS.

Assisti ao analista político da rede MSNBC Tucker Carlson dizer sobre Hillary Clinton: "Eu costumo dizer que, quando ela aparece na televisão, eu involuntariamente cruzo as pernas."

Pensei: *Não me admira que aquele quebra-nozes esteja vendendo bem.*

Também na MSNBC, Chris Matthews anunciou: "Não vamos nos esquecer, e eu serei cruel, de que a razão pela qual ela foi eleita senadora, a razão pela qual ela é candidata à presidência, a razão pela qual ela pode ser a favorita, é o fato de que o marido dela fez uma grande cagada. Foi assim que ela conseguiu ser senadora por Nova York. Nós insistimos em esquecer isso. Ela não ganhou lá por mérito próprio."[9]

Uma jornalista do *Washington Post* escreveu sobre um terninho de Hillary que tinha um ligeiro decote e o chamou de "uma provocação". Nenhuma acusação desse tipo tinha sido feita aos candidatos à presidência do sexo masculino, de John F. Kennedy a Obama, quando eles

---

* O. J. Simpson, ex-jogador de futebol americano acusado de assassinar a ex-mulher, Nicole Brown Simpson. Simpson foi absolvido após um longo julgamento, que recebeu extensa cobertura da mídia. (N. da T.)

eram fotografados na praia com roupas de banho. Sobre Hillary, Rush Limbaugh perguntou: "Será que esse país vai querer testemunhar uma mulher envelhecer dia após dia?"

De acordo com outro analista da Fox News, "se esse é o rosto da experiência, acho que ele vai espantar muitos dos eleitores independentes". Na CNN, as correspondentes me contaram que tinham sido alertadas para não usarem calças sociais na televisão — poderiam ficar muito parecidas com Hillary.

Todos esses comentários reducionistas poderiam fazer parte do jogo caso tivessem sido direcionados a todos os principais candidatos em disputa nas primárias: por exemplo, ao evidente transplante capilar do senador Joe Biden; ou à semelhança do senador John Edwards com o boneco Ken; ou aos dentes com facetas de porcelana e aos cabelos pintados do governador Mitt Romney; ou aos sapatos especiais do senador John McCain que o faziam parecer mais alto; ou à semelhança entre o governador Bill Richardson e uma cama desfeita; ou às orelhas do senador Obama, sobre as quais ele mesmo fazia piada. Mas não foi assim.

Não surpreende que essa misoginia quase nunca fosse discutida na imprensa. Ela *era* a imprensa.

Ao fazer a minha lista dos prós e contras de Hillary Clinton e Barack Obama, eu descobri que estava com raiva. Eu estava com raiva porque duas gerações de Bush podiam muito bem herdar poder de um patriarcado político mesmo que não tivessem passado um dia sequer na Casa Branca, mas uma mulher Clinton não podia afirmar que tinha experiência e herdar poder de um marido para quem fora uma parceira política em tempo integral durante vinte anos. Eu estava com raiva porque os homens jovens na política eram tratados como estrelas em ascensão, mas as mulheres jovens eram tratadas como — bom, como mulheres jovens. Eu estava com raiva por todas as candidatas que colocaram suas habilidades políticas de lado para criar os filhos — e por todos os candidatos que não o fizeram. Eu estava com raiva pelo talento humano que era desperdiçado simplesmente porque nascera em um corpo feminino, e pela mediocridade que era recompensada porque nascera em um corpo masculino. E estava com raiva porque a imprensa levava o racismo a sério — ou fingia fazê-lo —, mas quando se tratava do sexismo, eles nem sequer se davam ao trabalho de fingir. Ter má vontade em relação às mulheres ainda parecia algo seguro, não importava se tomasse a forma da demonização das mães solteiras negras ou das piadas rotineiras sobre mulheres poderosas serem umas megeras.

Em outros casos de preconceitos não admitidos, eu tinha lançado mão da tática tradicional dos movimentos de inverter a raça, o sexo, a etnia ou a sexualidade em questão, e ver se a resposta seria a mesma. Movida por meses de raiva reprimida, perguntei: *O que teria acontecido se até mesmo um homem solidário como Obama fosse exatamente a mesma pessoa — só que tivesse nascido mulher?*

Chamei o resultado de "Uma breve história da mudança". O *The New York Times* mudou o título do artigo para "As mulheres nunca são as favoritas". Publicado na manhã da primária em New Hampshire, o texto questionava por que a barreira do sexo não era levada tão a sério quanto a barreira racial.

> As razões estão tão entranhadas em nós quanto o ar que respiramos: porque o sexismo ainda é confundido com a natureza, como o racismo um dia foi; porque qualquer coisa que afete os homens é visto como algo mais sério do que qualquer coisa que afete "apenas" a metade feminina da raça humana; porque as crianças ainda são criadas majoritariamente por mulheres (para usar um eufemismo), de modo que os homens em especial tendem a se sentir como se estivessem regredindo à infância quando lidam com uma mulher poderosa; porque o racismo estereotipou os homens negros como mais "masculinos" por tanto tempo, que alguns homens brancos acham que a presença deles reafirma a masculinidade (desde que não haja muitos deles); e porque ainda não há uma forma "correta" de ser mulher no poder público sem ser considerada uma "vocês sabem o quê".

Eu não estou defendendo uma competição para determinar quem enfrenta mais dificuldades. Os sistemas de castas de sexo e raça são interdependentes e só podem ser erradicados juntos...
Está na hora de ter igual orgulho em derrubar todas as barreiras.

Acrescentei que estava apoiando Hillary Clinton com base apenas na sua maior experiência. Sobre Obama, escrevi: "Se ele for nomeado candidato, eu vou me voluntariar para trabalhar em sua campanha (...) Para limpar a bagunça que o presidente Bush deixou, pode ser que precisemos de dois mandatos da presidente Clinton e dois do presidente Obama."

A resposta inicial foi, de maneira geral, positiva. Como Hillary Clinton acabou ganhando inesperadamente naquela primária de New Hampshire, até mesmo algum crédito foi dado à minha coluna. O *The New York Times* publicou uma carta de um eleitor de lá dizendo disso. Era como se eu tivesse escrito o que muitas pessoas estavam pensando. A maioria simplesmente parecia satisfeita com o fato de eu ter me posicionado a respeito da humilhação de uma boa mulher.

Porém, então, comecei a receber telefonemas de entrevistadores que concluíam que, porque eu estava apoiando Hillary, eu estava colocando a questão do sexo acima da raça — apesar de eu ter passado uma vida inteira argumentando que o sexismo e o racismo estavam conectados, e não classificados por ordem de importância, e apesar de ter escrito naquele mesmo artigo que os sistemas de castas de sexo e raça só poderiam ser erradicados juntos, eu era vista como alguém que estava pedindo às pessoas para levarem o sexismo mais a sério do que o racismo.

Quando fui a um programa de televisão, uma apoiadora de Obama, uma acadêmica negra, me acusou dizendo que "as mulheres brancas têm sido cúmplices na opressão de mulheres e homens negros". Ela falou muito mais do que eu, mencionou linchamento, e disse: "Assumir esse tipo de posição no *The New York Times* me parece aquilo de pior que o feminismo tem a oferecer."

Eu acabei dizendo coisas como "Eu me recuso a divergir a respeito dessa questão" e apontando que, independentemente de Hillary ou Obama ganharem a primária, eu e ela estaríamos unidas na eleição geral. Depois me senti como se tivesse sido atropelada por um caminhão.

Daí em diante, a cada manhã surgiam novos ataques. Passei a temer o toque do meu celular. Embora eu já tivesse sido chamada de muitas coisas, de assassina de bebês a destruidora da família, essas acusações tinham vindo de pessoas de quem eu realmente discordava. Esses novos ataques vinham de pessoas cujas opiniões eu valorizava e que estavam me acusando de defender uma posição que eu não defendia.

Na internet eu descobri parte da razão. O *Times* havia usado um trecho ambíguo para caracterizar todo o artigo: "O gênero é provavelmente a força mais limitadora da vida norte-americana, não importa se a questão é quem deve estar na cozinha ou quem pode estar na Casa Branca." Eu quis dizer isso em termos de penetração, cozinha para a Casa Branca, não que isso fosse mais — ou menos — importante. Entretanto, percebi, com o coração apertado, que eu deveria saber, naquele contexto, que *mais* é uma palavra maldita. Apenas o conflito gera notícia, e ao concordar com revisões ao telefone, eu falhara em blindar cada frase. Definitivamente era minha culpa. Aquele trecho estava rodando o mundo pela internet, e estava sendo visto por muito mais gente do que aqueles que liam o artigo. Eu retirei o trecho citado dos veículos que usavam conteúdo licenciado do *The New York Times*, mas não fez diferença. Os ataques ficaram cada vez mais virulentos.

QUALQUER PESSOA PODE FICAR do seu lado quando você está certa, mas só os amigos ficam do seu lado quando você faz uma burrada. Muitos me telefonaram para me confortar. Pelo menos uma proeminente líder afro-americana disse que tinha sido convidada pela equipe de campanha de Obama para iniciar um grande ataque contra mim, e recusara. Ela disse a eles que eu tinha batalhado pelo meu direito de dizer o que penso.

Se as coisas difíceis por fim têm um propósito, então elas deixam de ser tão difíceis. Portanto, fiz uma lista com o que aprendi:

1. É fácil esquecer que as pessoas podem *achar* que você pensa algo que você *não* pensa.
2. Não escreva quando você está com raiva e sob pressão para entregar o texto, com tempo apenas para testar o resultado com amigos que sabem o que você quer dizer, e não com pessoas estranhas que não sabem.
3. A melhor recompensa de um escritor é dar nome a algo sem nome que muitas pessoas estão sentindo. A maior punição para um escritor é ser mal interpretado. As mesmas palavras podem fazer ambas as coisas.

Também pensei de repente sobre a sabedoria da minha já falecida parceira de discurso, a generosa, provocativa e incomparável Flo Kennedy. Ela via valor no conflito, aconteça o que acontecer.

"A finalidade de tomar um chute no traseiro não é seu traseiro ser chutado no momento certo e pela razão certa", ela sempre explicava, "mas sim deixar o seu traseiro *sensível*".

Lembrar-me das palavras dela me fez rir alto.

Depois que Obama venceu, algumas pessoas sábias nas equipes de campanha dele e de Hillary — que tinham estado em contato todo o tempo — sabiam que tinha que haver uma conciliação.

Com a minha amiga e colega Judy Gold, que era responsável pelas questões relativas às mulheres na campanha de Obama, planejei o que nós sabíamos que seria a primeira de muitas reuniões de conciliação. Havia mulheres mais velhas de coração partido, pois agora sabiam que não viveriam para ver uma mulher na Casa Branca. Havia outras mais jovens que haviam crescido ouvindo que podiam ser o que quisessem, e ficaram chocadas com o tratamento dado a Hillary e com sua derrota. Homens e mulheres afro-americanos que haviam apoiado Hillary também se preocupavam que algumas pessoas os punissem por terem cruzado as linhas raciais ao trabalharem na campanha dela. Oprah Winfrey e outras figuras públicas femininas que haviam apoiado Obama também pagaram um preço. Algumas pessoas as criticaram por não apoiarem Hillary Clinton, uma vez que as mulheres eram suas maiores apoiadoras e formavam sua base eleitoral. Isso também aconteceu com Karen Mulhauser, uma mulher branca e uma antiga e importante líder feminista, que apoiara Obama. Eu havia escrito e falado apoiando o direito delas de escolherem Obama, e agora elas também estavam ajudando a curar as feridas da derrota de Hillary Clinton.

Como meu último esforço de campanha, fiz centenas de buttons que diziam:

**HILLARY APOIA OBAMA
EU TAMBÉM**

Em seguida tomei um avião para Washington, me juntei à multidão que assistia a seu histórico e generoso discurso reconhecendo a derrota — no qual prometeu apoio incondicional a Obama — e distribuí os buttons entre o público. A procura por eles foi enorme.

IV.

TODOS OS ANOS QUE PASSEI FAZENDO CAMPANHA ME DERAM UMA mensagem muito clara: votar não é o máximo que podemos fazer, é o mínimo. Para ter uma democracia, você precisa querer ter uma. Mesmo assim, só entendo isso completamente quando olho para trás.

No início dos anos 1980, fui para o Missouri fazer campanha para Harriett Woods na corrida para o Senado. Ela era uma grande candidata, e eu me identificava com as dificuldades que ela enfrentara por ser uma jornalista mulher. O caminho que a levara à política era tão improvável que ninguém poderia tê-lo inventado. Mãe de duas crianças pequenas, ela reclamou sobre a tampa de um bueiro barulhenta que os acordava toda vez que um carro passava por cima dela na sua rua silenciosa. Quando não conseguiu nenhuma solução da câmara municipal, fez circular uma petição pela vizinhança com o objetivo de fechar a rua para o tráfego. Funcionou. Essa conquista a levou a concorrer para a câmara municipal. Ela foi eleita, serviu por oito anos, foi nomeada para o departamento estadual de estradas, concorreu com sucesso para a legislatura estadual e se reelegeu lá também. Além disso, tornou-se produtora de um programa de televisão local de grande popularidade. Tudo isso a tornava uma candidata viável para representar o estado.

Mesmo assim, não era suficiente para o Partido Democrata no estado. Quando chegou a época de escolher um candidato para concorrer ao Senado dos Estados Unidos, o partido endossou a candidatura de um banqueiro rico que nunca concorrera a nada, apenas assinara cheques. Para ser justa, Woods podia parecer uma causa perdida no Missouri, onde nenhuma mulher jamais vencera a corrida por um cargo representando o estado. Ela tampouco era rica como o banqueiro. Porém, no fim das contas, ela acabou tendo algo mais importante do que a bênção do partido: o apoio da comunidade e de voluntários. Ela derrotou o cara rico na proporção de dois votos a um.

De repente, Harriett Woods estava disputando uma vaga no Senado com o senador republicano John Danforth. Ele não era apenas um dos dois senadores em exercício representando o estado, mas também tinha sido procurador-geral do Missouri, além de ser um padre episcopal ordenado e o rico neto de um dos fundadores da empresa de ração animal Ralston Purina. Era como se ela estivesse concorrendo contra todo o patriarcado.

Quando fui fazer campanha para ela, pude ver que todos os novos grupos eleitorais feministas estavam dando tudo de si. Assim como os voluntários em sua rede no estado. Embora o Missouri fosse comumente considerado um estado contra o aborto, Woods se recusara a mudar sua posição a favor da liberdade reprodutiva.

No fim das contas, Harriett venceu nas áreas republicanas do interior mesmo assim, incluindo uma tão conservadora que era conhecida como Little Dixie.* Na semana final, ela ficou sem recursos e não conseguiu responder à tempestade de ataques virulentos de última hora dirigidos a ela. Perdeu por menos de 2% dos votos. Essa desoladora derrota por um triz despertou uma atenção especial, assim como o fato de ela ter sido a única candidata mulher a concorrer para o Senado dos Estados Unidos no país inteiro, de ambos os partidos. Estava tão claro que ela poderia ter ganhado se tivesse dinheiro para responder aos ataques que sua candidatura inspirou a criação do EMILY's List, um comitê de ação política que apoia candidatas democratas a favor da liberdade reprodutiva. Como prova de que até mesmo dos fracassos podem surgir coisas boas, esse comitê de ação política atraiu três milhões de membros e se tornou um dos maiores do país, assim como a maior fonte de recursos para mulheres na política.

Porém, Danforth vencera. E levou com ele para Washington um advogado afro-americano chamado Clarence Thomas, que vinha trabalhando para a Monsanto, a gigante produtora de agroquímicos que nos dera o Agente Laranja, sementes geneticamente modificadas e muito mais. Na verdade, Danforth conseguira esse emprego para ele também. Como Danforth explicou, ele tinha muito interesse em Thomas,

---

* Dixie é uma maneira de se referir a onze estados do Sul dos Estados Unidos (Carolina do Sul, Mississippi, Flórida, Alabama, Georgia, Louisiana, Texas, Virgínia, Arkansas, Carolina do Norte e Tennessee) que se uniram por volta de 1860 para formar uma nova confederação chamada Estados Confederados da América. Atualmente a denominação "dixie" é mais comumente usada para identificar as regiões do Sul dos Estados Unidos onde as tradições e os legados da era confederada se manifestam com mais força. (*N. da E.*)

não apenas porque ele era um raro afro-americano conservador, mas também porque ele havia estudado para ser padre — no caso dele, um padre católico.

Tudo isso aconteceu décadas atrás. Woods morreu em 2007, de leucemia, aos 79 anos, mas o impacto de sua derrota por apenas algumas centenas de votos perdura.

Se não acredita em mim, façamos uma viagem no tempo para a manhã seguinte à eleição presidencial de 2000, de Bush contra Gore, quando os resultados nacionais dependiam de alguns milhares de votos na Flórida.

Eu por acaso estava fazendo uma palestra na Palm Beach County Community College naquela manhã, um evento marcado muito tempo antes e que não estava relacionado com nenhuma eleição, e o campus deles ficava em uma área pobre. Tinham pedido que eu falasse sobre movimentos de justiça social como um todo, mas eu podia ver que ninguém queria falar sobre nada que não fosse o suspense eleitoral que pairava sobre nós.

Uma jovem afro-americana se levantou para dizer que havia se registrado para votar por telefone e que depois fora questionada em sua zona eleitoral porque a palavra "caucasiana" tinha sido impressa ao lado do nome dela. Ela não conseguiu votar. Um homem afro-americano mais velho disse que haviam lhe negado o direito de votar sob a alegação de que ele tinha sido condenado por um crime, mas ele nunca tinha sido acusado de crime nenhum, muito menos tinha sido condenado por um. Então alguém gritou: "Você cometeu um crime, sim. Ele se chama Votar Quando Se É Negro!"

Em meio às risadas, outro homem se levantou para explicar que os nomes de pessoas com condenações criminais tinham sido cruzados com os nomes nas listas de eleitores sem que fosse checado se mais de uma pessoa tinha o mesmo nome. Então uma mulher branca mais velha disse que o ônibus do asilo no qual ela morava tinha sido enviado para a zona eleitoral errada. Outros disseram que as zonas eleitorais eram poucas e as filas para votar eram maiores nas áreas mais pobres e mais democratas. As pessoas tinham desistido de votar porque eram trabalhadores que ganhavam por hora e eram descontados se não estivessem no trabalho. Então, um homem branco de cerca de cinquenta anos disse que tinha visto as instruções sobre como preencher a cédula eleitoral apenas na saída — e tinha se dado conta de que havia votado em um candidato da extrema direita quando achava que estava votando em Al Gore. Isso fez com que uma dezena de pessoas gritassem e resmungassem que a mesma coisa tinha acontecido com elas.

Uma a uma, as pessoas naquela plateia aleatória contaram suas experiências eleitorais confusas e de privação do direito de voto. Das cerca de setecentas pessoas no auditório, pelo menos cem não tinham conseguido votar no candidato de sua escolha ou simplesmente não tinham conseguido votar. Eu me perguntei: *Se há tantos casos assim neste auditório, quantos haverá em todo o condado de Palm Beach? Ou no estado?*

Por fim, um homem branco de cerca de trinta anos se levantou e me encarou. Em nome do serviço militar que ele tinha prestado ao país, ele disse, e também em nome da sua filha pequena, que ele desejava que crescesse em uma democracia, ele perguntou: "Você ficaria e nos ajudaria a organizar um protesto amanhã, e no dia seguinte, e no próximo, custe o que custar?"

Eu podia sentir o forte impulso de dizer sim. No entanto, concluí que a minha presença poderia ser usada para classificar aquilo como uma rebelião instigada por uma pessoa de fora. Em vez disso, prometi anotar o nome, o endereço e a zona eleitoral de cada um dos que não tinham conseguido votar, ou que não tinham conseguido votar no candidato de sua escolha, e entregar a lista aos advogados de Gore assim como também a observadores apartidários fora do estado.

Fui para casa, telefonei para os advogados eleitorais e entreguei as listas como tinha prometido. Quando Bush estava na liderança por meros 537 votos dos cerca de seis milhões, o reexame das urnas foi interrompido. A secretária de estado da Flórida, Katherine Harris, também a codiretora da equipe de campanha de Bush na Flórida, declarou-o vencedor.

Os pedidos de recontagem foram ensurdecedores, e apoiados pela Suprema Corte da Flórida. Entretanto, a Suprema Corte dos Estados Unidos decidiu, por cinco votos a quatro, que não havia um padrão uniforme de recontagem que estivesse de acordo com o que determinava o artigo constitucional sobre a proteção legal igualitária, e que não havia tempo para criar um. Assim, a recontagem foi interrompida. Foi uma decisão que seria comparada ao caso Dred Scott — quando, no século XIX, a Suprema Corte decidiu que nenhuma pessoa negra, escrava ou livre, poderia um dia se tornar cidadão dos Estados Unidos — por causa do seu impacto e da sua clara parcialidade.

Lembre-se: "Por causa de um prego, a ferradura foi perdida; por causa de uma ferradura, o cavalo foi perdido; por causa de um cavalo, a batalha foi perdida; por causa de uma batalha, a guerra foi perdida." Essa parábola deveria ser repetida como um mantra por todos os que acreditam que o seu voto não tem importância.

- Se Harriett Woods não tivesse sido derrotada por menos de 2% dos votos no Missouri, Danforth não teria sido eleito senador.

- Se Danforth não tivesse sido eleito senador, Clarence Thomas não teria ido com ele para Washington como membro de sua equipe.

- Se Thomas não tivesse adquirido visibilidade em Washington como um raro afro-americano que se opunha à maior parte dos pontos de vista da sua comunidade, ele não teria sido nomeado pelo primeiro presidente Bush para presidir — e fragilizar — a Comissão para a Igualdade de Oportunidades de Emprego, e, em seguida, para fazer parte da Corte de Apelações de Washington D.C.

- Se não tivesse essas credenciais, Thomas não poderia ter sido nomeado pelo mesmo presidente Bush para suceder o juiz Thurgood Marshall, grande defensor dos direitos civis, na Suprema Corte.

- Se Thomas não estivesse na Suprema Corte, ele não poderia ter dado a margem de um voto que suspendeu a ordem judicial para recontagem dos votos na Flórida.

- Se tivesse havido uma recontagem, Al Gore, e não George W. Bush, teria sido presidente — como concluiu um exame pós--eleitoral de todas as cédulas não computadas encomendado por doze das principais organizações da imprensa.[10]

- Se George W. Bush não tivesse sido presidente, os Estados Unidos não teriam tanta probabilidade de perder a simpatia do mundo depois do 11 de Setembro, ao darem início à guerra mais longa da história do país, durante a qual mais bombas foram lançadas sobre o Afeganistão em 14 anos do que em toda a Segunda Guerra Mundial, além dos bilhões de dólares provenientes de impostos destinados a vinte mil empresas privadas e dos milhares de mortos e feridos em ambos os lados.

- Se Al Gore, e não George W. Bush, tivesse sido presidente, o aquecimento global teria sido levado a sério. Além disso, os Estados Unidos não teriam falsificado provas para justificar a invasão ao Iraque, que era rico em petróleo, iniciando, assim, uma guerra de oito anos e, juntamente com a guerra no Afeganistão, convencendo algumas pessoas nos países islâmicos de que os Estados Unidos estão travando uma guerra contra o Islã.

- Sem George W. Bush, não teria havido a maior transferência de dinheiro para mãos privadas da história do país; com uma escala de pagamentos na qual o diretor-executivo de uma empresa ganha em média 475 vezes mais do que um trabalhador comum (no Canadá, essa média é de vinte vezes mais); uma ordem executiva que destinou uma estimativa de quarenta bilhões de dólares em impostos para grupos católicos, evangélicos e de outras religiões, sem aprovação do Congresso, muitas vezes aparentando transformar as igrejas em um sistema de destinação de votos.

- Sem Clarence Thomas para conferir a maioria de um voto, a Suprema Corte poderia não ter decidido que as corporações são pessoas, com direito a gastos políticos ilimitados para dar continuidade a tudo que foi mencionado antes...

Bom, você entendeu a ideia.[11] A lista continua.

Nós não devemos apenas votar, mas lutar para votar. A urna de fato é o único lugar no planeta Terra onde o menos poderoso está em pé de igualdade com o mais poderoso.

Eu ainda sonho com aquele veterano de guerra e sua filha. Eu queria tanto ter dito sim. Não tenho a menor ideia se nós, naquele auditório, poderíamos ter feito a diferença. Na verdade, não sabemos quais das nossas atitudes no presente vão moldar o futuro, mas temos que nos comportar como se tudo que fazemos contasse. Porque pode contar.

Como diria a minha mãe: "A democracia é uma semente que só pode ser plantada onde você está."

UMA CODA

Parte de viajar ao longo de muitos anos é voltar para o mesmo lugar e conhecê-lo pela primeira vez. Eu tinha aprendido minha maior lição política na faculdade — apenas não sabia disso ainda.

Fiz um curso de geologia porque achei que era a forma mais fácil de cumprir a obrigatoriedade de cursar uma disciplina na área de ciências. Um dia, o professor nos levou ao vale do rio Connecticut para nos mostrar as "curvas de meandro" de um rio bastante antigo.

Eu não estava prestando atenção, pois havia entrado por um caminho enlameado e encontrara uma grande tartaruga, uma tartaruga gigante com cerca de meio metro de largura, no aterro lamacento de uma estrada asfaltada. Eu tinha certeza de que ela ia rastejar até a estrada e ser atropelada por um carro.

Então, com muita dificuldade, peguei aquela enorme tartaruga e a carreguei lentamente até o rio.

Tão logo a coloquei na água e a observei nadar para longe, meu professor de geologia apareceu atrás de mim.

"Sabe", ele disse, baixinho, "aquela tartaruga provavelmente passou um mês rastejando por aquele caminho cheio de lama para depositar os ovos na lama ao lado da estrada, e você acabou de colocá-la de volta no rio."

Eu me senti péssima. Não conseguia acreditar no que tinha feito, mas era tarde demais.

Precisei de muitos anos mais para entender que essa parábola me ensinara a primeira regra sobre organização.

Sempre pergunte à tartaruga.

VI.

O surrealismo no dia a dia

UMA JORNADA — SEJA ATÉ O MERCADO DA ESQUINA OU AO LONGO da vida — supostamente deve ter começo, meio e fim, certo? Bem, a estrada não é assim. São as diferenças bastante sem lógica e justapostas da estrada — combinadas a nossa busca por significado — que tornam viajar algo tão viciante.

Felizmente, eu já tinha uma frase para essa loucura da estrada. Como Susanne Langer, a filósofa da mente e da arte, explicou: "O conceito de dar nome a algo é a ideia mais vastamente generativa que já se concebeu."

Foram a boa e a má sorte de escrever para o *That Was the Week That Was (TW3)*, um programa pioneiro na sátira política na televisão, que me fizeram criar uma categoria chamada Surrealismo no Dia a Dia.

I.

Em 1963, uma época de controvérsias a respeito dos direitos civis e da Guerra do Vietnã, a palavra *político* assustava os executivos das emissoras de televisão e *satírico* ainda evocava a máxima de George S. Kaufman sobre o *show business*: "A sátira é o que fecha no sábado à noite." Embora o *TW3* fosse um dia se tornar o pai do mais tolo *Laugh-In* e depois de verdadeiros herdeiros como *Saturday Night Live*, *The Daily Show with Jon Stewart* e *The Colbert Report*, o departamento de avaliação de conteúdo, também conhecido como os censores, estava uma pilha de nervos. Como o programa era realmente ao vivo, se alguém saísse do *script*, a única solução seria colocar um "bip" em cima da palavra ou tirar o programa do ar. Os censores certa vez também tentaram nos convencer de que o Princípio da Imparcialidade da Comissão Federal de Comunicações exigia que fosse escrita uma piada a favor da guerra para cada piada contra a guerra. Felizmente eles também não conseguiram pensar em uma piada a favor da guerra.

No entanto as limitações levam à criação. Meu esquete favorito passou pelos "caras de terno", como nós impiedosamente chamávamos todos os executivos das emissoras, ao contratarmos um malabarista para arremessar para o alto enormes facas de açougueiro e mantê-las rodopiando no ar acima da cabeça enquanto a plateia mal respirava. Depois do que pareceu ser uma eternidade, um assistente de palco apareceu com uma placa estilo vaudeville dizendo: A CORRIDA NUCLEAR.

Graças ao Surrealismo do Dia a Dia, eu podia fazer comentários sobre eventos como os bordeis serem subsidiados pelo governo da Holanda. Tudo que eu precisava fazer era vasculhar os jornais do mundo todo sábado de manhã — enquanto também assistia a *Soul Train*, aprendendo assim novos passos de dança ao mesmo tempo — e procurar pelo tipo de acontecimento sobre o qual as pessoas poderiam dizer: "Você não pode inventar uma coisa assim!"

Eu era a *única* "redatora mulher", provavelmente porque o poder de fazer as pessoas rirem também é um poder, por isso as mulheres eram mantidas longe da comédia. Pesquisas mostram que o que as mulheres mais temem com relação aos homens é a violência, e o que os homens mais temem com relação às mulheres é serem ridicularizados. Mais tarde, quando Tina Fey era a principal redatora e estrela do *Saturday Night Live*, ela ainda podia dizer: "Só na comédia uma garota branca obediente do subúrbio conta como diversidade."

O *TW3* era divertido. Era pioneiro. Não poderia durar. Mas o que durou foi o Surrealismo do Dia a Dia como uma categoria na minha cabeça. Nunca mais eu conseguiria confrontar o inimaginável sem imaginar um prêmio para ele.

Quando comecei a viajar como uma organizadora e mergulhei nas justaposições irracionais da estrada, finalmente entendi por que a risada é uma marca dos andarilhos, desde os loucos sagrados da Rússia Antiga até os assistentes de palco das bandas de rock. É a surpresa, o inesperado, o que está fora de controle. Aparentemente a risada é a única emoção livre — a única que não pode ser forçada. Nós podemos ser levados a ter medo. Nós podemos até mesmo ser levados a acreditar que estamos apaixonados porque, se formos mantidos dependentes e isolados por tempo suficiente, criamos laços para sobreviver. Porém, as risadas explodem como um *aha!* Elas acontecem quando a piada muda tudo que aconteceu antes, quando duas coisas opostas colidem e dão origem a uma terceira, quando subitamente vemos uma nova realidade. Einstein dizia que tinha que ser bastante cuidadoso enquanto se barbeava, porque, quando tinha uma ideia, ele ria — e acabava se cortando. A risada é um orgasmo da mente.

Na estrada, os momentos de surrealismo podem vir e ir em um segundo: *Estou olhando pela janela panorâmica de um trem que acelera por quilômetros de um deserto vazio iluminado pela lua — quando montes de refrigeradores abandonados cuidadosamente arrumados aparecem subitamente.* Eles também podem durar horas: *Estou voltando cansada para o árido saguão de um hotel e sou convidada para uma reunião dos últimos sobreviventes da uma liga de beisebol apenas de negros, cujas histórias me levam a outro mundo*. Uma vez que aprender faz com que nosso cérebro crie novas sinapses, eu gosto de acreditar que a estrada está estimulando a minha mente e prolongando a minha vida com surpresas.

II.

O ANO É 1997, ESTOU A CAMINHO DO FIM DA MINHA TERCEIRA década viajando como organizadora, e estou dando uma palestra em um campus perto de Boston. A discussão pós-palestra durou até meia-noite, o último voo para Nova York já saiu há muito tempo e preciso ir para casa pois vou fazer outra viagem de manhã. Felizmente, estudantes de bom coração vêm ao meu resgate com um serviço de motorista local, e até mesmo surrupiam um travesseiro de um dormitório para que eu possa dormir durante o trajeto de volta até minha casa.

Uma vez na estrada, porém, ainda estou completamente acordada com a adrenalina pós-palestra. Além disso, o motorista, um simpático homem branco na casa dos cinquenta anos, quer conversar. Enquanto atravessamos uma tempestade tão forte que não dá para enxergar quase nada, ele explica que não precisamos nos preocupar porque ele costumava cruzar o país dirigindo um caminhão e enfrentando todo tipo de condição climática. Ganhava duzentos mil dólares por ano e era dono do próprio veículo, mas pediu demissão porque quase não via a esposa e os netos. Agora que é dono do próprio serviço de motoristas local, tem uma família novamente — ainda assim sente falta, realmente sente falta, de sua antiga vida cruzando o país.

"Do que você sente falta?", pergunto, imaginando que ele vá dizer a velocidade, ficar sozinho, a adrenalina, o perigo, tudo de que me lembro do clássico filme *Dentro da noite*.

"Sinto falta da comunidade", responde ele.

Como isso não é o que eu esperava, peço que ele explique. Ele diz que as pessoas comuns não entendem e pergunta se eu quero ver com meus próprios olhos.

Nós saímos da rodovia com pedágio e entramos em uma estrada vicinal. Perto de um posto de gasolina com três bombas, vejo diversos caminhões estacionados, com suas enormes carrocerias delineadas por luzes de segurança multicoloridas que brilham através da chuva escura como se fosse Natal. Atrás deles há uma cabana sem janelas e às escuras, exceto por um par de letreiros luminosos de cerveja.

Abrir a porta é como ligar o interruptor. Somos inundados por luzes fortes, risadas, música, o cheiro de pão fresco e um nível de energia que mais parece que é meio-dia, em vez de duas da madrugada. No balcão, nos servem café em canecas mais pesadas do que halteres, além de pedaços de torta grandes o suficiente para alimentar uma família inteira de melros. Meu motorista e a garçonete trocam informações sobre quem ainda está trabalhando, quem ainda está casado, de quem era o caminhão articulado que se dobrou ao meio ao derrapar no gelo lamacento e quem estava dirigindo um veículo que foi derrubado por um tornado. Ao menos é isso que eu acho que eles estão falando. Palavras como *cegonha*, que é um tipo de veículo, e *urso*, que significa um agente da lei, precisam de tradução.

Um motorista barbudo com botas de vaqueiro se senta ao meu lado. Ele pede uma torta de limão, acompanhada de uma bola de sorvete de chocolate, um bule de chá e uma lata de óleo para motor. A garçonete desliza cada item pelo balcão de fórmica até o exato local diante deles, tudo com a habilidade de um grande jogador de sinuca. Eu a parabenizo. Daí passamos a falar sobre mulheres que dirigem caminhões. Ela diz que são um pouco mais numerosas hoje em dia. Os donos de frotas começaram a contratá-las porque elas ouvem aos treinamentos e têm histórico de segurança melhor. Ainda assim, as mulheres são motivo de piada e de conversas obscenas no serviço de rádio usado pelos motoristas. Ela as respeita por não se deixarem abater e até mesmo por dirigirem um rodotrem, um caminhão de nove eixos. O que começou com equipes formadas por marido e mulher, os pioneiros do compartilhamento de emprego — um dormindo nos fundos da cabine enquanto o outro dirigia — se tornou agora uma rachadura no telhado de vidro dos trabalhos bem-remunerados.

Perto dos reservados, um cara branco mais velho e dois homens negros jovens estão colocando moedas em um antigo jukebox e discutindo sobre os méritos relativos dos rappers em comparação com clássicos como Stevie Wonder e Sam Cooke. Eles parecem concordar que a canção de Brook Benton "Rainy Night in Georgia" é o hino dos caminhoneiros, e a colocam para tocar três vezes seguidas.

"Espere só", meu motorista diz. "Na próxima parada tem a *verdadeira* música dos caminhoneiros."

De volta à via expressa reluzente, ele explica que as paradas de caminhões não são uma cadeia de mesmice como o McDonald's; são mais como parentes idiossincráticos. Cada uma delas oferece comida caseira, conversas, música e atemporalidade, além de itens necessários para caminhoneiros, de óleo de motor a repelente para mosquito, tudo vendido no próprio balcão.

Quando saímos da estrada novamente e entramos em outro mundo acolhedor, animado e desleixado, o jukebox está tocando canções como "Girl on the Billboard", "A Tombstone Every Mile" e "18 Wheels and a Dozen Roses", esta última uma ode de um caminhoneiro que está voltando para casa, para sua mulher. Os caminhoneiros são ouvintes de rádio tão constantes que eles ditam os sucessos da música pop. Além disso, as canções produzidas especialmente para caminhoneiros em Nashville são uma categoria lucrativa. Quem poderia imaginar?

Em nossa terceira parada, eu me sento ao lado de uma esposa caminhoneira. Ela começou a trabalhar em parceria com o marido como uma medida defensiva.

"Os cafetões trabalham nas paradas de caminhoneiros", ela explica. "Eles deixam as meninas na parada para atender os motoristas quando eles estacionam, depois as levam para a parada seguinte. Eu sei disso porque tinha uma sobrinha que caiu nas drogas, e o cafetão dela a espancou até a morte por tentar sair do esquema. Eu costumava odiar essas garotas. Agora odeio os cafetões."

Ela diz que os caminhoneiros tendem a ser homens de família — os executivos provavelmente são mais inclinados a recorrer a prostitutas — e se orgulha de as equipes de marido e mulher terem um histórico de segurança melhor do que o dos homens que dirigem sozinhos.

Em nossa quarta parada, há uma partida de pôquer que nunca termina. Na quinta, há o que parece ser uma permanente discussão pairando no ar sobre cruzar o país dirigindo caminhões e se isso representa força política suficiente para aprovar melhores leis de segurança.[1] Dessa forma, passamos por todas as principais paradas de caminhão entre Boston e Nova York.

Eu passei a maior parte da minha vida na estrada, mas nunca tinha visto esse mundo que desperta quando os outros estão dormindo. Meu motorista me diz que é assim no mundo todo. Ele conhecera caminhoneiros imigrantes procurando trabalho que haviam dirigido caminhões ingleses e conduzido por toda parte, das estradas montanhosas da Eritreia às ruas lotadas de gente da Índia, onde os caminhões são pintados com flores, deuses e deusas, uma forma de arte registrada em fotos que os motoristas carregavam consigo, bem ao lado das fotos da família.

De volta ao casulo que partilhávamos debaixo de chuva, ficamos em silêncio. O ritmo do limpador de para-brisas se funde na minha mente como o barítono sensual de Brook Benton:

It's a rainy night in Georgia
and it looks like
it's rainin'
all over the world.*

---

* É uma noite chuvosa na Geórgia/ e parece que/ está chovendo/ no mundo inteiro. (N. da T.)

Eu vejo as luzes de Manhattan refletidas no céu noturno, mas perdi completamente a noção do tempo. Isso poderia durar para sempre. Me dou conta de que até então estava nadando no raso, e que só agora estou descobrindo as profundezas onde as grandes baleias se encontram.

III.

- Estou almoçando no Café Figaro, em West Hollywood, com Florynce Kennedy. Ela está me explicando que desistiu de ser advogada porque "a lei é um projeto de 'um traseiro por vez', e o que você tem que fazer é parar o rolo compressor." Isso é inspirado pela visão de sete garçonetes e nenhum garçom, um índice suspeito. Flo diz que as gorjetas provavelmente estão sendo usadas como uma desculpa legal para pagar menos do que o salário mínimo.[2] Nós questionamos o gerente. Ele nos garante que o salário é ótimo, que todas as sete garçonetes adoram o trabalho e que mais mulheres estão aguardando a oportunidade.

    De volta a Nova York, uma semana mais tarde, encontro uma carta daquelas garçonetes esperando por mim: "Nós acreditamos que nenhum outro grupo ocupacional é tão grato quanto nós pelo que você faz pelas mulheres. Não basta darmos duro por salários ridiculamente baixos, mas esperam que nos insinuemos gentilmente para os clientes homens de modo que eles gastem mais e voltem mais vezes. Nosso maravilhoso gerente promove a teoria de que isso, na verdade, é para o nosso benefício — vamos ganhar mais gorjetas. Meu Deus, que parasita intelectual! Não descansaremos! As Sete Subversivas."

    Décadas se passaram, já estamos em 2014. Eu estou lendo sobre o adorado comediante e ator Bill Cosby, que foi acusado por nada menos que 39 mulheres de drogá-las e abusar sexualmente delas no passado. Cada uma temia não ser levada a sério, mas, quando uma delas veio a público, todas começaram a vir. Uma delas é Linda Joy Traitz, que, aos dezenove anos, era garçonete no Café Figaro, onde Cosby aparecia de vez em quando porque era um dos donos. Ele lhe oferecera uma carona para casa e, depois, no carro dele, ela diz que se viu diante de uma maleta cheia de drogas e bebidas, além do abuso sexual.

Eu queria que Flo estivesse aqui para ficar sabendo que a intuição dela estava certa. Dezoito anos mais velha do que eu, com uma vida que ia desde ver os pais serem ameaçados pela Ku Klux Klan até se tornar advogada dos direitos civis e do *show business*, ela quase sempre estava certa. Viajar com ela foi melhor do que qualquer coisa que aprendi na faculdade.

Uma vez eu a vi comprar para uma jovem vendedora branca em uma loja de roupas de uma cidade pequena um terninho roxo, algo que a vendedora queria mas que jamais teria conseguido comprar. Quando voltei lá depois da morte de Flo, aquela jovem, agora uma mulher de meia-idade, me disse que a generosidade de Flo revelara uma nova forma de ver a vida para ela.

- Em 1980, embarco em um avião lotado para Detroit e me vejo sentada no meio de um grupo de judeus hassídicos. Os homens estão usando chapéu fedora de aba larga por cima do quipá, as mulheres vestem perucas pretas e vestidos de manga comprida, e as crianças estão tão bem-arrumados e bem-comportadas como se fossem adultos em miniatura. Percebo um apressado rearranjo dos assentos. O objetivo parece ser que nenhuma mulher se sente ao lado de um homem que não seja o marido dela — ou ao meu lado. Meu companheiro de assento acaba sendo o homem mais velho, encurvado e gentil, que lê o livro de orações. Ciente de que não é permitido a nenhum homem hassídico tocar uma mulher fora da família, nem mesmo apertar as mãos, eu me esforço para ser respeitosa e manter meu braço longe do encosto de braço que compartilhamos. Ainda assim, fico surpresa com o fato de que me separar das mulheres parece ser mais importante do que me isolar dos homens. Ouço a palavra *feminista* em inglês em meio ao iídiche falado por dois jovens homens no banco à nossa frente, e eles me espiam por entre os bancos.

Quando aterrissamos no aeroporto de Detroit, vou ao banheiro feminino — e lá estão as esposas e filhas. A esposa mais jovem checa as cabines nas quais as mulheres mais velhas desapareceram, olha nos meus olhos e sorri.

"Olá, Gloria", ela diz, com firmeza. "Meu nome é Miriam."

Aquele sorriso valeu por toda a viagem.

- É 1996 e eu estou no Kansas, o estado natal do senador Robert Dole, que acabara de concorrer à presidência dos Estados Unidos. Ligo a televisão no hotel onde estou hospedada. Dole está olhando para a câmera, sorrindo, falando sobre sua disfunção erétil em um comercial pago do Viagra. Como Liz Smith, a inteligente e engraçada colunista de fofocas de Manhattan, sempre diz: "Não dá para inventar esse tipo de coisa."

- Com o milênio prestes a terminar, estou em um carro com duas estudantes a caminho de um encontro político no Arizona. Paramos em um bloqueio na estrada por causa de uma obra, no lancinante calor do deserto, e um homem grande caminha na nossa direção carregando uma picareta. De repente, nos damos conta de que não há nenhum outro carro à vista. Inclinando-se na direção da minha janela, ele diz que reparou nas nossas camisetas da *Ms*. — ele é um leitor da *Ms*. Isso parece tão improvável, que tenho certeza de que é uma piada ou um golpe. Então ele menciona um artigo de cerca de um ano antes sobre *los feminicidios*, as centenas de jovens mulheres que foram estupradas e torturadas e cujos corpos mutilados foram encontradas no deserto do México perto de El Paso. As especulações sobre os motivos iam desde tráfico sexual até a venda de órgãos, de estupro e assassinato de jovens mulheres como parte do ritual de iniciação de gangues a uma vingança distorcida contra as mulheres por serem assalariadas. Esses assassinatos aconteciam havia décadas, mas como eram sexualizados e as vítimas eram "apenas" trabalhadoras das *maquiladoras* — fábricas próximas da fronteira em território mexicano onde os produtos são montados a um baixo custo para serem vendidos nos Estados Unidos —, a cobertura da imprensa era sensacionalista e não houve ainda nenhuma prisão.

Eu percebo que o homem tem lágrimas nos olhos. Ele está dizendo que dez anos antes, sua irmã de dezesseis anos se tornara uma das vítimas dos *feminicidios* e que, naquele dia, é o aniversário da sua morte. Ele quer nos agradecer por termos dado atenção a esse assunto, por lembrarmos. Ele é grato a qualquer pessoa que torne essas mortes visíveis. Ele mesmo continuará de luto até que o assassino de sua irmã seja pego.

Nós apertamos suas mãos cheias de calos. Ele diz que há algo místico na nossa aparição ali naquele dia. Estamos sentindo o mesmo. Enquanto ele caminha de volta para a obra na estrada, nós ficamos sentadas em silêncio por um longo tempo. Com o passar dos anos, vou esquecer o propósito dessa viagem, mas nunca vou esquecer aquele homem e a irmã dele.

- Em 2000, estou indo de carro com uma amiga do Texas para o interior de Oklahoma. Consigo identificar onde termina o primeiro estado e o segundo começa porque as estradas ficam melhores, o gado pasta livremente em vez de ficar amarrado debaixo do sol a pino, e é mais provável que o comércio de beira de estrada sejam postos de gasolina com lojas de conveniência em vez de bares onde as garçonetes trabalham com os peitos de fora e com fliperamas. Isso parece uma coisa boa — até que o Cinturão Bíblico se aperta e eu vejo painéis publicitários emparelhados ao longo da estrada. Um promete a vida externa através de Jesus Cristo. O outro promete reverter vasectomias.

- Durante uma discussão após uma palestra em uma universidade no início do outono de 2003, um estudante se levanta na plateia e diz que o presidente George W. Bush vai embarcar em um avião levando um enorme peru de plástico e vai voar até o Iraque para uma foto de Dia de Ação de Graças com as tropas norte-americanas. Como estávamos discutindo o falso pretexto das armas de destruição em massa que Bush usou para justificar a invasão ao Iraque, o peru falso provoca uma gargalhada geral.

    Depois do Dia de Ação de Graças, a imprensa divulga uma informação ultrassecreta: Bush embarcou no *Air Force One* carregando um peru de plástico pintado à mão, voou até o Iraque no meio da guerra, posou para fotos com as tropas e o peru e voou de volta para Washington — tudo custeado pelos impostos pagos pelos contribuintes.

    Quem era aquele estudante? Como ele sabia?

- Enquanto viajo pela Geórgia, vejo nos gramados cartazes da campanha de reeleição de Max Cleland, um senador bastante admirado e um herói de guerra que perdeu ambas as pernas e um braço por causa de uma granada no Vietnã.

Estou de novo em Atlanta, em 2002, e vejo comerciais de tevê que o chamam de não patriótico e o comparam com Osama bin Laden e Saddam Hussein. A justificativa é apenas o voto dele contra duas de muitas medidas antiterroristas. Isso é uma Grande Farsa no estilo Joe McCarthy.* Veteranos de ambos os partidos protestam contra o anúncio, que por fim é retirado. Porém, o seu próprio extremismo acaba gerando dúvidas do tipo "onde há fumaça, há fogo". Cleland é derrotado.

Um ano depois, vejo a mesma tática bem-sucedida ser usada em nível nacional contra o senador John Kerry, também um herói da Guerra do Vietnã, que estava concorrendo à presidência dos Estados Unidos. Anúncios de televisão mostram veteranos negando o heroísmo dele como capitão de um barco de patrulha chamado *swift boat*. Embora as acusações mais tarde se provem inverídicas, elas contribuem para a derrota de Kerry. *Swiftboating* entra para a língua inglesa como um verbo que significa atacar o ponto forte, e não a fraqueza.** No feminismo e em outros contextos de justiça social, há muito tempo isso é chamado de difamação, atacar líderes que ousem escrever, falar ou liderar.[3] Retirar o que há de bom é ainda mais letal do que apontar o que há de ruim.

---

* Referência ao político norte-americano Joseph McCarthy (1908-1957), que, nos anos 1950, inspirou o macarthismo, uma prática política notadamente anticomunista. McCarthy ficou conhecido, entre outras razões, pelas várias mentiras e acusações sem provas. (*N. da E.*)
** O comitê de ação política Swift Boat Veterans for Truth custeou um anúncio de campanha criticando o registro de serviços militares do senador John Kerry, então candidato à presidência, a bordo de um *swift boat*, um tipo de embarcação de patrulha da Marinha dos Estados Unidos, durante a Guerra do Vietnã. (*N. da E.*)

- Nas eleições presidenciais de 2008, um ano emblemático para o Surrealismo no Dia a Dia, o apresentador de um programa de auditório de direita Rush Limbaugh faz oposição à candidatura da democrata Hillary Clinton. Ele a acusa de usar terninhos para esconder pernas "feias". Por sua vez, ele apoia Sarah Palin como candidata republicana à vice-presidência porque ela usa saias para mostrar pernas "belas". Na verdade, os republicanos nomearam Palin no último minuto para conseguir os votos de apoiadores de Hillary Clinton que haviam se decepcionado com a candidata. Isso não faz sentido. Palin é contra a liberdade reprodutiva e contra a maioria das principais necessidades das mulheres, gosta de atirar em animais a bordo de um helicóptero e sempre obteve mais apoio de eleitores brancos do sexo masculino do que de eleitoras diversas do sexo feminino. A escolha dela é o maior erro político desde que o primeiro presidente Bush nomeou Clarence Thomas para a Suprema Corte, na expectativa de obter mais votos dos afro-americanos. O surrealismo é o triunfo da forma sobre o conteúdo.

- Como surrealismo em série, nada supera os esforços da direita e dos grupos religiosos no sentido de conferir status legal de pessoa a óvulos fertilizados. Isso iria nacionalizar o corpo da mulher durante todo o seu período reprodutivo. Não é de se surpreender que a Emenda da Vida Humana, a ser incorporada à Constituição dos Estados Unidos, não tenha sido aprovada, mas muitas táticas estaduais e locais estão sendo postas em prática, desde detonar bombas em clínicas e assassinar médicos em nome da "defesa da vida" a negar pílulas anticoncepcionais como parte do seguro de saúde e fechar clínicas por meio de normas prediais impossíveis de serem cumpridas, impostas por legislaturas estaduais contra a liberdade de escolha. Com o tempo, percebi que os protestos diante das clínicas muitas vezes também personificam esse surrealismo.

Para entrar na Clínica Blue Mountain, em Missoula, Montana, tenho que passar por pessoas protestando, amontoadas no limite de uma zona de acesso legal. Elas gritam "Aborto é assassinato!" e "Assassinos de crianças!". Do lado de dentro, os membros da equipe me mostram a clínica, que vem provendo uma ampla gama de serviços de saúde desde o início dos anos 1970. Em 1993, o prédio foi bombardeado e completamente destruído por terroristas antiaborto, muito embora, assim como muitas dessas clínicas, realizar um aborto seguro seja apenas uma pequena fração dos cuidados de saúde fornecidos por eles. Fico sabendo que o reparo dos danos levou dois anos e exigiu muito trabalho. Agora, a Blue Mountain está operando atrás de uma estreita zona de acesso e de uma cerca de proteção alta.

Um membro da equipe me conta que uma das mulheres que estavam protestando entrou no prédio quando os homens não estavam por perto, fez um aborto e voltou a protestar no dia seguinte. Isso soa surreal para mim — mas não para a mulher membro da equipe. Ela me explica que as mulheres que fazem parte desses grupos contra o aborto têm mais probabilidade de serem privadas de pílulas anticoncepcionais e, por isso, precisarem fazer um aborto. Então elas se sentem culpadas — e protestam ainda mais. Essa restrição de acesso à pílula anticoncepcional também pode explicar por que os estudos há muito apontam que as mulheres católicas em geral têm mais probabilidade de fazerem um aborto do que as protestantes.[4]

Quando visito clínicas de aborto, aprendi a perguntar à equipe se alguma vez viram uma das pessoas que protestavam entrar, fazer um aborto e voltar a protestar em seguida. De Atlanta a Wichita, a resposta é sim. Mesmo assim, como os membros da equipe testemunham o sofrimento da mulher e garantem o direito dela à privacidade, eles não colocam a boca no trombone.

Enquanto isso, em Wichita, no Kansas, o dr. George Tiller, um dos poucos médicos que realizam aborto com tempo de gestação avançado — que representam apenas cerca de 1% de todos os procedimentos, mas são cruciais quando, por exemplo, um feto se desenvolve sem o cérebro — é alvejado a tiros em ambos os braços por uma mulher que protestava contra o aborto. Ele se recupera e continua a atender mulheres que vão até ele oriundas de muitos estados.

Em 2008, finalmente conheço o dr. Tiller, em um encontro dos Médicos a Favor da Saúde e da Liberdade Reprodutiva. Eu pergunto se alguma vez ele ajudou uma mulher que estava protestando diante da clínica dele. Ele responde: "Claro que sim, eu estou aqui para ajudá-las, não para aumentar ainda mais o sofrimento delas. Elas provavelmente já se sentem culpadas."

Em 2009, o dr. Tiller leva um tiro à queima roupa na cabeça, disparado por um ativista escondido dentro da igreja luterana onde a família Tiller ia aos cultos todo domingo. Isso é feito em nome de ser "a favor da vida".

- Estou sentada ao lado de uma senhora bastante idosa e elegante em um voo de Dallas para Nova York. Imaginando que ela precise de companhia, inicio uma conversa. Descubro então que ela é uma senhora de 98 anos que, quando jovem, foi uma das Ziegfeld Girls e que está indo, com uma amiga de 101 anos de idade, dos tempos em que faziam parte do grupo de dançarinas, dançar na Broadway em um evento beneficente em prol do combate à aids — algo que vêm fazendo desde que a tragédia da aids surgiu. Emocionada com essa resposta e buscando conselhos sobre o meu próprio futuro, agora que já passei dos setenta, eu pergunto como ela permaneceu ela mesma durante todos esses anos. Ela olha para mim como se eu fosse uma aluna com dificuldade de aprendizado. "Você é sempre a pessoa que era quando nasceu", ela diz, impaciente. "Apenas descobre novas formas de expressar isso."

IV.

O TRABALHO DE UMA ORGANIZADORA É SURREAL POR DEFINIÇÃO. Com frequência me vejo diante de uma pintura caríssima, ou rodeada por um mar de roupas de grife, ou em uma sala elegantemente decorada que poderia pagar por dezenas dos projetos para os quais estou angariando fundos. Essa é uma parte crucial do trabalho de um organizador. Você sai de um porão escuro e tenta explicar às pessoas que vivem ao sol como é viver lá dentro. Aprendi que a melhor maneira de fazer isso é reunir esses diferentes grupos de pessoas. Aquelas com dinheiro de sobra descobrem como é mais satisfatório ver o talento e a justiça florescerem do que ver objetos se acumularem. Aquelas que não têm dinheiro aprendem a valiosa lição de que o dinheiro não cura todas as feridas. Ao contrário, na realidade ele pode separar e isolar.

Eu acho que esse contraste entre o excesso e a necessidade é a fonte de raiva e de felicidade da maioria dos organizadores: raiva por ele existir, em primeiro lugar, e felicidade porque o contraste pode ser diminuído. Arrecadar dinheiro é o preço da nossa maior dádiva: nós amamos o que fazemos.

Angariar fundos é comumente descrito como a segunda profissão mais antiga, depois da prostituição — embora esta última devesse ser chamada de a opressão mais antiga do mundo. Karl Marx penhorou a prataria e as joias da mulher, Jenny, filha de um barão, e dependia de doações do remediado Friedrich Engels. Harriet Tubman fazia vários bicos e passava o chapéu em igrejas para sua rota clandestina, que libertou mais de trezentas pessoas escravizadas. Isadora Duncan recrutou o amante dela, um dos herdeiros da fortuna proveniente das máquinas de costura Singer, para financiar sua dança e suas viagens a uma Rússia recém-tornada comunista. Gandhi aprendeu sobre arrecadação de fundos e finanças na África do Sul e levou ambas as habilidades para o movimento de independência na Índia. Emma Goldman, que começou com cinco dólares e uma máquina de costura, arrecadou dinheiro com apoiadores ricos como a colecionadora de arte Peggy Guggenheim. Eva e Anne Morgan— respectivamente sobrinha e filha de J. P. Morgan, o financista mais poderoso da história dos Estados Unidos — usaram dinheiro da família para financiar as trabalhadoras que protestaram antes e depois do incêndio da fábrica Triangle Shirtwaist, até mesmo colocando uma mansão na Quinta Avenida como garantia de fiança quando as manifestantes foram presas. O movimento sufragista poderia não ter tido êxito sem o apoio de Alva Belmont e da sra. Frank Leslie, duas das poucas mulheres que ganharam o controle de fortunas depois de ficarem viúvas. A abundância ao lado da pobreza é surreal. Angariar fundos é salientar isso.

- É o final dos anos 1980, uma época de lucros corporativos subindo e do Muro de Berlim vindo abaixo. Estou em um avião particular indo para Palm Springs. Conheço apenas uma das dez pessoas a bordo, o homem com quem estou. Ele é um dos dois únicos homens ricos com quem namorei na vida. O primeiro herdara sua fortuna e, por isso, era terrivelmente inseguro, embora presidisse a editora de livros do pai. Como na minha vizinhança em East Toledo ler livros era um sinal de rebeldia, eu não me dei conta de que, para ele, livros significavam conformidade. O homem no avião é mais seguro porque fez a própria fortuna, no entanto adquiriu hábitos de andar de limusine e de avião particular que começaram a isolá-lo. O lado positivo, entretanto, era que nós dois adorávamos dançar e rir, e não tínhamos tempo para discutir todas as coisas sobre as quais discordávamos.

Junto com quatro presidentes de grandes corporações e suas esposas ou namoradas de longa data, nos encaminhamos para um final de semana prolongado no feriado de Ação de Graças. Trata-se de uma viagem de negócios para o homem com quem estou e, espero, arrecadação de fundos junto dos colegas dele para mim. Os executivos no avião reinam respectivamente sobre um império de lanches industrializados, uma companhia farmacêutica, um canal de TV a cabo e uma grande empresa de cartão de crédito. Eles podem apoiar projetos de saúde e contra a violência direcionados a mulheres e meninas, que representam cerca de 80% dos seus consumidores, mas que, no entanto, recebem apenas cerca de 6% das doações das empresas.

Aterrissamos em um aeroporto particular próximo a Palm Springs e somos conduzidos em limusines com ar-condicionado através do calor escaldante do deserto. Chegamos a um condomínio fechado com muros altos de estuque e portões duplos eletrônicos. Depois de uma verificação de segurança, estamos no meio de gramados cor de esmeralda, jardins bem-cuidados e tanques de lírios aquáticos, tudo irrigado por mangueiras com pulverizadores rotativos. No deserto, água é ouro. Aquilo era o Forte Knox.

Cada casal é levado para um bangalô com jardim privativo. Os homens estão se trocando para uma rápida partida de golfe, e as mulheres, para jogar tênis. Como não aprendi nenhum desses esportes ao crescer em East Toledo — um lugar mais para boliche e canastra —, fico no bangalô com ar-condicionado para terminar um artigo superatrasado. Descubro uma despensa cheia de lanches nada saudáveis fabricados por uma das corporações anfitriãs e começo a devorá-los.

Assim começa um tempo de prática de esportes e camaradagem para os meus companheiros, e de escrever, ficar no ar-condicionado e comer porcarias para mim. As noites consistem em banquetes de comida e vinho trazidos de avião e anedotas divertidas que deixam a sensação de que já as ouvimos antes.

Para o Dia de Ação de Graças, fomos convidados para um bufê vespertino na casa no deserto, perto de onde estamos, de Frank Sinatra e sua quarta esposa. Nossa conexão é tênue. Ao que parece, o pai já falecido de uma das mulheres em nosso grupo conhecia o famoso cantor. Quando chegamos, três homens mais velhos vestindo suéteres de golfe em tons pastéis estão assistindo a um jogo de futebol americano na televisão, um deles com uma arma na cintura. Os empregados nos trazem rodadas de drinques, mas nossos anfitriões não estão em nenhum lugar à vista. O jantar de Dia de Ação de Graças é servido em um imenso bufê que oferece toda a intimidade de um hotel.

Por fim, Barbara Sinatra, uma antiga dançarina de Las Vegas e ex-mulher de um dos irmãos Marx, chega para nos cumprimentar. Ela é uma presença tranquila e majestosa. Minhas esperanças de angariar fundos crescem quando ela menciona que está presidindo um evento beneficente de um hospital de Palm Springs em prol de mulheres e crianças vítimas de violência, mas vão por água abaixo quando ela repreende a mim e ao movimento feminista por não tratarmos desse problema novo para ela.

Eu engulo o meu orgulho. Não tenho tempo para explicar que o movimento feminista deu nome à violência doméstica, em primeiro lugar, esforçou-se para que fosse tratada como crime pela polícia e por novas leis, criou os primeiros abrigos e vem trabalhando há trinta anos para explicar, por exemplo, que o momento de ir embora é o momento em que uma mulher tem mais probabilidade de ser assassinada, respondendo, assim, a perguntas como "Por que ela simplesmente não vai embora?". Em vez disso, apenas descrevo programas para sobreviventes que precisam de apoio.

Mesmo assim, posso sentir o interesse dela se dispersar. Para começar, esses programas não estão ligados ao baile de caridade que ela está presidindo e, além disso, Frank Sinatra finalmente chega com um drinque na mão. Ele se parece bastante com, bem, Frank Sinatra. Eu observo enquanto aquela mulher majestosa se transforma em uma gueixa servindo peru para ele.

Depois da sobremesa, somos conduzidos a um prédio anexo que abriga a maior coleção de trens de brinquedo que já vi na vida. Os trilhos se estendem por mesas que são miniaturas de paisagens, com estradas, árvores, lagos e prédios minúsculos. Os vagões de passageiros são iluminados por dentro e têm silhuetas minúsculas de pessoas nas janelas. Sinatra coloca um chapéu de condutor, aperta alguns botões e faz os trens acelerarem por túneis e pontes. Ele parece feliz e em seu próprio mundo. Tento não pensar em quanto tudo aquilo deve ter custado.

No dia seguinte, de volta ao nosso condomínio de luxo, eu volto a escrever e a comer porcarias. Antes de irmos embora de Palm Springs, há uma atividade que eu adoro: cavalgar pelo deserto. Entretanto, descubro que as bobagens que andei comendo cobraram seu preço. Enquanto estou cavalgando, meu jeans se rasga atrás e tenho que voltar para o bangalô em busca de agulha e linha.

No voo de volta para casa, os homens conversam sobre fusões e aquisições, e as mulheres conversam sobre perder peso. Eu sei que uma das esposas uma vez teve um cargo importante em Washington, e que outra recentemente escalou o monte Everest, nenhuma das duas, no entanto, menciona essas coisas. Como estamos todos em um espaço pequeno, tento, uma última vez, descrever projetos que indivíduos e corporações poderiam apoiar para satisfazer as consumidoras — mas minha fala é recebida com um desinteresse educado. Sou uma ilha isolada em torno da qual um oceano de conversas flui. Eu fantasio sobre pular de paraquedas do avião.

Aterrissamos em um aeroporto particular em Nova Jersey. Cada casal entra em uma limusine, embora uma só poderia ter nos levado a todos. Em três dias de conversa sobre como fazer dinheiro, não consegui emplacar nem ao menos uma ideia sobre o que fazer com ele. Estou com raiva — de mim mesma. Eles estão jogando o jogo como ele é. Eu estou tentando mudá-lo — e falhei. Há poucas coisas mais dolorosas do que o surrealismo quando você é o único contraste.

- Passei por Laurel, em Maryland, em viagens com destino a Washington D.C. e saindo de Washington D.C. por anos, mas não faço ideia do que se passa por lá. Então um dia, em 1982, quando estou curtindo estar na minha mesa na revista *Ms.* depois de um longo período de viagens pela estrada, recebo uma ligação de Connie Bowman, a mais nova diretora de marketing da pista de corridas Freestate, em Laurel. Uma vez que a corrida de atrelagem é uma atração nacional e mundial para as subculturas de corridas e apostas — e uma vez que ambas as subculturas são majoritariamente masculinas —, Bowman quer atrair mais mulheres. A ideia dela é convidar a mim e a Loretta Swit, estrela de uma das séries mais assistidas da história da TV, para competirmos em um evento que se chamaria *M*A*S*H* vs. *Ms*. Em troca, cada uma de nós ganharia uma porcentagem da bilheteria para doarmos.

Isso chama a minha atenção. A revista *Ms*. descobriu que pouquíssimos anunciantes estão dispostos a patrocinar uma revista feminina que não dedica suas páginas editoriais a elogiar os produtos que anuncia: moda, beleza, decoração do lar e coisas do tipo. Para compensar a falta de anúncios na *Ms*. — e conseguir atender aos pedidos de assinatura de abrigos para mulheres vítimas de violência doméstica, prisões, programas de assistência social ou simplesmente leitores que não podem pagar por elas — temos que conseguir contribuições.

É por isso que me vejo em uma morna noite de verão vestindo calças brancas e blusa de corrida de seda verde e dourada, diante de um estádio enorme e tão iluminado que chegava a cegar, com milhares de desconhecidos gritando e vibrando por seu cavalo favorito além da novidade de apostarem em Loretta ou em mim. Loretta está usando calças brancas e blusa de corrida de seda azul e vermelha, e ambas estamos usando capacetes brancos com os dizeres "*M*A*S*H* vs. *Ms*.". À nossa frente há uma enorme pista de corrida oval iluminada por holofotes de uma maneira tão sobrenatural que me dizem que os astronautas podem vê-la do espaço. Nós duas estamos prestes a colocar nossas vidas nas mãos de cavalos e jóqueis que não conhecemos. Isso parece mais surreal do que soou ao telefone.

Representantes do evento nos encaminham às nossas respectivas carruagens. A minha é puxada por uma linda égua castanha guiada por um condutor mais velho, magro e negro. Ele é alguém pouco comum nesse mundo tradicionalmente branco das corridas de cavalo sulistas. Loretta está acompanhada de um condutor mais jovem e branco e de um cavalo castrado negro. Cada uma de nós se senta ao lado do condutor em uma prancha mais ou menos do tamanho de uma tábua de passar roupas, presa a uma carruagem superleve. A coisa toda parece mais com um cabide de casacos do que a carruagem de Ben-Hur que eu havia imaginado. Enquanto trotamos para a pista onde as outras equipes estão reunidas, já parecemos estar indo bastante rápido. Depois do sinal de largada, essa velocidade fica ainda maior. Eu me dou conta de que estou sentada apenas alguns centímetros acima do caminho que passa zunindo abaixo de mim como um borrão. Não há nada além da tábua de passar roupa entre mim e ser pisoteada pelos cavalos atrás de nós.

Então, de repente, cavalo, condutor e eu estamos sozinhos em uma cápsula. À nossa volta há apenas um borrão de luz e vento. Ficamos isolados pelo que poderiam ser minutos ou horas, como uma coisa só com aquele cavalo poderoso. Eu penso: dirigir um carro em alta velocidade pode ter a ver com ego, mas conduzir um cavalo em alta velocidade tem a ver com confiança.

Quando começamos a diminuir a velocidade, o borrão volta a tomar a forma distinta de árvores, estádio, cerca, pessoas. Meu condutor se vira para mim, sorri e diz: "*Ganhamos!*"

Desfilamos diante de um estádio enorme e barulhento. Uma voz masculina ressoa: "A *Ms.* derrotou o *M*A*S*H!*"

Ele não diz que uma égua derrotou um cavalo castrado, ou que um condutor velho e negro derrotou um condutor jovem e branco, mas eu ouço Loretta dizer com satisfação para um repórter: "*Os azarões derrotaram os favoritos!*" Como Alice no País das Maravilhas, eu sinto como se tivesse ido parar em outro universo. Eu era louca por cavalos quando era criança. Agora me lembro de por que amava essas criaturas inteligentes e elegantes que nos permitem viajar com elas. Nossa parte da bilheteria acaba sendo decepcionante — menos de cinco mil dólares para cada uma. Esquecemos até de apostar em nós mesmas. Poderíamos ter arrecadado mais dinheiro em menos tempo e correndo bem menos perigo. Entretanto, hoje, toda vez que passo pela placa de Laurel no caminho de Washington, me vem a memória sensorial da velocidade e do borrão, de um condutor orgulhoso, uma linda égua, um momento de realidade alterada.

V.

É 1967, E ESTOU SENTADA EM UMA LANCHONETE NO INTERIOR DA Virgínia, me preparando para uma entrevista ali perto. Foi determinado que as escolas públicas fizessem a integração racial, e a maioria dos pais brancos colocou os filhos em escolas "privadas" só para brancos, recém-criadas, e que na verdade são financiadas com dinheiro de impostos graças a uma legislatura estadual racista. Minha entrevista é com uma menina branca da sexta série que é um prodígio em organização. Ela está fazendo barulho pelos corredores, dando as boas-vindas aos estudantes negros nessa nova escola pública sem segregação. Ela tem a permissão dos pais, mas o movimento foi ideia dela. Se eu escrever sobre a sua história, acho que ela pode inspirar mais estudantes a tomarem as rédeas, mas, até o momento, não consegui nem sequer convencer os editores. Os jornais dizem que é *soft news*, notícia leve, apolítica, e as revistas femininas dizem que é *hard news*, notícia densa, política.[5]

Ao meu lado, no balcão, estão três jovens brancos que também estão conversando sobre a integração nas escolas, ou, nas palavras deles, "mistura racial". Eles parecem não reparar na garçonete negra mais velha que está nos servindo, e o rosto dela é inescrutável. Os rapazes começam a discutir sobre o Vietnã, se os soldados negros vão seguir as ordens de oficiais brancos.

"Eu espero que não", diz um homem branco solitário sentado no fundo do balcão. "Nós estamos do lado errado dessa guerra."

Silêncio. Eu me pergunto se um combate vai ter início bem ali, naquele exato momento. O homem mais velho interrompeu os mais jovens, para começar, e, para piorar, o que ele está dizendo é considerado traição. Entretanto, tal como Sherazade, que driblava a morte ao contar histórias irresistíveis, o solitário homem move sua caneca de café na nossa direção e começa a falar:

Na Segunda Guerra Mundial, eu estava na Indochina — era assim que o Vietnã era chamado na época —, e eu não apenas me encontrei com Ho Chi Minh, eu o conhecia. Nós estávamos lutando contra os japoneses, e ele também. Nós éramos aliados. Além disso, nós o considerávamos um herói, porque os guerrilheiros dele resgataram pilotos norte-americanos que caíram nas florestas, abatidos pelos japoneses. Ho passava tanto tempo com os norte-americanos que, às vezes, seus próprios homens só o reconheciam por causa do maço de Camel no bolso da camisa. Além disso, ele adorava o presidente Roosevelt por ter irritado Churchill ao dizer que o colonialismo tinha que acabar depois da guerra. Ho até sabia a nossa Declaração da Independência de cor — foi o modelo dele para mandar os colonizadores franceses para casa.

Porém, depois que Roosevelt morreu, tudo mudou. Truman traiu Ho Chi Minh ao apoiar os franceses — do contrário, a França não se juntaria à OTAN. Mas nós também não fizemos uma revolução para nos livrarmos dos britânicos? Não lutamos em uma guerra civil para impedir que o nosso país fosse dividido em norte e sul? Bom, é isso que Ho Chi Minh está fazendo agora — e nós estamos do lado errado.

Faz-se silêncio. Não sei dizer se os três jovens acham que isso é verdade ou uma traição, mas eles colocam dinheiro no balcão e vão embora. Eu me aproximo para falar com esse homem, que agora considero o Profeta da Lanchonete. Ele é o primeiro norte-americano que eu ouvi dizer o que aprendi muito tempo antes, quando estudava na Índia: que Ho Chi Minh só queria a independência do país dele e faria dele um tampão contra a China — o oposto da crença norte-americana de que a vitória de Ho Chi Minh teria um "efeito dominó", empurrando outros países asiáticos na direção da China.

Correndo o risco de parecer insana, explico ao Profeta que li a poesia de Ho Chi Minh e que ele não me pareceu obcecado pelo poder. Isso é parte do motivo por que mantenho um cartaz em meu quadro de avisos:

ALIENAÇÃO É QUANDO O SEU PAÍS ESTÁ EM GUERRA
E VOCÊ TORCE PARA QUE O OUTRO LADO VENÇA.

Ele ri e diz que foi ao Departamento de Estado para lembrá-los de que Ho Chi Minh um dia fora um aliado — e poderia ser de novo. Outros veteranos fizeram a mesma coisa, incluindo um médico aposentado da Agência de Serviços Estratégicos que tratara Ho Chi Minh quando este teve malária. Alguns inclusive se ofereceram para ser mediadores e ajudar a reunir os Estados Unidos e Ho Chi Minh para uma conversa. Até onde o Profeta sabe, porém, todos foram dispensados.

Quando descobre que sou uma escritora de Nova York, ele diz que eu devo escrever sobre Ho Chi Minh, que morou em Nova York e amava a cidade. É algo pessoal, que pode humanizá-lo. Prometo tentar, mas não tenho muita esperança no meio de uma guerra.

Eu faço uma pesquisa. De fato, Ho Chi Minh certa vez foi camareiro em um cargueiro francês. Historiadores acreditam que ele deixou esse emprego para ficar um tempo em Manhattan, no Brooklyn ou talvez também em Boston. Isso foi entre 1912 e 1918, uma época em que Trotski e muitos outros revolucionários foram para os Estados Unidos. Embora os Estados Unidos fossem o país do racismo e do capitalismo, também foram palco da mais bem-sucedida revolução anticolonial. Diz-se que Ho Chi Minh trabalhara como chef confeiteiro, talvez fotógrafo, como mais tarde fez em Paris, mas, acima de tudo, continuou a escrever e fazer campanha pela independência de seu país.

No fim da Primeira Guerra Mundial, Ho Chi Minh se tornara um reconhecido líder na luta pela independência de seu país. Isso o tornara um criminoso aos olhos dos franceses, que o condenaram à morte à revelia. Ele tinha tantos nomes falsos que, quando finalmente se tornou o líder do Vietnã do Norte, os franceses o reconheceram em uma foto apenas por causa das orelhas. Ainda assim, em 1919, vestiu um terno alugado e um chapéu-coco, foi à Conferência de Paz em Versalhes e entregou ao presidente Woodrow Wilson uma petição pela independência da Indochina, baseada na nossa própria Declaração de Independência. Não houve resposta. Depois da Segunda Guerra Mundial, ele entregou outra petição ao presidente Truman. Ainda assim, não houve resposta.

Para a primeira edição da revista *New York*, escrevo um artigo intitulado "Ho Chi Minh em Nova York". Clay Felker, o editor fundador da revista, aceita o artigo apenas pelo potencial polêmico. Afinal, Ho Chi Minh é o líder inimigo de uma guerra em andamento que está dividindo o nosso próprio país.

Em um esforço para verificar os fatos, envio um telegrama a Ho Chi Minh. Isso é surrealismo por si só. A operadora da Western Union pergunta: "Você tem um endereço em Hanói, querida?"

Por fim, ela concorda que "Palácio Presidencial" provavelmente é informação suficiente, "com a guerra e tudo mais". Acho que nós duas visualizamos aquele telegrama em nossos arquivos no FBI.

Não recebo resposta, mas graças a uma generosa funcionária do consulado francês, confirmo que o cargueiro francês no qual Ho Chi Minh trabalhou de fato atracou em Nova York. Apesar dos seus diferentes pseudônimos revolucionários, encontro uma referência aos dois anos durante os quais ele viveu em Nova York, mais ou menos na época da Primeira Guerra Mundial. Também converso com o jornalista David Schoenbrun, que entrevistou Ho Chi Minh durante a Segunda Guerra Mundial e o ouviu falar com conhecimento e carinho sobre a cidade de Nova York. Outros jornalistas norte-americanos que o conheceram mais tarde em Hanói dizem que ele costumava terminar suas entrevistas perguntando nostalgicamente: "Digam-me, como anda Nova York?"

Até encontro uma foto dele no que supostamente seria o Harlem, embora o bairro negro da época fosse o distrito de Sugar Hill, acima da rua 145. Lá, Marcus Garvey discursava sobre o orgulho negro e o anticolonialismo, e líderes da Ásia, da África e do Haiti iam ouvir. Havia tantos movimentos de independência em atividade no início dos anos 1900, que os tabloides de Nova York veiculavam reportagens temerosas sobre a "Ameaça Amarela" da Ásia se unindo à "Ameaça Negra" da África para tomar o planeta. O jovem Ho Chi Minh daqueles dias é descrito na clássica biografia de Jean Lacouture como esbelto e sem barba, usando um terno escuro, uma camisa de gola alta e "um pequeno chapéu empoleirado no topo da cabeça, parecendo delicado e inseguro, um pouco perdido, um pouco maltratado, como Chaplin em seu momento mais comovente". Quando passo por prédios antigos de Nova York que ele pode ter visto, tento imaginá-lo olhando para eles também.

Por causa do caos de última hora e dos problemas de impressão da primeira edição da *New York*, dois terços do meu artigo são cortados. Fica tão compactado que os leitores terão que acrescentar água a ele.[6] Mesmo assim, espero que o Profeta da Lanchonete o leia.

Agora, enquanto escrevo isto, quase quatro décadas depois, Ho Chi Minh, que não possuiu nada em vida além de uma máquina de escrever, permanece o único líder que derrotou os Estados Unidos em uma guerra. Jogamos mais bombas no Vietnã do que em toda a Europa durante a Segunda Guerra Mundial. Cerca de sessenta mil combatentes norte-americanos morreram, o dobro de soldados vietnamitas morreu, e quase dois milhões de civis do Norte e do Sul do Vietnã perderam a vida. Tanto nos Estados Unidos quanto em um Vietnã agora independente, unificado e próspero, para onde turistas viajam, ainda há famílias devastadas, veteranos traumatizados, produtos químicos no solo — e muito mais. Quando visitei a Coreia do Sul neste novo milênio, as manchetes dos jornais protestavam contra o Agente Laranja, armazenado debaixo da terra pelos Estados Unidos em sua tentativa de desflorestar o Vietnã do Norte. Agora ele estava vazando e envenenando o lençol freático.

De acordo com a sabedoria do Território Indígena, no meu próprio continente, são necessárias quatro gerações para curar um ato de violência. E se os norte-americanos tivessem ouvido o Profeta da Lanchonete?

VI.

EM 1978, O PADRE HARVEY EGAN, CLÉRIGO DA IGREJA CATÓLICA Santa Joana D'Arc, em Minneapolis, me convida para me juntar a ele em uma manhã de domingo e fazer a homilia e o sermão para a sua congregação. Isso não é tão surreal quanto parece. Ele já havia convidado outros leigos, de líderes sindicais a ativistas pela paz, e pelo menos uma mulher, Maggie Kuhn, fundadora do Gray Panthers.* Ele também abre as portas da sua congregação para gays e lésbicas, apoia movimentos pacifistas dos Estados Unidos até a América Latina, e de modo geral se comporta de uma forma que ele e muitos outros católicos acreditam que corresponde ao que Jesus tinha em mente. Embora seja apenas uma coincidência que a igreja dele leve o nome de uma mulher que foi queimada em uma fogueira por ser uma herege que usava roupas masculinas (e não por ser uma bruxa, como Hollywood nos contou),

---

* Gray Panthers (Panteras Grisalhas) é uma organização que luta contra a discriminação por idade e por direitos ligados a questões de envelhecimento. (*N. da E.*)

acho que o padre Egan fica satisfeito por convidar alguém que também é considerada uma herege de calça jeans. Ele reza por conta própria para a Deusa-Mãe para compensar pelos séculos de padres católicos que rezam apenas para o Deus-Pai.

Não preciso dizer que o padre Egan não é muito bem visto na hierarquia católica, mas ele tem a maior congregação católica do estado. As pessoas querem voltar para a igreja de sua infância sem ter que deixar os seus eus adultos para trás. "Existem duas igrejas", como Cesar Chavez, líder dos trabalhadores rurais, sempre dizia, "uma das edificações e outra das pessoas".

A igreja do padre Egan é definitivamente das pessoas. Elas o adoram; o senhorio dele é que é o problema.

Eu me preocupo em trazer ainda mais problemas para ele, uma vez que sou muito mais pagã do que monoteísta, mas paganismo significa simplesmente natureza, e o padre Egan também acredita que Deus está presente em todas as coisas vivas. Uma vez que a maioria dos norte-americanos católicos vive, vota e age como o restante do país mais do que como o Vaticano, suponho que o padre Egan saiba o que está fazendo. E decido aceitar.

Quando chego no domingo combinado, fica claro que os grupos de direita de Minnesota andaram fazendo hora extra. Carros trafegam em volta da Santa Joana D'Arc com enormes fotos de fetos montadas no teto e caixas de som berram: "Gloria Steinem é uma assassina, Gloria Steinem é uma assassina de bebês."[7] Há policiais para manter os manifestantes a uma distância determinada por lei, mas não é uma cena pacífica. Também é uma cena familiar, depois de anos enfrentando protestos. A repetição é capaz de desfazer o surrealismo de qualquer coisa.

Do lado de dentro, o padre Egan me diz para não me preocupar, pois a resposta positiva foi esmagadora. Há uma lista de espera, mesmo depois que ele dobrou a capacidade da sua enorme igreja ao decidir realizar duas missas. A notícia de que vou ter que falar duas vezes me deixa mais nervosa do que a presença dos manifestantes.

Enquanto aguardo sozinha no espaço cavernoso, o medo de subir ao palco toma conta de mim. O púlpito de uma igreja católica não é um lugar em que esperei estar um dia. Meu coração acelera, minha boca fica seca, me esqueço de tudo que ia dizer e desejo estar em qualquer outro lugar, menos ali. O padre Egan termina de me apresentar, ergue os braços de forma que suas vestes se abrem como as asas de uma borboleta, e diz, com um sorriso travesso: "Glória a Deus por Gloria!"

A congregação explode em riso — e eu também. De repente, me sinto bem. Rir é uma libertação.

Não vou falar sobre a posição da Igreja Católica em relação ao aborto. A maioria das pessoas ali têm suas próprias convicções, e graças a sinceros historiadores jesuítas e aos Católicos pela Liberdade de Escolha (agora chamados Católicos pela Escolha), eles podem muito bem saber que a Igreja Católica não só não era contra o aborto, como na verdade o regulava até meados do século XIX. O aborto foi transformado em um pecado mortal basicamente por razões populacionais.[8] Napoleão III queria mais soldados, e o papa Pio IX queria todos os cargos educacionais nas escolas francesas — além da doutrina da infalibilidade papal —, então eles fizeram um acordo. Além disso, o catolicismo não está sozinho dentre as religiões patriarcais no que se refere a controlar o corpo das mulheres. O patriarcado evoluiu de forma a dar aos homens o controle sobre o corpo das mulheres e sobre a reprodução. Parece mais promissor falar sobre o que veio *antes* do patriarcado — e que poderia nos mostrar um caminho para além dele.

Por isso, falo sobre as culturas originais que viam a presença de deus em todas as coisas vivas — incluindo a mulher. Apenas no período que vai dos últimos quinhentos aos últimos cinco mil anos — dependendo de onde vivemos no mundo —, a divindade foi retirada da natureza, retirada das fêmeas e retirada de determinadas raças de homens, tudo de forma a permitir a dominação da natureza, das fêmeas e de determinadas raças de homens. Embora as culturas e religiões patriarcais tenham feito com que a hierarquia parecesse inevitável, durante cerca de 95%

da história, os humanos estavam mais inclinados a encarar o círculo como o nosso paradigma natural. Na verdade, milhões ainda o fazem, de nativos norte-americanos tradicionais a culturas originais ao redor do mundo. O simples direito à liberdade reprodutiva — à sexualidade como uma expressão que é separável da reprodução — é algo básico para restabelecer o poder das mulheres, o equilíbrio entre homens e mulheres e um equilíbrio entre os seres humanos e a natureza. Assim, quando o padre Egan reza para um deus feminino bem como para um deus masculino — e convida tanto mulheres quanto homens para falarem no púlpito da igreja —, ele está dando um passo no sentido de restaurar o equilíbrio original.

Minha homilia parece ir muito bem. As pessoas concordam com a cabeça diante da ideia de que, quando Deus é retratado apenas como um homem branco, apenas homens brancos parecem divinos. Eles riem da ideia de que padres vestindo saias tentam triunfar sobre o poder de dar à luz das mulheres ao realizar o batismo com uma imitação do líquido do nascimento, dizendo que renascemos e superando as mulheres ao prometer a vida eterna. De fato, conceitos elaborados de Céu e Inferno não pareciam existir antes do patriarcado; uma pessoa apenas se juntava aos seus ancestrais ou continuava a reencarnar até que tivesse aprendido o suficiente. Há uma risada do reconhecimento.

No geral, percebo curiosidade e abertura, e não hostilidade e oposição. Enquanto as pessoas vão embora, há uma longa fila para apertar as mãos, fazer comentários e agradecer — até mesmo para abençoar — o padre Egan e a mim. Ele me pede para chamá-lo de Harvey. Acho que nós dois nos sentimos conectados por essa experiência de oposição e apoio.

Do lado de fora, os carros com fotos de fetos ainda estão circulando, e os megafones ainda estão gritando à toda. Em Minnesota fica o Centro da Vida Humana, um *think tank* chefiado por um padre deliciosamente chamado Marx, que com frequência alerta para o fato de que "o mundo ocidental branco está cometendo suicídio por meio do aborto e da contracepção". O uso que ele faz de "ocidental branco" é um grande indicativo das razões para preservar o patriarcado e controlar a reprodução. Mesmo assim, os paroquianos que saem da Santa Joana D'Arc não parecem alarmados. Não é o primeiro atrito deles com os extremistas locais. Eu e Harvey sentimos que escapamos por pouco.

Alguns dias depois, em Nova York, ouço a notícia de que o arcebispo John Roach, o superior de Harvey na hierarquia católica, repreendeu o padre Egan e se desculpou em público por ele. Isso se torna uma questão importante. A mídia toda está falando disso, das primeiras páginas dos jornais de Minnesota às redes de televisão nacionais.

A próxima vez que vejo Harvey é dois dias depois — na tela de uma televisão. Ele é apenas um rosto sendo entrevistado em um estúdio de Minneapolis pelo telejornal *CBS Morning News*. Eu estou em um estúdio em Washington, D.C. Nem nossos entrevistadores nem o arcebispo que nos repreendeu citam algo do que eu falei, tampouco uma reclamação dos párocos. A controvérsia é inteiramente direcionada para o fato de eu ter sido convidada a fazer uma homilia.

Fico preocupada por ter prejudicado Harvey, mas, quando telefono para ele, ele parece estar como sempre é: gentil e impenitente. Dali em diante, explica, ele só poderá convidar para falar pessoas que constem de uma lista de nomes pré-aprovados pela arquidiocese. Mais tarde, leio a resposta dele a um repórter: "Até agora, eles encontraram Mickey Mouse, O Pequeno Lorde, Pedro Coelho e Lawrence Welk."* Eu dou uma risada — e paro de me preocupar.

Então, algumas semanas depois, estou no meu apartamento, entre duas viagens, sentada calmamente com meu gato no colo, bebendo meu café matinal e pego o *The New York Times*. Sobre a dobra da primeira página, um lugar geralmente reservado a guerras e eleições presidenciais, está a seguinte manchete:

---

* O Pequeno Lorde é personagem do livro *Little Lord Fauntleroy*, da autora anglo--americana Frances Hodgson Burnett, publicado em 1886; Pedro Coelho é personagem de vários livros infantis da autora inglesa Beatrix Potter; Lawrence Welk (1903-1922) foi um músico e empresário da televisão norte-americano. (*N. da E.*)

O PAPA PROÍBE HOMILIAS FEITAS POR LEIGOS

Nada na minha vida tinha me preparado para a sensação de ser diretamente censurada pelo papa. Eu tento não me dar tanta importância — afinal, muitos leigos já fizeram a homilia; talvez eu esteja apenas sendo paranoica — e telefono para um repórter que cobre o Vaticano. Ele me diz que, no mínimo, eu e o padre Egan fornecemos o que se conhece na imprensa, e talvez também no Vaticano, como *news peg*, um aspecto ou ângulo da notícia que faz com que ela se torne relevante.

Depois disso, Harvey está quase sempre presente quando visito Minneapolis. Ele aparece porque nós realmente gostamos um do outro, e eu acho que também porque ele está me protegendo. Seja uma palestra em um campus, um evento beneficente da Associação de Jovens Mulheres Cristãs ou um comício, lá está ele, de longe, sorrindo com bondade, amizade e o entusiasmo que é a sua marca. Embora a controvérsia nunca termine de fato, ele não se deixa abater por causa disso.

Ele também contorna a proibição do papa, renomeando a homilia como "apresentação dominical" e convidando para falar pessoas leigas que sua congregação admira. Permanece firme em seu apoio público às "mulheres e sua participação na liturgia", aos métodos anticoncepcionais artificiais, ao direito à objeção de consciência, que de fato existe dentro do catolicismo, e aos movimentos pela paz e pela justiça ao redor do mundo. Mesmo longe de Minnesota, católicos me dizem que ele representa a esperança em meio à hierarquia.

Quando Harvey se aposenta, em 1986, a Santa Joana D'Arc ainda é a igreja católica mais popular no estado dele e em muitos outros, com cerca de mil pessoas presentes em cada missa. O padre Egan continua a escrever sobre tudo, da injustiça das guerras atuais ao passado e futuro do misticismo católico. No *Catholic Reporter*, ele publica um artigo intitulado "Celibato, uma velha cruz indefinida nas costas eclesiásticas" e explica que isso começou "apenas em 1139, quando a igreja não queria mais se responsabilizar financeiramente pelos filhos dos padres". Ele é contra a chamada Emenda da Vida Humana à Constituição dos Estados Unidos, mesmo que os bispos católicos a defendam. "A proibição foi um desastre", Harvey explica, e nós não deveríamos estar pressionando por "outra emenda constitucional baseada em uma convicção moral".

Em 2006, aos 91 anos, a vida singular de Harvey chega ao fim. Faz 28 anos desde que ele me convidou para fazer a homilia, mas toda vez que vou a Minneapolis, tenho a sensação de que ele está em cada esquina. Sinto falta dele.

Em sua memória, tento ser tão corajosa e ousada quanto ele era. Eu acrescento aos discursos algo que eu aprendi com os historiadores da arquitetura religiosa, mas deixei de fora da minha homilia: que a forma de muitos prédios religiosos patriarcais lembra o corpo de uma mulher. Pense: há uma entrada exterior e uma interior (grandes lábios, pequenos lábios), com um vestíbulo entre elas (um termo anatômico e arquitetônico) e um corredor vaginal que passa pelo centro da igreja e vai até o altar (o útero), com duas estruturas curvas (ovários), uma em cada lado. O altar ou o útero é onde todos os padres homens conferem a vida eterna — e quem pode provar que eles não o fazem?

Esse surrealismo do patriarcado continua após a morte de Harvey. Em 2012, o Vaticano anuncia uma investigação — não do abuso sexual infantil cometido por padres, que foi exposto como algo epidêmico, mas da Conferência das Superioras Religiosas dos Estados Unidos, um grupo que representa 80% das freiras da América do Norte. Elas são acusadas de demandar melhores posições de tomada de decisão na igreja para si mesmas e para as mulheres em geral, de "terem se mantido em silêncio" em relação à homossexualidade e ao aborto, de passarem tempo demais combatendo a pobreza e a injustiça, de promoverem "temas feministas radicais incompatíveis com a fé católica" e de apoiarem a reforma no sistema de saúde proposta pelo presidente Obama, que inclui o controle da natalidade. De fato, o sucesso do projeto de lei referente à reforma do sistema de saúde parece ter sido a gota d'água. Alguns membros do Congresso citaram o apoio das freiras ao projeto de lei como o que os encorajou a votar contra a Conferência dos Bispos Católicos dos Estados Unidos, a principal força de oposição ao projeto de lei. A investigação do Vaticano declarou que os bispos "são os autênticos professores da fé e da moral da Igreja". Como diz a Bíblia, "a rebelião é como o pecado da feitiçaria".

Até eu fico surpresa ao perceber quão literal isso é. O nome do corpo do Vaticano que investiga as freiras é Congregação para a Doutrina da Fé, o mesmo corpo que conduziu a Inquisição, que ficou conhecida como o Holocausto das Mulheres, porque um total de cerca de oito milhões de curandeiras e líderes mulheres da Europa pré-cristã foram mortas por tortura e queimadas em fogueiras ao longo de mais de quinhentos anos. Um dos principais pecados delas era passar adiante o conhecimento sobre ervas e abortivos que permitiam às mulheres decidir se e quando dar à luz.

Depois de um período de choque e discussões, a Conferência das Superioras Religiosas dos Estados Unidos divulga uma declaração. Ela condena "acusações infundadas", se coloca à disposição para ir ao Vaticano dialogar e observa que, apenas por seguirem os ensinamentos de Jesus, muitos na igreja também poderiam ser chamados de "feministas radicais". Além disso, algumas das freiras organizam seu ato de rebelião e o levam para a estrada. Elas começam a viajar pelo país para denunciar a pobreza e a injustiça e passam a ser conhecidas como as Freiras do Ônibus. Eu começo a ver homens e mulheres de todos os tipos vestindo camisetas com a frase: SOMOS TODOS FREIRAS AGORA!

Se Harvey fosse vivo, ele também estaria usando uma.

ALGUNS ANOS DEPOIS, ESTOU esperando por um amigo em uma rua bloqueada pela neve em Minneapolis. Um garoto magricela, de doze ou treze anos, com uma mochila quase tão grande quanto ele, está parado perto de mim. Percebo que ele está tentando reunir coragem para dizer algo, então digo olá. Atropelando as palavras, ele diz que sabe que eu estive na Santa Joana D'Arc, que é a igreja que a família dele frequenta, que ele faz parte de um grupo chamado Despertando o Sonhador, que está tentando ajudar tribos indígenas a salvar as florestas tropicais. Ele quer ir para a América Latina um dia, assim como o padre Egan foi.

Olho para aquele menino que ainda não tinha nascido na época em que falei lá — talvez os pais dele ainda não fossem nascidos naquela época também — e pergunto como ele conhece a mim e ao padre Egan. Ele diz que leu tudo sobre nós no website da Santa Joana D'Arc. Eu me dou conta de que são novos tempos.

A família dele é de refugiados hmong do Laos, dentre as primeiras pessoas obrigadas a emigrar por causa da Guerra do Vietnã. Embora seu passado imigratório seja majoritariamente loiro e escandinavo, Minneapolis agora é a cidade norte-americana com a maior população hmong. De fato, li que uma mulher hmong acabara de ser eleita para a câmara municipal.

Pergunto a ele por que se importa tanto com algo que aconteceu há tanto tempo. Ele diz que é tímido, que seus pais têm dificuldades com o inglês, que ele está tentando ajudá-los e também se defender na escola. Ele leu no website da igreja que eu fui a oradora que mais gerou protestos na Santa Joana D'Arc, e ele quer defender a família dele.

Eu digo que ele acabou de conseguir esse poder. Agora, ninguém poderá tirar isso dele. Também digo a ele que a floresta tropical é linda, como no lugar de onde a família dele vem, que o Padre Egan ficaria orgulhoso dele e que eu estou orgulhosa dele também. O primeiro passo para defender os outros é defender a si mesmo.

Enquanto o observo se afastar, caminhando com dificuldade na neve, penso pela milionésima vez: *Nunca se sabe*.

VII.

*Segredos**

Este capítulo é, ele mesmo, uma espécie de segredo. Quando estava finalizando a edição original deste livro, devido aos prazos, acabei deixando de fora algumas experiências que não tinham se apresentado de maneira muito fácil na estrada. Por razões positivas ou negativas, elas precisavam permanecer sigilosas para sobreviverem. Era parte do seu mistério que elas passassem diretamente de invisíveis a inevitáveis.

Alguns segredos ficaram escondidos pela vastidão e pelas barreiras do território. Em Louisiana, nos anos 1970, por exemplo, afro-americanos que trabalhavam nas plantações de cana-de-açúcar ainda cortavam cana nos campos como nos tempos da escravidão e ainda viviam em casebres sem água encanada e sem privacidade, de propriedade das mesmas famílias brancas que estavam lá desde a Guerra Civil. Esforços de fora para tentar ajudá-los a se organizar não tinham feito diferença. Até

---

* Capítulo traduzido por Marina Vargas.

mesmo quando o programa *60 Minutes*, da CBS, foi filmar esse mundo secreto para uma reportagem intitulada "Behind the Cane Curtain" [Por trás da cortina de cana], a única trabalhadora que se pronunciou foi alvo da desaprovação dos próprios colegas de trabalho. Eles temiam que as coisas ficassem ainda piores.

As duas mulheres, uma organizadora rural do programa nacional Voluntários a Serviço da América e uma freira de uma ordem francesa dedicada a servir os pobres, entendiam que esses trabalhadores, como as mulheres vítimas de violência, não podiam se rebelar enquanto ainda estivessem morando na propriedade de seus patrões. Então as mulheres pediram doações de terras e ajudaram as famílias a construir casas, o que também significou que os trabalhadores aprenderam a assentar tijolos e fazer instalações elétricas e hidráulicas. Em 1980, quando escrevi um artigo para a revista *Ms.*, muitos dos trabalhadores das plantações de cana-de-açúcar tinham encontrado uma voz coletiva e fundado a Southern Mutual Help Association (SMHA).[1] Eles até mesmo insistiram que as mulheres, que faziam os trabalhos manuais mais mal remunerados, deviam poder realizar o trabalho mecanizado das fazendas, operando ceifadeiras e tratores. Uma das mulheres tinha tanto orgulho do seu trator que o levava com ela todas as noites e o estacionava ao lado da casa, que era apenas um pouco maior do que o trator.

Quando voltei lá, uma década mais tarde, a SMHA tinha um pequeno escritório que era um centro de artes, música e folclore local. Depois que os furacões consecutivos Katrina e Rita devastaram grande parte do estado da Louisiana, em 2005, esse grupo de apoio restaurou mais de mil casas, estabelecimentos comerciais e igrejas da região, ouvindo, aprendendo, limitando a burocracia a um mínimo e trabalhando em cooperativas. Em minha última visita, em 2015, o grupo tinha ajudado a manter pescadores tradicionais em atividade, apesar de todo o dano causado pelos furacões ao longo da costa, e tinha se tornado um produtor comunitário tão importante que organizadores rurais de outros estados e até mesmo de outros países os visitavam para aprender a arte de empoderar os desamparados de baixo para cima.

Outros segredos, contudo, estavam escondidos bem à vista nas cidades. Quando estive em Salt Lake City nos anos 1990, por exemplo, um novo templo mórmon tinha acabado de ser construído em um subúrbio próximo. Como a entrada de não mórmons não seria permitida uma vez que o templo tivesse sido dedicado e estivesse em uso, aquela era uma rara oportunidade. Com um guia oficial, entrei no grande foyer de mármore e notei telas de televisão embutidas nas paredes. Meu guia explicou que cada membro teria um Cartão de Recomendação do Templo, que seria parecido com um cartão de crédito e, quando fosse inserido, uma tela mostraria se ele ou ela tinha pagado o dízimo, se tinha comparecido às reuniões semanais e se, portanto, estava com um bom crédito e tinha permissão para entrar. Logo *todos* os templos mórmons seriam automatizados, ele acrescentou, orgulhoso. Enquanto adentrávamos o templo, passamos por locais privados onde os membros vestiriam os trajes completamente brancos usados durante as cerimônias. Então, no centro de um grande espaço aberto, havia uma enorme pia batismal onde, como meu guia explicou, até mesmo os mortos, independentemente de terem sido mórmons em vida, podiam ser convertidos por procuração, tornando-se assim aptos a entrarem no primeiro dos três níveis do Paraíso.

Por fim, ele me conduziu a uma série de Salas de Selamento, cada uma com fileiras de cadeiras douradas voltadas para uma tela de cinema. Ali, ele explicou, as crianças seriam "seladas" a seus pais pela eternidade, assim como as esposas aos seus maridos; caso contrário, não estariam aptas a adentrarem o Paraíso. Havia Salas Celestiais e Salas de Ordenanças similares para níveis mais altos de instrução secreta. Quando eu disse que estava surpresa por não ver nenhum espaço central onde a congregação pudesse se reunir, como em uma catedral, igreja ou mesquita, ele me explicou que não havia necessidade; a instrução funciona melhor com grupos menores. Talvez nos antigos templos mórmons houvesse pouco espaço, acrescentou ele, mas aquelas salas privadas e automatizadas eram a onda do futuro.

Desde então, quando olho para os pináculos de contos de fadas dos templos mórmons em Los Angeles, Washington, D.C., e em outras grandes cidades do mundo, imagino uma colmeia de espaços isolados do lado de dentro e um povo ao mesmo tempo unido e dividido por segredos.

Isso e mistérios de outras religiões têm me levado a refletir se segredos são a diferença entre religião e espiritualidade. Na religião, deus é um segredo escondido em algumas pessoas e em alguns lugares, mas não em outros. Na espiritualidade, deus se revela em todas as coisas vivas.

Outros segredos dizem respeito não à crença, mas à segurança. Eu estava na faculdade, em 1955, quando um grupo de mulheres corajosas fundou o Daughters of Bilitis, o primeiro grupo a lutar pelos direitos civis e políticos das lésbicas nos Estados Unidos. Ir a público dessa maneira exigiu coragem. A homossexualidade ainda era criminalizada por algumas leis que nem sempre eram aplicadas, mas poderiam ser. Mesmo na década de 1980, bares animados frequentados por lésbicas, como o Bonnie & Clyde, o melhor lugar para dançar em Manhattan, fingiam ser bares como quaisquer outros ou pagavam por proteção policial. Muitas lésbicas tinham sobrevivido a tudo, desde o exílio da família até a teoria freudiana, de permanecer dentro do armário para preservar o emprego a se assumir e perder a guarda dos próprios filhos. Além de sofrerem a violência dirigida às mulheres em geral, elas enfrentavam o perigo extra de serem estupradas como punição, ou como uma "conversão" à heterossexualidade. Nenhuma lésbica estava completamente segura, mas, para aquelas que não tinham famílias tradicionais, comunidades secretas podiam significar mais segurança e uma família escolhida.

Na estrada, conheci casais viajando em trailers e descobri que um grupo nacional de viajantes chamado RV Women fornecia locais para acampamento e comunidade. Havia outras reuniões maiores e sazonais — a mais famosa delas era o Michigan Womyn's Music Festival. De 1976 a 2015, milhares de mulheres e meninas, lésbicas ou não, iam por parte de agosto ou pelo mês inteiro acampar em hectares de floresta do estado do Michigan livres de homens, onde tinham experiências com grupos musicais, artes visuais e esportes com segurança e liberdade. Outros segredos eram pequenos mas permanentes, como as casas de repouso para lésbicas na Flórida, ou a Last Perch, criação de um casal californiano cuja visão ia desde o envelhecimento até o cuidado de doentes terminais.

Em 2001 descobri um estacionamento de trailers apenas para mulheres perto de Tucson, no Arizona. Depois de entrar por um portão duplo com um código de segurança que mudava diariamente, eu me vi em ruas batizadas em homenagem a personagens históricas admiradas. De repente eu podia me imaginar vivendo na esquina de Emma Goldman com Gertrude Stein, ou seguindo por Dorothy Height até Eleanor Roosevelt. No centro das fileiras ordenadas de trailers, ficava uma sede onde as mulheres podiam se reunir para fazer de tudo, de clubes do livro a jogos valendo dinheiro.

Hoje o sigilo se tornou menos necessário no que diz respeito à segurança e, pelo menos em algumas partes do país, casais de lésbicas e seus filhos são tratados como as outras famílias. Na internet é possível encontrar resorts e casas de repouso LGBTQ para uma comunidade maior de homens gays, lésbicas, bissexuais e pessoas transgêneras.

Ainda assim, quer tenhamos nascido mulheres quer nos tornemos mulheres, muitas de nós ainda encontram mais segurança na companhia umas das outras do que na companhia de homens, e mais segurança do que os homens encontram na companhia uns dos outros.

Enquanto houver perigo, haverá segredos.

Porém, acima de tudo, devo a minha descoberta do poder do segredo aos trabalhadores rurais imigrantes. Sem eles, eu ainda acreditaria que o que via dos Estados Unidos através da janela do carro do meu pai — ou vejo agora nos meus próprios caminhos de andança — era tudo que havia para ver.

I.

FIM DA DÉCADA DE 1960. AMEDRONTADA E CONFUSA, SOU UMA voluntária indo de avião para a Califórnia a pedido de Cesar Chavez, um homem que não conheço. Seu sindicato incipiente está tentando aumentar o salário de todos os trabalhadores rurais, mas os produtores se recusam até mesmo a conversar, e Cesar convocou o apoio público pedindo um boicote dos consumidores às uvas. Em retaliação, o agronegócio está usando imigrantes mexicanos para furar a greve, e Cesar organizou marchas de protesto dos dois lados da fronteira. Trabalhadores rurais do México e da Califórnia vão se reunir em uma grande manifestação em Calexico, uma cidade cujo nome é uma mistura dos dois países, e declarar que os pobres de um país não vão mais ser usados contra os pobres do outro.

O problema é a cobertura da imprensa. Horas de carro de qualquer um dos aeroportos próximos, além do calor acima de quarenta graus do deserto, desencorajaram qualquer interesse da mídia. Esse evento histórico é como uma árvore caindo na floresta sem ninguém para ouvir. Não tenho ideia do que fazer a respeito, mas, quando Cesar diz com sua fala mansa, mas urgente, que você precisa estar em algum lugar, você tem que estar lá.

No aeroporto de Los Angeles, sou recebida por um membro do sindicato em seu carro velho, e dirigimos noite adentro para nos encontrarmos com os manifestantes. A distância, em uma estrada asfaltada que se estende como uma fita pelo deserto, finalmente vejo centenas de trabalhadores e suas famílias. Eles estão carregando uma imagem oscilante de Nossa Senhora de Guadalupe em um palanquim, com suas bandeiras ondulando ao vento quente como uma miragem.

Apenas apoiadores famosos vão atrair a mídia, mas Bobby Kennedy, o único líder político a apoiar a causa dos trabalhadores rurais, fora assassinado um ano antes por um atirador solitário. Então, de postos de gasolina e hotéis de beira de estrada ao longo da rota da marcha, telefono para celebridades em nome de Cesar. Diversas estrelas de cinema dizem não, com condescendência ou um profundo pesar. Assim como George Murphy, senador pela Califórnia; o que não me surpreende, já que uma vez ele declarou que os mexicanos eram trabalhadores rurais porque "eram muito baixos".

O primeiro a dizer sim é o reverendo Ralph Abernathy, o veterano dos direitos civis que marchou ao lado do falecido Martin Luther King, Jr. Pergunto se ele quer ficar hospedado com uma família de trabalhadores rurais, e ele fica em silêncio. Então, com uma voz carregada pela fadiga de longos anos de militância, ele diz que precisa de um quarto de hotel com ar-condicionado. Depois de mais alguns telefonemas, sou informada de que os senadores Walter Mondale, Ted Kennedy e John Tunney vão aparecer quando chegarmos à fronteira. Tudo isso finalmente faz com que alguns repórteres se interessem, embora eles me alertem que o calor extremo pode impedir as câmeras de televisão de funcionarem.

Quando as longas filas de manifestantes se aproximam de ambos os lados da fronteira, uma caminhonete com uma grande carroceria surge para servir de palco. Cesar sobe na carroceria para se dirigir a eles por meio de um megafone. Quando os dois grupos finalmente se encontram e se abraçam, sinto meus olhos ficarem marejados e em seguida secarem com o calor do deserto. O reverendo Abernathy e os senadores discursam para a multidão sobre a necessidade de um salário decente para todos os trabalhadores rurais. As câmeras filmam. O comício vira notícia em todo o país.

Quando chego em casa, em Nova York, um dia depois, até o meu motorista de táxi sabe a respeito da Marcha dos Pobres. Fico surpresa ao perceber o quanto aquilo é importante para mim. Há poucas recompensas melhores do que revelar um segredo que não deveria ser um segredo.

No entanto, em meio à pressa e à preocupação, usei meu novíssimo cartão American Express para pagar pela hospedagem de praticamente todo mundo. É um valor que não posso pagar do meu bolso. Eu me lembro da fadiga na voz do reverendo Abernathy e me dou conta de que sobreviver à militância em longo prazo significa dizer do que você precisa. Também descubro o estágio final da cobrança financeira quando um mensageiro vai até a minha casa e confisca o meu cartão.

Amigos ficam preocupados comigo, mas eu estou improvavelmente bem. Afinal, cobradores eram uma constante na minha infância. E me dou conta mais uma vez: *sou filha do meu pai*.

A ÚNICA RAZÃO POR que me juntei àquela marcha foi porque algumas semanas antes uma colega de faculdade tinha me perguntado se Marion Moses, uma enfermeira do sindicato de trabalhadores rurais, podia dormir no meu sofá. Marion estava indo a Nova York para organizar um boicote de consumidores — na verdade, com ordens de Cesar de interromper os carregamentos de uvas da Califórnia para toda a Costa Leste —, no entanto tinha apenas um pequeno orçamento para refeições e nenhum lugar para ficar. Aceitei. Eu não fazia ideia de que estava prestes a ser organizada — para a vida toda.

Fui contagiada de imediato pelo senso de urgência de Marion. Dois trabalhadores rurais do sindicato tinham sido "acidentalmente" atropelados nos campos, ela explicou, e dois xerifes locais da Califórnia tinham se recusado a investigar. Eu me vi ligando para eles, explicando que era jornalista e perguntando se os agentes federais já tinham chegado. É claro que não havia nenhum agente federal a caminho. Os agentes que tinham escoltado crianças negras nas escolas recém-dessegregadas no Sul tinham agido apenas sob as ordens do presidente Kennedy. Agora o presidente Nixon estava apoiando os produtores ao ordenar que toneladas de uvas fossem enviadas para as tropas no Vietnã. Ainda assim, Marion e eu tínhamos esperanças que de que a simples menção a agentes federais pudesse incentivar os xerifes a fazerem seu trabalho.

Não tivemos essa sorte. Recebi respostas como: "Não, isto aqui *ainda* não é um país comunista!"

Marion então perguntou se eu queria me juntar a ela no piquete que ia fazer em frente a um supermercado em Nova York onde uvas eram vendidas. Eu trabalhava como escritora e como voluntária em campanhas políticas, mas nunca tinha falado em público, muito menos gritado em um piquete. Eu me senti uma idiota. Tinha que explicar a nova-iorquinos céticos que não, eu não era uma trabalhadora rural, eu era uma consumidora que não queria comer alimentos que tivessem sido colhidos na pobreza. Enquanto distribuíamos panfletos sobre baixos salários, pesticidas perigosos e condições de trabalho insalubres nos campos, os empacotadores do supermercado foram enviados para nos assediar com provocações como "Querida, eu queria chupar as suas uvas!". Foi apenas quando Dolores Huerta, a principal negociadora de Cesar, foi para Nova York que eu vi que o piquete era uma arte, como o teatro de rua. Ela persuadia transeuntes circunspectos não apenas a parar e ouvir sua história, mas também a gritar conosco: *"Viva la huelga!* Viva a nossa greve!"

Logo, George Catalan, um velho trabalhador filipino da Califórnia, se juntou a nós. Ele tinha se voluntariado para ir a Nova York, com apoio do sindicato, porque não tinha família. Como gerações de homens jovens importados das Filipinas como trabalhadores imigrantes — e como gerações anteriores trazidas da China para trabalhar na construção de estradas de ferro —, ele não podia se casar com alguém que não fosse de sua raça por imposição das leis contra a miscigenação racial, mas não teve dinheiro suficiente para importar uma noiva. Ele estava dormindo em uma cama de lona no salão de um sindicato no Brooklyn, onde não havia cozinha, e queria cozinhar comida filipina para a equipe do boicote. Ele adorava cozinhar. Quando perguntou se podia usar a minha cozinha, eu o fiz rir ao explicar que tinha morado quatro anos ali antes de descobrir que o forno não funcionava. Logo ele estava fazendo grandes refeições no meu pequeno fogão.

Passou pela minha mente que eu tinha perdido primeiro um sofá e depois uma cozinha, mas Marion e eu estávamos ocupadas tentando encontrar jornalistas que simpatizassem com a causa. Só a mídia parecia capaz de atrair atenção para o boicote, assim como para as ameaças contra Cesar e seus trabalhadores, e transformar aquilo de uma questão sigilosa em um problema público. Meu editor na revista *Look* tinha rejeitado, muito tempo antes, uma reportagem sobre trabalhadores imigrantes, por medo de que os produtores de suco de laranja cancelassem seus anúncios. Em vez disso, propus uma entrevista com Cesar — apenas as palavras dele, sem fingir que era uma reportagem objetiva. Mais tarde, os produtores de suco de laranja de fato cancelaram os anúncios, o que contribuiu para o fim da revista, e também para que eu aprendesse sobre a influência não tão secreta dos anúncios.

Para angariar dinheiro e despertar a consciência pública, Marion e eu organizamos um evento beneficente no Carnegie Hall, com artistas e líderes políticos lendo em voz alta histórias da vida dos trabalhadores rurais. Em julho de 1969, a visibilidade do boicote à uva e as agitações contínuas na Califórnia colocaram Cesar na capa da revista *Time*.

Tínhamos percorrido um longo caminho, mas aquilo era apenas o prefácio de um segredo bem mais próximo de casa.

MITCH, UM JOVEM ORGANIZADOR afro-americano do Alabama, tem aprendido com os programas e os métodos tanto de Cesar quanto dos Panteras Negras. Ele me pergunta se eu quero conhecer um alojamento de trabalhadores imigrantes em Long Island, a apenas duas horas de onde moro. Caminhei muitas vezes pelas charmosas cidades litorâneas de Long Island, aproveitando suas extensas praias oceânicas e admirando as antigas mansões dos Hamptons que parecem saídas de um romance de F. Scott Fitzgerald. Não pensei nenhuma vez no que não estava vendo.

É fim de verão quando dirigimos por uma ponte e uma via expressa movimentadas saindo da cidade, atravessamos os subúrbios e então pegamos estradas asfaltadas, uma estrada de terra e, por fim, as estradinhas estreitas entre as fazendas perto de Riverhead. Sob o abrigo das árvores, vejo um grande e decrépito galpão com as portas abertas. Do lado de dentro, há fileiras de camas de ferro com colchões nus. Em um pátio de cimento perto do galpão, há um velho *jukebox* e uma pequena loja improvisada. É um dos muitos alojamentos nos quais os trabalhadores imigrantes vivem, explica Mitch. Comida, cerveja e vinho são mais caros ali do que na cidade, e cada música no *jukebox* custa um dólar. O pagamento é deduzido diretamente do salário para tudo, até mesmo para pagar o ônibus que leva os trabalhadores rurais para os trabalhos sazonais. É por isso que Mitch tem recolhido roupas usadas, roupa de cama e comida em sua comunidade.

Distribuímos tudo o que temos entre trabalhadores que Mitch conhece — a maioria homens solteiros do Sul e algumas famílias porto-riquenhas — sob os olhos atentos dos capatazes, que se inclinam em suas cadeiras a distância. Ele me explica que os trabalhadores imigrantes naquela região colhem de tudo, de legumes, frutas e ervas até flores, em um agronegócio de bilhões de dólares. Aquele alojamento se dedica a cultivar, lavar e ensacar as batatas pelas quais o estado de Long Island é famoso. Os trabalhadores sobem em caminhões ao amanhecer, trabalham o dia inteiro e são levados de volta de caminhão para o alojamento quando começa a escurecer. Sem dinheiro ou carro, eles não conhecem nenhum outro lugar na ilha, nenhum bar, igreja ou praia. É como se eles estivessem em um país estrangeiro.

Mais tarde, quando o velho George Catalan vê esses alojamentos, ele diz que são piores do que os barracões na Califórnia onde os nipo-americanos ficaram detidos por questões de segurança durante a Segunda Guerra Mundial e que agora abrigam trabalhadores rurais imigrantes. Acho que aqueles alojamentos também parecem piores do que os alojamentos de *As vinhas da ira*. Não há trabalhadores brancos nem chefes de gangues, e definitivamente nenhum papel para Henry Fonda.

Como minha mãe dizia, para algumas pessoas, a Depressão nunca chegou ao fim.

Depois de mais esforços de Mitch para distribuir comida e roupas doadas, ele é preso por estar no mesmo carro que uma arma, embora a arma não seja dele e o dono da arma não seja preso. Alguns dos policiais de Long Island foram recrutados no Sul Profundo. Eu pago a fiança dele, mas não fico surpresa quando, uma semana mais tarde, ele me liga do Canadá. Sei que ele vai ser o mesmo ativista lá que foi nos Estados Unidos, e vai viver uma vida boa, mas o país acaba de perder um grande coração.

Nunca mais vou acreditar que não pode haver segredos escondidos nos lugares que julgamos conhecer melhor.

NAS QUATRO DÉCADAS DEPOIS que Marion foi dormir no meu sofá, Cesar Chavez, Dolores Huerta e outros defensores da causa despertam a consciência nacional e elevam os padrões de trabalho locais. Eles gradualmente fazem com que o sofrimento dos trabalhadores rurais imigrantes deixe de ser um segredo. Por outro lado, a hostilidade em relação aos trabalhadores ilegais continua a crescer conforme seu número aumenta, e conforme eles se deslocam para estados mais para o Sul e para o Meio-Oeste do país a fim de trabalhar em postos que ninguém quer ocupar em restaurantes, na construção civil, na jardinagem, no cuidado de crianças e idosos, e mais.

Não preciso dizer que, desde o pânico terrorista do 11 de Setembro, o medo que alguns norte-americanos têm dos estrangeiros não para de crescer. Mesmo que o número de trabalhadores imigrantes diminua quando a bolha imobiliária se rompe, dando início à Grande Recessão, esse medo permanece. Nos estados do Arizona, Alabama e da Geórgia, são aprovadas leis que proíbem os imigrantes ilegais de frequentarem escolas, ter direito a moradia e até mesmo de serem atendidos em hospitais. Enquanto isso, um muro militarizado foi erguido ao longo de grande parte da fronteira com o México, ironicamente tornando mais difícil para os trabalhadores ilegais sazonais voltarem para casa, como muitos faziam, e transformando o país no que muitos chamam de a Prisão Dourada. Diretores de escolas do Arizona se tornam tão xenófobos que banem programas de estudos mexicano-americanos das escolas de ensino médio, para evitar que eles estimulem a "solidariedade étnica". Alguns estudantes se acorrentam a suas carteiras em protesto. Além disso, um número cada vez maior de crianças nascidas nos Estados Unidos vai para a escola com medo de sua família não estar mais em casa quando voltarem. Como metade de todos os imigrantes ilegais é mulher, e oitenta por cento delas têm filhos que são cidadãos norte-americanos, é um medo considerável. Enquanto escrevo isto, políticos anti-imigrantes estão prometendo construir muros ainda mais altos.

Por outro lado, começo a conhecer estudantes e professores nas escolas de ensino médio da Califórnia e do Texas que pedem programas de estudos mexicano-americanos em suas escolas pela primeira vez, precisamente por causa de toda a publicidade gerada pelos alunos que protestaram no Arizona. Além disso, eleitores hispano-americanos são uma parcela do eleitorado que cresce tão rápido que alguns políticos hostis aos imigrantes ilegais estão sendo derrotados. Pesquisas mostram que a maioria dos norte-americanos não acredita que a nossa economia poderia se sustentar sem os quase doze milhões de trabalhadores ilegais que vivem no país, ou mesmo que seja possível deportar todos eles. As previsões ainda indicam que a nossa população cada vez mais envelhecida vai precisar de milhões de cuidadores imigrantes. Até mesmo consumidores que desejam comprar carne e produtos agrícolas orgânicos estão começando a associar essa posição baseada em princípios a salários e tratamento justos para as pessoas que cultivam e servem a nossa comida.

Em outras palavras, os ventos do futuro estão soprando.

Eu tenho certeza de apenas uma coisa. A uma distância relativamente curta de onde você está lendo isto agora, existem mundos secretos de trabalhadores rurais imigrantes que estão longe de casa, e imigrantes que temem perder suas casas. De costa a costa, esses são os nossos segredos na porta ao lado.

II.

DOCUMENTÁRIOS CINEMATOGRÁFICOS SOBRE A SEGUNDA GUERRA Mundial me davam pesadelos quando eu era criança, protestos contra a guerra me inspiraram quando adulta, e agora estou pelo menos treinando para ser uma pacifista. Entretanto, em um dia de verão de 1993, eu me vejo no centro de Manhattan, marchando com homens e mulheres uniformizados que carregam armas. Por quê?

A resposta é Tom Stoddard. Eu o conheci quase uma década antes em um evento beneficente, em um escritório de advocacia em Manhattan, lugar de sapatos de bico fino, gravuras de caçadas e apoiadores de Reagan. Ele estava chefiando o Fundo de Defesa e Educação da Lambda Legal e tinha de alguma forma persuadido aquele escritório de advocacia conservador a apoiar sua organização, que defendia os direitos de gays, lésbicas, bissexuais e pessoas transgêneras e de qualquer pessoa com aids ou portadora do vírus HIV.

Isso foi na década de 1980. Líderes religiosos ainda chamavam o vírus HIV e a aids de "punição de Deus pelo pecado", e obituários ainda escondiam esse dado como causa da morte, mesmo quando os mortos eram inacreditavelmente jovens. A homofobia ainda era tão poderosa que mesmo o *The New York Times* ainda não tinha usado a palavra *homofobia*. Eu me perguntava como Tom tinha conseguido abrir aquelas portas e carteiras.

Bastou conhecer Tom para entender. Ele transmitia uma confiança imediata, era o tipo de jovem que qualquer pai gostaria de ter como filho e que qualquer cliente em apuros gostaria de ter como advogado. Ele era bom em liderar manifestações de rua e em debater com ferocidade nos tribunais e no Congresso e, ao mesmo tempo, ouvia qualquer pessoa com tanta atenção e cuidado que parecia estar se inclinando gentilmente para a frente, como uma árvore protetora.

Logo estávamos nos encontrando com frequência como parte de uma comissão de HIV/aids que atendia Nova York e New Jersey. Todas as manhãs, chegávamos com nossos copos de café, nos reuníamos com outros membros do conselho e enfrentávamos as questões mais atemorizantes: *Que políticas os empregadores de Nova York deveriam seguir quando um de seus empregados revelasse que tinha HIV/aids? Podemos assegurar às pessoas que trabalham em um hospital de New Jersey que elas não estarão correndo riscos se seguirem um protocolo para HIV/aids? Como pessoas que estão morrendo em casa poderão manter seus amados companheiros animais quando estiverem fracas demais para cuidar deles? Considerando os crescentes casos de HIV/aids entre as mulheres pobres, como podemos persuadir os fabricantes de, digamos, fraldas Pampers e absorventes Tampax — dois produtos que entram na casa da maioria das mulheres — a incluírem em suas embalagens informações sobre HIV/aids em inglês e espanhol?*

Tom encarava todas as questões com paciência — mas não muita. Quando agradeci a ele por sempre incluir as mulheres como vítimas verdadeiras e potenciais — em uma época em que ainda se supunha que o HIV e a aids acometiam apenas homens gays —, ele me explicou que valorizava o fato de ser gay não apenas como uma dádiva, como qualquer outra parte da condição humana, mas também como um caminho para sair de seu mundo branco, masculino e privilegiado. Ser um excluído permitia que ele soubesse como as outras pessoas excluídas se sentiam.

Uma manhã, um representante da arquidiocese católica foi alertar a nossa comissão de que *não* deveríamos distribuir preservativos ou informações sobre HIV/aids em escolas públicas. O que nos irritou não foi apenas o que ele disse, mas como ele disse — como se estivesse se dirigindo a uma espécie inferior. Alguém que não conhecesse Tom poderia confundir a sua irritação com precisão verbal — suas palavras de refutação foram precisas como mísseis —, mas eu sabia que ele estava tão indignado quanto eu. Em vez de ficar em silêncio por medo de começar a chorar de raiva, como eu fazia algumas vezes, pensei: *Se Tom consegue ficar calmo e argumentar, eu também consigo.*

E foi o que fiz. Era assim que Tom liderava — pelo exemplo.

Agora, em 1993, no centro de Manhattan, ele está liderando dessa forma mais uma vez enquanto marchamos em nossa estranha parada atrás de soldados armados e de uma pequena banda militar. Não consigo imaginar Tom pegando em uma arma, mas ele sabe que o Exército é uma saída e uma forma de subir na vida para muitas pessoas. Como ele diz: "Temos que lutar com todo o nosso coração por escolhas que nunca sonharíamos em fazer." Isso também o motivou a liderar a Campanha por Serviço Militar em Washington, D.C., um esforço para apoiar o presidente recém-eleito Bill Clinton na tentativa de acabar com a discriminação contra gays e lésbicas no Exército, como ele prometeu em sua campanha. É por isso que estamos marchando com gays e lésbicas uniformizados, para mostrar que Nova York apoia a presença deles nas forças armadas.

Ainda assim, Tom vê a ironia de tentar fazer com que as pessoas entrem para o Exército em vez de saírem dele. Como ele parece cansado — e porque fazê-lo rir parece sempre ser uma recompensa por si só —, eu conto a ele a minha regra geral: *A merda dividida de maneira igualitária é sempre melhor do que a merda dividida de maneira desigual.* Ele ri, e nós dançamos ao som da música militar, desmilitarizando-a de alguma forma. Eu pergunto se é cansativo para ele ir e voltar de Washington toda semana. Afinal, a casa dele é em Nova York, com Walter Rieman, seu parceiro há cinco anos, também advogado, com quem ele se casou recentemente em uma cerimônia que teve todas as bênçãos, menos a bênção da lei. Tom responde que sim, é cansativo — especialmente agora que ele precisa descansar mais.

E de repente, em um momento aterrorizante, eu fico sabendo de algo que não sabia antes. Ele está revelando um segredo que vai abreviar sua vida.

Mais tarde, temos mais um longo jantar. Tom está do seu jeito entusiasmado de sempre, fazendo planos, discutindo táticas. Ele me conta que Walter é um estudioso dos romances de Jane Austen — como se nos apresentasse para um tempo por vir. O próprio trabalho de Tom terminou na amarga concessão da política do presidente Clinton de "Don't Ask, Don't Tell" [Não pergunte, não diga], mas Tom deixa claro que a clandestinidade nunca é aceitável e que a campanha vai continuar.

Eu o encontro em mais algumas reuniões e marchas. Ele parece frágil e carrega uma bolsa de medicamentos antirretrovirais — mas continua trabalhando, continua se importando. Então, em 1997, aos 48 anos, o coração de Tom simplesmente para de bater. Eu posso sentir o meu próprio coração batendo mais acelerado de incredulidade.

Eu me junto aos amigos dele em uma cerimônia, e todos contam histórias sobre Tom. A boa notícia é que todos vamos embora conhecendo-o ainda melhor do que antes. A má notícia é que nós também sabemos que ele poderia ter sido qualquer coisa, incluindo presidente dos Estados Unidos.

Neste novo século, seus ex-alunos, agora eles mesmos advogados e ativistas, me dizem que Tom foi o melhor professor que já tiveram. Ele os ensinou que vale a pena lutar por casos judiciais porque, mesmo quando perdem, eles mudam consciências, e quando ganham, mudam vidas. Ele não viveu para ver seu próprio casamento se tornar igual a qualquer outro perante a lei, mas viveu o casamento igualitário para quem quisesse viver.

Tom queria nos libertar dos segredos, tanto legais quanto internalizados. Quando penso em todas as pessoas que ainda são obrigadas a esconder uma parte essencial de si mesmas, sei que ainda precisamos dele. Eu me pergunto: "O que o Tom faria?"

III.

UM DIA, NO INÍCIO DE 1971, RECEBO UMA LIGAÇÃO DE EMERGÊNCIA de Johnnie Tillmon, uma das líderes da Organização Nacional pelo Direito à Assistência Social. Mãe solteira, ela é uma defensora ferrenha do aumento dos benefícios de assistência social. Se ela não for capaz de criar os próprios filhos, como argumenta, o governo vai ter que gastar muito mais com instituições e lares temporários para eles; ainda assim, as verdadeiras mães não recebem nem uma fração desses gastos. Para o primeiro número da revista *Ms.*, ela escreveu uma análise arrasadora e engraçada do sistema de assistência social, comparando-o a um marido todo-poderoso que olha embaixo da cama procurando os sapatos de outro homem, controla a vida da mulher com uma infinidade de burocracias e distribui uma mesada pequena demais para que ela consiga sobreviver.[2] Em outras palavras, ela fez a primeira análise feminista de uma política social.

Ao telefone, Johnnie explica que o estado de Nevada, o único no qual os bordéis são legais e licenciados, criou um golpe duplo. Como a prostituição agora é descrita como "trabalho sexual" por uma nova combinação de alguns acadêmicos e mulheres prostituídas cansadas de serem presas, alguns funcionários da assistência social de Nevada estão dizendo a mães que vivem dos subsídios do governo que elas precisam aceitar esse trabalho legal de prostituição ou vão perder seus cheques de seguro desemprego ou assistência social. Algumas dessas mães estão sendo encaminhadas para o Mustang Ranch, o primeiro bordel licenciado de Nevada, a leste de Reno. Johnnie está possessa porque o estado está tentando economizar dinheiro ao cortar os subsídios e transformar as mães que vivem da assistência social em uma atração turística sexual. Ela está organizando um protesto na frente do bordel e uma grande marcha em Las Vegas.

É por isso que Flo Kennedy e eu nos vemos segurando cartazes do lado de fora do Mustang Ranch, um lugar no qual nunca imaginamos estar. Jornalistas locais nos informam que, dentro de cada uma das casas pré-fabricadas, as mulheres são enfileiradas para serem escolhidas pelos homens. Os serviços sexuais oferecidos estão listados em um menu impresso. Como se para provar que a discriminação racial e a discriminação sexual sempre andam juntas, uma mulher não pode recusar nenhum homem — a não ser, é claro, que ele seja negro. Nesse caso, ela pode trocar de lugar com outra que "não se importe". Flo e eu simplesmente nos entreolhamos. Esse não é o tipo de coisa que uma pessoa inventa. Quando Joe Conforte, o dono do bordel, chega, ele diz aos jornalistas que é um insulto a suas garotas trabalhadoras serem comparadas a mães preguiçosas que vivem dos subsídios da assistência social.

No dia seguinte, em Las Vegas, marchamos pela avenida principal, chegando até mesmo a entrar e sair de hotéis e cassinos elegantes, gritando slogans e atrapalhando os apostadores. Preciso dizer que é prazeroso levar a realidade para dentro de ambientes sem janelas, cheios de luzes neon e máquinas caça-níqueis. Quando Flo e eu celebramos aquela noite dançando com nossas amigas da organização em um raro hotel de propriedade de negros, nós nos sentimos como se tivéssemos sido libertadas de um inferno atemporal.

De Jane Fonda ao advogado de direitos civis William Kunstler, mais e mais pessoas chegam para se juntar às mulheres da organização. Os funcionários locais da assistência social ficam ou constrangidos pela cobertura da mídia ou preocupados com o fato de as marchas estarem incomodando os turistas. As pessoas vão a Las Vegas para fugir da realidade, e mães que vivem da assistência social são definitivamente realidade. Por fim, milhares voltam receber o subsídio, incluindo as mulheres que tinham sido empurradas para o Mustang Ranch. Flo e eu nos sentimos vitoriosas. Uma auditoria federal revela que funcionários do governo estadual tinham acusado falsamente muitas mulheres de fraudarem a assistência social, e as mulheres da Organização Nacional pelo Direito à Assistência Social continuam convencidas de que essa foi uma forma de economizar dinheiro do governo ao mesmo tempo em que se aumentava a prostituição para atrair turistas.

Estou descobrindo que as palavras têm consequências, um segredo muito prático. Quando a prostituição é um "trabalho sexual" ou um emprego como outro qualquer, então pode-se exigir que as mulheres o realizem. Homens também. Além disso, como diz Flo, "sexo não deveria ser trabalho". Pensar sobre o peso das palavras nos faz perceber que o rótulo *prostituta* esconde toda uma pessoa também. Flo e eu começamos a dizer *mulher prostituída* para manter a pessoa e o processo visíveis. Nos Estados Unidos, estima-se que a idade média de entrada na prostituição seja entre os doze e os treze anos. Isso significa que provavelmente existe mais um segredo dentro da mulher prostituída média: uma criança prostituída.

Quer tenha sido inventado como um recurso cosmético ou como uma forma de se rebelar, no fim das contas, as forças do capitalismo e do patriarcado amam o termo *trabalho sexual*. Em 2005, leio em um jornal que uma ex-garçonete de 25 anos, moradora de Berlim, está perdendo os subsídios que recebe por estar desempregada. Os bordéis foram legalizados na Alemanha e essa jovem mulher recusou um emprego no qual prestaria serviços sexuais. Embora sua formação seja a de uma profissional da tecnologia da informação, ela estava disposta a aceitar um emprego como garçonete — mas não "trabalhos" que incluíssem invasão corporal vaginal, oral e anal. No entanto, talvez fosse obrigada a fazê-lo. "De acordo com as reformas na assistência social na Alemanha", a matéria explica, "qualquer mulher com menos de 55 anos que esteja sem emprego há mais de um ano pode ser forçada a aceitar uma vaga de trabalho disponível — inclusive na indústria do sexo — ou perderá os subsídios que recebe por estar desempregada. (...) As agências de emprego devem tratar empregadores em busca de uma prostituta da mesma maneira que aqueles que buscam uma enfermeira odontológica."

Nem mesmo uma mulher, proprietária de um bordel, citada na matéria tem compaixão. Ela acredita que tem direito a esperar que agências de emprego do governo forneçam-lhe prostitutas porque "pago os meus impostos como qualquer outra pessoa".[3]

O debate sobre legalizar ou não a prostituição costuma se concentrar na questão de se a legalidade protege mais as pessoas prostituídas — supondo que essas pessoas tenham a opção de *não* se prostituir, um grande *se* —, mas o segredo é este: se a invasão corporal é um trabalho como qualquer outro, então algumas pessoas podem ser forçadas a fazê-lo.

No FIM DAS CONTAS, a legalização é o que os cafetões, os donos de bordéis e os traficantes querem, porque liberta essa indústria multibilionária. Algumas das pessoas prostituídas também querem a legalização, porque parece ser a única alternativa a ser presa e depender de cafetões e traficantes para sair da cadeia — uma escolha entre duas prisões —, ou porque querem apenas um pouco de dignidade. No outro extremo, a criminalização é apoiada por todos os tipos de razão. Algumas religiões se opõem a toda atividade sexual fora do casamento e sem fins reprodutivos. Algumas pessoas desejam apenas expulsar a indústria do sexo do seu bairro. Porém, é a escolha polarizada entre legalização e criminalização que constitui o problema. Na verdade, ninguém desse lado do Talibã quer criminalizar as pessoas prostituídas. Como sempre, um binarismo esconde todas as realidades que existem no meio.

O segredo é a Terceira Via: descriminalizar as pessoas prostituídas e oferecer a elas serviços e formas alternativas de ganhar dinheiro, não criminalizar, mas penalizar, o comprador ao exigir que ele seja informado sobre as realidades da indústria global do sexo, e criminalizando os traficantes, cafetões e vendedores do corpo de outras pessoas. Conhecida como o modelo sueco ou nórdico, essa combinação de legislação e programa social foi posta em prática na Suécia em 1999, depois também na Noruega, na Islândia, na Irlanda do Norte, no Canadá e na França em 2016. Por ser a única lei que reconhece a diferença de poder entra a pessoa prostituída e o comprador, o seu realismo permitiu que algumas pessoas prostituídas deixassem a prostituição se quisessem e que alguns compradores fossem informados ou constrangidos no sentido de diminuir a demanda.

No entanto inibir a demanda de qualquer forma que seja é exatamente aquilo a que as pessoas que lucram com a indústria do sexo em todo o mundo se opõem, com todo o seu poder midiático e financeiro. Não é segredo que hoje muito mais pessoas são traficadas para serem exploradas sexualmente ou como força de trabalho, ou ambos, legalmente ou não, do que durante aquilo que consideramos como a época da escravidão.

Em comunidades, algumas pessoas encontram a sua própria Terceira Via. Eu me lembro de uma juíza afro-americana em uma corte noturna que se recusava a aceitar queixas formais contra qualquer mulher acusada de prostituição até que seu cliente também fosse preso. Era incrível como essas queixas evaporavam rapidamente.

Para a maioria de nós, porém, ainda é um segredo que o hotel ou motel no fim da rua seja especializado em adolescentes traficadas; ou que a expectativa de vida média de uma mulher prostituída possa ser menor do que a de um soldado em combate; ou que meninas do Alasca sejam colocadas em navios para serem vendidas em Minnesota; ou que meninos que fugiram de casa dependam de "sexo para sobreviver", um termo das ruas para trocar sexo por comida e abrigo; ou que pessoas prostituídas sejam marcadas com tatuagens de propriedade e até mesmo códigos de preço por seus cafetões; ou que um grupo aleatório de seis mil profissionais da área de saúde mental tenha relatado que três quartos deles já trataram pessoas prostituídas que sofriam de estresse pós-traumático e outras consequências do que se supõe que seja um crime sem vítima.[4]

EM 2008, QUASE QUATRO décadas depois que Flo Kennedy e eu fomos para Las Vegas, decido ir até lá mais uma vez. Nevada continua sendo o único estado a ter bordéis legalizados, e o número cresceu em quatro décadas. A essa altura, o termo *trabalho sexual* se tornou uma expressão aceita, tão naturalizada que *não* a usar é considerado estranho, despropositado e até mesmo desrespeitoso. Em viagens à Índia, por exemplo, "trabalho sexual" são as únicas palavras em inglês que vejo nas placas em bengali que marcam Sonagachi, em Calcutá — um dos maiores e mais pobres bairros de prostituição do mundo —, embora ninguém conteste o fato de que muitos nasçam e sejam vendidos para esses bordéis. Vejo a expressão aceita por estudantes universitários na Índia para se referir aos habitantes dos distritos de prostituição, apesar de a Self-Employed Women's Association, um sindicato que reúne 1,8 milhão das mulheres mais pobres da Índia — aquelas que carregam tijolos em canteiros de obras ou vendem legumes nas ruas, de longe o grupo mais representativo das mulheres mais pobres —, ter votado contra incluir a prostituição entre as outras profissões. Como sua fundadora, Ela Bhatt, disse: "Trabalho é devoção, algo nobre e digno."

Ao chegar a Las Vegas, eu me encontro com uma amiga que conhece a indústria do sexo de lá. Começamos devagar, indo a um dos grandes hotéis à tarde e tomando um drinque em um bar de *topless*. Para disfarçar o fato de sermos duas mulheres sozinhas fazendo perguntas, dizemos que somos esposas de dois homens prestes a chegar para uma convenção de negócios e que queremos encontrar lugares onde seja seguro para nossos maridos terem uma pequena aventura depois de todos esses anos na linha de produção.

Sempre tive a impressão de que, se contasse uma mentira deslavada, eu seria desmascarada na hora, mas tentamos essa estratégia com o gerente, e funciona. Ele diz que podemos falar com uma das dançarinas de *pole dance* durante o intervalo. Ela parece feliz por fazer uma pausa e tomar uma Coca-Cola, coloca um xale por cima de seus três adesivos estrategicamente posicionados e explica que começou como garçonete, mas logo foi informada de que teria que tirar a roupa ou seria demitida. Agora ela acabou de ser informada de que vai perder o trabalho como *stripper* a não ser que também concorde em ir à Sala Champanhe. Tenho que dizer que achava que aquelas salas separadas eram apenas para danças eróticas ao custo de uma garrafa de champanhe, mas ao que parece, sou muito inocente. Elas também são usadas para sexo rápido. Ela sabe que está sendo levada para a prostituição, um passo de cada vez, de forma rotineira, mas precisa do dinheiro.

Como fica feliz por ter alguém com quem conversar, ficamos sabendo que ela abandonou a escola para ganhar dinheiro porque a mãe está doente, mas realmente espera escrever roteiros de filmes um dia. Quer contar a história de sua vida na verdadeira Las Vegas, não naquele hotel sofisticado, mas no apartamento de um quarto onde mora com a mãe. Termino dando a ela meu endereço de e-mail verdadeiro, se não meu nome verdadeiro, e a observo subir no palco, subitamente transformada pela luz de um refletor azul e um sorriso falso.

Então saímos de carro para contar a nossa história de duas velhas esposas em dois grandes bordéis no condado onde são completamente legais.

O primeiro parece um grande motel, com alguns homens sentados no bar, esperando sua vez. Minha amiga vai até o carro para fazer alguns telefonemas, e eu converso com uma jovem de cabelos pretos que está usando biquíni e os saltos mais altos que já vi. Ela também aceita a minha história e me conta que a mãe administrava um bordel ilegal no Sul; foi onde ela cresceu. As garotas cuidavam dela quando era criança e tiravam as fotos mais assustadoras de práticas sadomasoquistas das paredes quando ela estava por perto. Como a dançarina no bar de *topless*, ela também tem sonhos, e vai até o quarto, de onde traz um caderno cheio de ilustrações de revistas que ela recortou e colou nas páginas. Ela confessa que frequentou a escola apenas até o sexto ano, mas mesmo assim tem esperanças de que seu Livro dos Sonhos vá lhe render um emprego como designer.

Duas vezes, enquanto estamos conversando, ela sai rapidamente com um cliente e volta com o hálito cheirando a antisséptico. Durante o dia, ela explica, a maioria dos que param para um boquete são motoristas de caminhão. Eu pergunto se ela se sente segura, e ela responde que a gerência instalou um botão de emergência em cada quarto, mas, nas ocasiões em que teve um cliente violento, ela não conseguiu alcançá-lo. "É difícil fazer qualquer coisa quando eles estão em cima de você", ela diz, como se fosse a coisa mais normal do mundo.

Eu e minha amiga vamos até outro bordel. Esse é composto de trailers estacionados a intervalos regulares atrás de uma cerca de arame alta. Entramos em um bar com paredes de cimento e sem janelas e contamos nossa história para um homem de meia-idade com uma arma na cintura. Ele parece acreditar em nós, mas não permite que nenhuma de suas garotas seja entrevistada, mesmo que seja cedo para a maioria dos clientes e nós ofereçamos pagar pelo tempo delas.

Em vez disso, vamos a um bar e restaurante que fica ao lado, o que em termos de deserto significa a mais ou menos um quarteirão de distância do outro lado da cerca. Um grande almoço comemorativo está sendo realizado, mas nós conversamos com a proprietária, alguém que minha amiga já conhecia. Ela diz que sim, conhece o dono do bordel ao lado, todo mundo o conhece; ele suborna os oficiais locais, ajudou a eleger todos os juízes do estado e assusta as pessoas com sua arma sempre à mostra. Ela também o vê comprando macarrão instantâneo na cidade. Sabendo que é com isso que ele alimenta "suas garotas" e duvidando que ele lhes dê o suficiente, ela também compra macarrão instantâneo e joga por cima da cerca. Assim ela ajuda as meninas que trabalham nos trailers sem que ele suspeite.

Depois do almoço, também nos encontramos com uma oficial da polícia local que testemunhou contra o dono do bordel com sua arma — a um risco considerável para ela mesma —, apenas para vê-lo se safar com uma condicional mínima. Ela diz que nunca faria aquilo de novo.

Já é noite quando voltamos ao nosso hotel na Strip. Guias de turismo distribuem cartazes coloridos. Um tem apenas fotos de mulheres asiáticas. Outro oferece, por 69 dólares, uma experiência com "Mulheres maduras de trinta, quarenta, cinquenta, sessenta anos ou mais. A experiência conta". No meu papel de esposa investigativa, pergunto se esse serviço é para homens mais velhos como o meu marido, mas o guia responde que não, homens mais velhos querem mulheres mais novas. Aquilo é um serviço especial para homens que querem transar com a própria mãe.

No caminho para o aeroporto, eu pego mais catálogos do tamanho de revistas com fotos de mulheres em posições ginecológicas; a oferta mais comum é: "Posso estar no seu quarto em vinte minutos!"

No entanto a pior revelação acontece quando chego a Denver, no Colorado. Vou me encontrar com amigos que alugaram uma casa, e vamos fazer campanha naquele estado crucial para eleger Barack Obama presidente dos Estados Unidos. Tudo parece muito distante do brilho ofuscante e sórdido de Las Vegas. Eu pergunto a uma das ativistas sobre prostituição e tráfico sexual, apenas porque esse tipo de coisa acontece na maioria das grandes cidades, e, mesmo sem eu ter perguntado, ela menciona Las Vegas. Como a prostituição lá é legal, é o lugar para onde as mulheres e meninas traficadas são levadas para serem "iniciadas" — quer dizer, serem vendidas por mais dinheiro se forem virgens e, de qualquer modo, sofrerem estupros coletivos e serem mantidas isoladas até acreditarem que sua sobrevivência depende de um cafetão ou do gerente de um bordel. Esse caminho das lágrimas foi traçado de Nevada até outros estados, incluindo o Colorado. O que acontece em Las Vegas não fica em Las Vegas.

Também me dou conta de que estou fazendo campanha para um dos poucos candidatos do sexo masculino à presidência dos Estados Unidos que *não* consigo imaginar que seja tão aficionado pela ideia de "masculinidade" a ponto de ser capaz de pagar por sexo. Não quero ser desrespeitosa, mas a verdade é que posso imaginar outros, de um Eisenhower em tempos de guerra a um Reagan hollywoodiano e um "velho e bom garoto" do Texas como George W. Bush, sendo tão viciados em dominação que pagariam por sexo. Até sobre Richard Nixon corriam rumores de que ele teria ganhado uma garota de programa, dada de presente por um de seus mais ricos apoiadores, Bebe Rebozo. Quando eu viajava com o corpo de imprensa no avião de campanha de Nixon, os jornalistas faziam piadas a esse respeito. Eles imaginavam Nixon indo para um quarto com a garota de programa, contando o tempo que se esperava que permanecessem lá dentro e saindo de lá fingindo ser "um dos garotos", como ele queria tão desesperadamente ser. Mas não Barack Obama. Eu não conseguia imaginá-lo com tal falta de empatia. Ele era um ser humano decente que tinha se casado com uma amiga e colega — uma mulher que era sua chefe quando eles se conheceram —, e os dois estavam criando as filhas para serem seres humanos decentes também. Se ele fosse eleito, eu me dei conta de que aquela seria a primeira família feliz e igualitária que eu teria visto na Casa Branca.

Na verdade, apenas cerca de vinte por cento dos homens nos Estados Unidos já pagaram por sexo. Ao redor do planeta, quanto mais igualdade há entre homens e mulheres, menos há prostituição. Em vez disso, há o entendimento de que o prazer é dobrado quando o sexo é consensual e mútuo.

Então porque não admitimos que os homens que criam a indústria global do sexo são aqueles viciados em dominação? Por que normalizamos o anormal? Eu confio nas conclusões dos que sobreviveram à indústria do sexo. Rachel Moran, que se prostituiu quando era uma jovem sem teto na Irlanda e sobreviveu a anos no comércio sexual, explica a negação das realidades da prostituição da seguinte forma: "A primeira coisa que nós, humanos, fazemos em qualquer situação intolerável e inescapável é apagar a nossa realidade subjetiva. Nós fugimos e nos recusamos a aceitar a natureza da situação em si."[5]

Em algum lugar eu espero que haja mulheres prostituídas — e homens prostituídos — que possam recusar clientes, que não tenham que lidar com cafetões e donos de bordéis e que governem sua própria vida, mas isso não tem nada a ver com a indústria do sexo. A indústria do sexo vende dominação. Quando vender o corpo de outras pessoas é legal, a demanda logo suplanta o número de pessoas que querem se prostituir, e isso resulta no tráfico. Há muitos exemplos, incluindo mulheres africanas e de países empobrecidos do Leste Europeu que são traficadas para a Alemanha e a Holanda.

O vício da dominação também sexualiza a vulnerabilidade das crianças, o que resulta na prostituição infantil e no abuso sexual infantil. Porém uma cultura dominada por homens continua tentando fazer os homens se viciarem na dominação.

É um segredo bem à vista.

IV.

SEMPRE IMAGINEI QUE AS PRISÕES FOSSEM O MAIOR SEGREDO DOS Estados Unidos, e que a distância e falta de empatia fossem a razão. Diferentemente dos pobres, que podem ser inocentes, a própria palavra *criminosos* distingue as pessoas que estão na prisão pelo que elas fizeram.

Porém, então, me dei conta de que as prisões não deveriam ser um segredo nos Estados Unidos, pelo menos não mais do que em qualquer outra parte do mundo. Por quê? Porque com apenas cinco por cento da população mundial, os Estados Unidos têm quase um quarto de todas as pessoas em prisões. Falando simbolicamente, um em cada 31 adultos poderiam estar em alguma instância do sistema — na prisão, em liberdade monitorada ou em condicional. Ignorar o que acontece nas nossas prisões é ignorar um grande determinante do nosso comportamento nacional, da nossa economia e da nossa ordem social. As prisões somos nós.

Nem sempre estivemos no topo da lista da população carcerária mundial. Na época do *apartheid*, esse posto era da África do Sul. Mas nós temos o nosso próprio *apartheid*. Homens afro-americanos têm seis vezes mais probabilidade — e mulheres afro-americanas, três vezes mais probabilidade — de serem presos do que homens e mulheres brancos, respectivamente. Mesmo depois da prisão e da condenação, a raça influencia quem consegue pagar a fiança, contratar advogados, fazer acordos, sair em liberdade condicional, prestar serviços comunitários, usar tornozeleiras eletrônicas e outros caminhos para a liberdade. A classe social também influencia tudo isso. Quando foi a última vez que você viu uma pessoa rica no corredor da morte? Mais da metade dos réus de baixa renda são condenados, mas menos de um terço dos réus de alta renda o são. Uma vez que os prejuízos econômicos provocados pelos crimes de colarinho branco excedem em muito o prejuízo causado por todos os assaltos, roubos, furtos e roubos de carros *combinados*, isso penaliza a todos nós.

Até o mal que causamos a nós mesmos é tratado de forma desigual. O alcoolismo, um vício legal e lucrativo, é tratado como uma doença. Assim como o vício em medicamentos, uma fonte de lucro para a indústria farmacêutica. No entanto o vício em drogas, que beneficia apenas o submundo, é criminalizado. Até mesmo duas formas da mesma droga podem ser tratadas de maneira diferente: durante muito tempo, pessoas de cor que usavam crack, a cocaína em pedra, eram condenadas a penas maiores do que as pessoas brancas que usavam a cocaína em pó. No entanto, tudo isso são vícios, e o corpo humano é o mesmo, então o tratamento deveria ser o mesmo.

E então temos a pena de morte. Bryan Stevenson — advogado, autor e ativista que trabalha para libertar pessoas condenadas injustamente — escreveu *Just Mercy: A Story of Justice and Redemption*. Como o livro dele foi publicado mais ou menos na mesma época que este, fizemos alguns eventos de divulgação juntos. Fiquei sabendo, ao ouvi-lo, que o linchamento, o terrorismo racial do passado, tem eco em um sistema de pena de morte tão injusto em termos de raça e classe que ele o chama de "linchamento interno". Essas duas palavras por si só deveriam ser suficientes para pôr fim à pena capital.

No entanto, nada me preparou para o impacto da motivação do lucro no sistema prisional. Faz muitos anos desde que Angela Davis nos alertou sobre "o complexo industrial-prisional", um eco do alerta do presidente Eisenhower sobre o "o complexo industrial-militar". Na década de 1980, a privatização de prisões deslanchou porque foi apresentada como uma coisa boa, uma forma de construir prisões mais rapidamente e torná-las mais eficientes e modernas, com mais funcionários, uma vez que os salários não estariam vinculados às categorias governamentais. Depois de uma grande explosão na construção de prisões, os problemas começaram a vir à tona. Descobriu-se que os salários menores com frequência atraíam guardas que não eram tão bem treinados, eram mais agressivos ou estavam mais inclinados a ignorar a violência cometida por outros prisioneiros. Independentemente de terem bom comportamento, os prisioneiros em prisões privatizadas cumpriam uma parte maior de suas sentenças porque as corporações eram pagas por prisioneiro e queriam manter as celas cheias.

Em resumo, as nossas prisões estão empobrecendo o nosso sistema educacional, aprofundando as divisões de raça e classe, separando pais e mães de seus filhos, treinando os não violentos para serem violentos, raramente permitindo que as pessoas aprendam e melhorem enquanto estão lá dentro e produzindo pessoas que têm mais dificuldade de arrumar emprego — ou mesmo de votar — depois que saem da prisão do que quando foram para lá.[6] Remover a motivação lucrativa de enriquecer acionistas e corporações — nos trinta estados com prisões com fins lucrativos — não tornaria as nossas prisões magicamente melhores, mas eliminaria parte do motivo para torná-las piores. E é possível. O estado de Nova York, por exemplo, tem uma lei contra prisões com fins lucrativos, e o estado de Minnesota também luta contra essa tendência, mas esses estados são minoria.

Eu me lembro até hoje de um ex-prisioneiro que discursou durante um longo tempo em um bar em Austin, no Texas, e juntou tudo isso de uma maneira bastante pessoal. O noticiário televisivo estava veiculando uma matéria sobre Abu Ghraib, a prisão no Iraque onde militares norte-americanos torturaram, violentaram sexualmente e assassinaram prisioneiros. Esse ex-detento de uma penitenciária no Texas reconheceu um dos guardas militares, que tinha trabalhado na penitenciária antes de entrar para o Exército. Como ex-detento, ele queria que George W. Bush, governador do Texas na época, fosse punido por ter privatizado vinte e seis prisões apenas naquele estado. Não é preciso muito para descobrir a principal engrenagem por trás desse negócio lucrativo: o American Legislative Exchange Council — um centro de ativismo político corporativo que também se opõe ao aumento de impostos e a proteções ambientais — redige leis e faz lobby pela privatização de prisões. O centro ajudou a eleger cerca de trinta por cento de todos os legisladores estaduais norte-americanos. Se os formandos das universidades hoje atolados em dívidas de financiamento estudantil quiserem encontrar uma causa, basta olhar para a maioria das legislaturas, onde os dólares de impostos que deveriam ser destinados às universidades estaduais são investidos na construção e na administração de prisões de propriedade do governo com fins lucrativos.

A privatização das prisões também é culpa nossa, como cidadãos e eleitores. A maioria dos cidadãos norte-americanos não sabe quem são os seus legisladores. Podemos não saber quanto do dinheiro que pagamos em impostos está sendo destinado ao lucro privado. Até companhias telefônicas cobram rotineiramente mais por ligações para prisões e originadas delas, e os prisioneiros e suas famílias têm que pagar. Na cidade de Nova York, o montante gasto para alojar, alimentar e vigiar uma pessoa na prisão por um ano poderia pagar mais de três anos de estudos em Harvard.[7]

Podemos conhecer e pressionar os nossos legisladores estaduais ou qualquer pessoa em cargos importantes. Enviar livros para as bibliotecas das prisões. Estabelecer uma ligação com uma pessoa ou atividade na prisão. Visitar alguém que precisa de visitas. Sair em defesa dos condenados injustamente. É muito mais fácil romper o segredo de fora para dentro do que de dentro para fora.

Embora agora estejamos finalmente ouvindo a expressão *encarceramento em massa*, é fácil não ver as complicadas realidades por trás disso. Eu nunca teria sabido se não fosse por oportunidades acidentais de ouvir pessoas que tinham estado ou ainda estavam na prisão.

Para mim, esse mundo secreto das prisões começou a vir à tona quando a revista *Ms.* enviou algumas assinaturas gratuitas para prisões femininas no fim da década de 1970, dando origem a um verdadeiro programa em prisões e abrigos. Cartas, histórias e poemas começaram a ser enviados de volta. As mulheres nas prisões queriam que nós soubéssemos que elas também precisavam de um movimento. Então mulheres que tinham estado na prisão começaram a aparecer em reuniões e conferências feministas em campi, em Associações de Jovens Mulheres Cristãs, em toda parte. Algumas diziam que se sentiam mais seguras dentro da prisão do que do lado de fora — o que era por si só uma tragédia. A maioria falava sobre a falta dos filhos, de privacidade, de luz solar, de confiança, de papel higiênico e de suas próprias roupas. Algumas tiveram o direito de alegar legítima defesa negado, ou tinham sofrido abuso sexual por parte dos carcereiros, ou tinham sido punidas permanentemente ao perderem a guarda dos filhos. Algumas tinham sido mantidas algemadas *até mesmo enquanto davam à luz.* Outras tinham família que morava longe demais para visitá-las — uma punição generificada por si só, uma vez que alguns estados têm apenas uma prisão feminina e que uma prisão federal pode ficar ainda mais distante. A maioria nem chegaria a ser encarcerada se não fosse pelo vício em drogas, ou pela falta de estudos, ou por serem, como uma delas disse, "viciadas em homens". Com ou sem esse autoconhecimento, mulheres com frequência vendiam drogas ou se prostituíam para um cafetão ou um parceiro controlador.

O que me surpreendeu não foi quão diferentes eram as mulheres na prisão, mas como elas não eram diferentes. Na prisão, as mulheres tendem a formar grupos semelhantes a famílias, culpam a si mesmas de forma irracional, se preocupam mais com os filhos do que consigo mesmas, estilizam os uniformes para terem uma aparência um pouco melhor, precisam de gentileza e querem contar suas histórias. O que é diferente não é o que essas mulheres são, mas o alto percentual delas que foram vítimas de violência na infância ou que foram privadas de educação ou forçadas a reagir em legítima defesa, mas depois foram criminalizadas por isso.

As mulheres eram inesperadamente familiares. No entanto um mistério crescente era o número de cartas que eu recebia de homens na prisão. Educados e enigmáticos, eles me pediam um bilhete, um autógrafo ou uma foto, para darem a suas filhas ou porque não recebiam visitas. Se não fosse por um evidente número de detento no envelope, eu não teria sabido de onde elas vinham. Foi apenas quando alguns ex-detentos apareceram em encontros públicos — e ficaram depois para conversar — que eu realmente comecei a entender. Na ausência de mulheres, eles tinham sido usados como mulheres. Na mídia, tinham visto o movimento feminino nomeando, protestando contra e denunciando o abuso sexual, mas citar o abuso que sofriam nas cartas poderia ser considerado delação. Eles estavam buscando estabelecer contato à sua própria maneira.

Minha primeira revelação veio de um porto-riquenho jovem e esguio em uma conferência sobre distúrbios alimentares na Filadélfia. Depois de me ouvir dizer que uma invasão corporal como o estupro poderia ser mais traumática do que um espancamento, ele ficou até o final para concordar. "Eu fui espancado e sofri estupro coletivo", disse ele, se não me falha a memória, "e prefiro mil vezes ser espancado. Meu companheiro de cela me deu um nome de mulher e me alugava para sexo oral, anal... tudo. Ele conseguia comida e drogas em troca. Eu desmaiava... e acordava sangrando. Eu fingia que estava no teto, olhando para baixo, para o meu corpo... foi assim que eu sobrevivi. Já saí da prisão há nove anos, mas ainda não consigo entrar em nenhum local onde só haja homens e nenhuma mulher." Como crianças pequenas, cujo abuso sexual é com frequência oral, ele tinha desenvolvido um distúrbio alimentar e se interessara pela conferência.

Eu notei que esses homens com frequência se referiam aos seus companheiros de cela e aos homens que abusavam sexualmente deles na prisão com os mesmos termos que as mulheres usavam para descrever cafetões e maridos espancadores. A combinação de medo e dependência que eles descreviam soava como o vínculo com o captor conhecido como Síndrome de Estocolmo, o envolvimento que pode ocorrer entre refém e sequestrador quando uma pessoa todo-poderosa controla, mas preserva, a vida de uma pessoa impotente.

Ironicamente, como o jovem porto-riquenho também disse, os homens que tinham menos probabilidade de ir para a prisão eram justamente aqueles que cometiam violência contra mulheres — ou pelo menos qualquer violência que não fosse assassinato. O estuprador médio comete entre sete e 11 estupros antes de ser preso. Homens culpados de violência doméstica ficam em casa enquanto suas vítimas vão para abrigos — se tiverem sorte.

Não podemos deixar que as prisões continuem a ser um segredo. Eu me dei conta de que, para os prisioneiros, sair desse espaço secreto é um progresso; mas porque eu sou livre, o progresso para mim é adentrar esse espaço.

Enquanto escrevia este capítulo, por exemplo, fiquei sabendo sobre o projeto unPrison. Ele fornece livros infantis para as mães que estão na prisão, para que elas tenham outra maneira de se conectar com os filhos durante as visitas, pois as mentes voam acima dos muros e, além disso, elas melhoram sua instrução. Setenta por cento de todas as pessoas presas retornam para a prisão em cinco anos, mas dos que recebem ajuda na prisão por meio da instrução, apenas 16 por cento retornam. Quem pode contestar isso? Deborah Jiang-Stein, a criadora do projeto unPrison, me convidou para ir com ela à prisão feminina de Shakopee, perto de Minneapolis, Minnesota.

NÓS NOS ENCONTRAMOS DO lado de fora da prisão com uma mistura da surpresa de estranhos e da intimidade instantânea de pessoas que compartilham trabalho. Eu tinha lido o livro dela *Prison Baby: A Memoir*, e ela havia lido os meus textos. Sei que ela era filha de uma mãe detenta e viciada, que tivera sorte de sobreviver à abstinência da heroína que absorvera do corpo e do sangue da mãe e que também tivera a sorte de passar o primeiro ano de vida em uma rara prisão com berçário, de forma que pôde ficar com a mãe. Então ela foi adotada por uma família judia de professores que lhe deram a dádiva da educação, uma dádiva que ela passa adiante para mulheres como a mãe dela, que passou a vida entrando e saindo da prisão.

Deborah refere-se a si mesma como multirracial, e é possível ver a influência asiática e muitas outras em seu rosto expressivo. Pode-se dizer que ela é uma pessoa universal. Teve uma infância difícil por ser obviamente diferente de sua família adotiva, e ainda assim não saber o segredo sobre o seu nascimento. Ela também enfrentou uma adolescência de vício e rebeldia até finalmente descobrir sua verdadeira história. Com o fim do segredo, ela descobriu sua missão.

Como está muito mais familiarizada do que eu com as rotinas da prisão, ela me orienta na hora de preencher formulários, remover joias, deixar tudo a não ser as roupas do corpo em um armário e passar por detectores de metais. Quando por fim adentramos os muros da prisão propriamente dita — surpreendentes por serem claros, limpos e deprimentes, pois não há como sair dali —, vemos cinco mães com crianças bem pequenas. Fico triste porque sei que aquele é um raro dia de visitas. Deborah fica feliz porque ela sabe que aquela é uma das raras prisões que permitem visitas maternais. Como é fim de semana, na primeira grande sala na qual entramos, trinta mulheres estão ouvindo duas musicistas voluntárias que foram até a prisão proporcionar a elas um pouco de distração. Quando pergunto sobre os muitos lugares vazios, o carcereiro me explica que os grupos precisam ser pequenos porque há muito mais prisioneiras do que guardas, que poderiam ser dominados caso ocorresse uma rebelião. Nunca aconteceu uma rebelião ali — é uma regra feita para prisões masculinas, mas é uma regra mesmo assim.

E é assim que o dia transcorre, o lado bom e o lado ruim. A área, do tamanho de um quarteirão urbano, está tomada por prédios prisionais bem conservados, mas nas celas destinadas a uma ou duas detentas, há beliches para quatro. Ali, como em todo o país, o número de mulheres encarceradas cresceu oitocentos por cento nos últimos vinte anos, em grande parte por causa das drogas. Há um prédio batizado em homenagem a Susan B. Anthony, que abriga programas de recuperação para as viciadas em drogas e terapia para as que têm depressão ou sofrem de doenças mentais. Há uma biblioteca bem abastecida, e, quando entramos, a bibliotecária, estudante do Smith College, está reunida com uma dúzia de prisioneiras que estão conversando em volta de uma mesa. Porém, se o nosso sistema educacional não produzisse um dos índices mais baixos de educação do mundo desenvolvido, e se os índices de abuso sexual infantil, violência doméstica e vício em drogas não fossem tão altos, provavelmente aquela dúzia de mulheres nem estaria ali.

Então também encontro cerca de vinte presas em um programa estilo militar muito competitivo e bem-sucedido que gera autoconfiança e reduz a probabilidade de retorno à prisão, mas é tão centrado em marchar e bradar ordens no estilo da Academia Militar de West Point que passamos um bom tempo conversando juntas em uma sala antes que qualquer uma delas fale espontaneamente, ou ria, ou me chame pelo meu primeiro nome.

Posso entender por que Deborah devota sua vida a falar com pessoas que estão fora das prisões sobre as pessoas que estão dentro das prisões, e com as pessoas dentro das prisões sobre bondade, instrução, habilidades e qualquer forma de esperança. Elas são como esponjas absorvendo a atenção e a novidade de serem ouvidas. É possível que as prisões sejam um lugar de recuperação e comunidade.

Vou embora na esperança de visitar outras prisões com Deborah, incluindo prisões masculinas, para as quais ela também leva seu projeto, para os pais. Sinto que entrei em um mundo no qual quero estar de novo, um mundo onde pequenas coisas fazem uma grande diferença.

E aquilo foi apenas um dia.

Como no clássico experimento de mudar os padrões visíveis movendo um ímã por baixo da superfície, se removermos o segredo magnético, **a liberdade surge**.

Eu me lembro dos quatro passos de Bryan Stevenson para operar mudanças, no mundo secreto das prisões ou em outros lugares:

Há poder na proximidade. Aproxime-se
   do problema pelo qual se interessa.
Mude a narrativa.
Mantenha a esperança.
Esteja disposto a fazer coisas desconfortáveis.

Os segredos só têm poder enquanto permanecem secretos.

VIII.

O que aconteceu uma vez pode acontecer de novo

Eu costumava pensar que havia apenas duas possibilidades. A primeira era aquela na qual muitas pessoas acreditavam: que a igualdade entre homens e mulheres era impossível e contrária à natureza humana. A segunda era a que muitos esperavam: que a igualdade seria possível no futuro pela primeira vez. Depois da Conferência de Houston e de passar mais tempo com mulheres e homens do Território Indígena, comecei a achar que podia existir uma terceira opção: esse equilíbrio entre homens e mulheres existira no passado, e para alguns poucos, ele ainda existia. Havia pessoas com quem podíamos aprender.

Quando pessoas novas nos guiam, vemos um novo país.

I.

É O OUTONO DE 1995. EU ESTOU NO AEROPORTO DE COLUMBUS, Ohio, esperando pela minha bagagem conforme as orientações. Vou falar em uma conferência da Sociedade de Engenharia e Ciência dos Índios Norte-americanos, um grupo nacional que ensina ciência e engenharia aos estudantes nativos usando exemplos nativos — permitindo, assim, que eles se destaquem sem fazer com que sintam que precisam abandonar sua história e sua cultura. Uma vez que os estudantes nativos costumam prosperar em turmas cooperativas, em vez das competitivas — como fazem muitas estudantes mulheres, independentemente de onde venham —, fui convidada para falar sobre o movimento feminista e os esforços para transformar as salas de aula em círculos de aprendizado. Na verdade, os meninos também se saem melhor quando não estão sempre em uma hierarquia, de forma que as ideias desse grupo poderiam melhorar a educação como um todo.[1]

Depois de alguns minutos de espera, eu percebo um homem corpulento em um casaco de nylon, encostado na parede. Eu me aproximo e pergunto se ele está esperando por mim — e ele está. Segurar um cartaz seria uma invasão de privacidade, ele explica, por essa razão estava esperando pacientemente que a multidão se dispersasse.

No longo caminho até o centro de conferências, passamos por um entroncamento onde há uma pequena placa: MONTE DA SERPENTE. Eu pergunto o que é. Ele não parece surpreso, mas apenas explica que é uma antiga arte de terra, uma das muitas naquela região. Algumas têm a forma de enormes pássaros e animais, outras formam círculos e pirâmides, outras são tão altas quanto um prédio de três andares e cercadas por centenas de pequenos montes que só se pode ver sobrevoando a área. Aquela é uma serpente de cerca de um metro de altura e quatrocentos metros de extensão; a construção mais antiga desse tipo, com talvez dois ou três mil anos de idade.

Estou na minha terceira década de viagens pelo país, e não sabia de nada disso. Digo a ele que minha família vem do sul de Ohio, mas mesmo assim o Monte da Serpente é uma novidade para mim. Como se para fazer com que eu me sinta melhor, ele diz que tem amigos que foram para a Inglaterra ver Stonehenge, e quando ele perguntou se queriam ver lugares ainda mais antigos nos Estados Unidos, eles disseram que não. Ele diz isso não com severidade, mas com um sorriso.

Porque eu pergunto, ele me conta que os montes naquela região eram centros espirituais, observatórios astrológicos ou locais de sepultamento. A maioria são pirâmides, com aberturas do lado de dentro para ver os solstícios e os equinócios, mas outros são montes planos em pontos magnéticos globais onde sementes eram espalhadas para torná-los mais frutíferos. Todos levaram séculos para serem construídos, com escavação e deslocamento de toneladas de terra. Às vezes as bacias se tornavam lagos ou viveiros de peixes. Os locais de sepultamento são os que nos fornecem mais informações, porque contêm conchas do Golfo do México, obsidiana de Wyoming, mica entalhada das Carolinas do Norte e do Sul e até mesmo dentes de ursos-cinzentos das Montanhas Rochosas incrustrados com pérolas — além de potes e joias de prata e de cobre do Canadá, cascos de tartaruga do Atlântico, contas de pedras semipreciosas entalhadas da América Central e tecidos de toda parte. Eles contam quão longe os antigos iam em suas viagens e no comércio.

A essa altura, sinto como se estivesse em uma realidade paralela. Ele diz que os montes eram tamanhas proezas da construção que os europeus não acreditaram que as pessoas que consideravam selvagens podiam ter ancestrais capazes de criar tais coisas. Uma teoria popular era a de que os egípcios tinham vivido ali — e depois misteriosamente tinham ido embora. Outra teoria é a de que os chineses, os primeiros navegadores, teriam ido até lá e ido embora.

Eu pergunto se os construtores dos montes eram ancestrais *dele*. Ele diz que poderiam ser, mas que, com toda a herança miscigenada naquela região, eles poderiam ser meus ancestrais também. Ninguém sabe como eles se chamavam — os montes ganharam os nomes dos locais onde foram encontrados: Adena, Hopewell e assim por diante. A maioria dos grandes montes foi construída ao longo do rio Mississippi. O povo desse continente então conhecido como Ilha da Tartaruga tinha culturas tão avançadas quanto as de qualquer outro lugar do planeta.

De repente, parece ridículo que tenhamos acabado de sair do aeroporto de uma cidade batizada em homenagem a Colombo, um péssimo navegador que insistiu até o dia de sua morte que estava na Índia — razão pela qual os nativos do continente são chamados de índios. Como as mulheres nativas em Houston disseram: "Poderia ter sido pior, ele poderia ter pensado que estava na Turquia." Se você foi vítima de genocídio e foi excluído da história, elas explicaram, precisa ter senso de humor para sobreviver. Quando digo isso ao meu motorista, ele olha para mim como se eu estivesse começando a entender.

Embora estivesse achando que aquele homem gentil e paciente tinha sido enviado para me buscar, me dou conta de que não sei qual é o seu papel. Ele diz tranquilamente que é um dos organizadores da conferência. Se eu não tivesse perguntado, ele teria ficado satisfeito em continuar sendo o motorista. Adeus, hierarquia.

Quando estacionamos em nosso destino final, eu pergunto como ele continua trabalhando, apesar de ignorâncias como a minha, de um lado, e todas as imitações comerciais, do outro.

"No Território Indígena", diz ele, "temos uma concepção diferente de tempo. Eu estou aprendendo e você está aprendendo, e muito mais pessoas vão aprender."

QUANDO CONTO ESSA HISTÓRIA para minha amiga Alice Walker, descubro que ela também sempre quis ver os montes. Assim como muitos afro-americanos, Alice tem nativos norte-americanos em sua árvore genealógica. Como William Loren Katz, um dos historiadores favoritos de Alice, escreveu, "os europeus forçaram sua entrada na corrente sanguínea africana, mas os nativos norte-americanos e os africanos se misturaram por escolha, convite e amor".[2] Sua amiga Deborah Matthews, que cresceu próximo desses montes em Ohio e que tinha uma bisavó cheroqui, se oferece para nos mostrar o que aprendeu na infância.

No verão de 1997, deixo a minha casa em Nova York, Alice e Deborah deixam suas respectivas casas na Califórnia, e nos encontramos no hotel onde eu e Alice vamos ficar — com a comodidade extra de refeições caseiras feitas na acolhedora cozinha da mãe de Deborah, uma mulher generosa a quem Alice chama pelo nome do meio: Magnolia.

No primeiro dia, Deborah nos mostra os montes em sua pequena cidade natal, Newark. Um deles é uma área redonda, com uma grama levemente crescida e mais ou menos do tamanho de um quarteirão, com antigas bordas curvadas ainda visíveis debaixo dos arbustos e detritos. Cercado de casas da classe mais baixa, com famílias sentadas na varanda da frente no calor de agosto, é um espaço aberto com crianças brincando perto de banheiros públicos. O segundo é o campo de golfe Moundbuilders, no Moundbuilders Country Club, nos arredores da cidade. O terceiro é o Grande Círculo de Terraplanagem, que é protegido como parque estadual. Seus 12 hectares são cercados por um muro que, mesmo depois de dois mil anos de erosão, ainda tem quatro metros e meio de altura. No centro há quatro montes na forma de um pássaro, com o bico voltado para a entrada. Deborah conta que escavações revelaram um altar dentro do corpo do pássaro, e radiestesia identificou linhas de energia ao longo do topo do muro. Ela ia até lá quando era menina, nos passeios de família.

"Se nos aventurássemos para além do muro", lembra ela, "os mais velhos diziam: 'Apenas siga o círculo e ele vai conduzi-la de volta para nós.'"

Na cozinha de Magnolia, comemos torta de pêssego caseira e conversamos sobre as diferenças entre os países no que se refere à maneira como tratam seu passado. Em Stonehenge, na Inglaterra, há guardas e passeios filmados. Os gregos modernos fazem piqueniques em meio às ruínas e estão familiarizados com sua história antiga. Ambos podem se considerar descendentes de um passado de glórias. Nos Estados Unidos, as pessoas chegaram de outro continente e, por meio de guerras, doenças e perseguição, eliminaram 90% dos nativos. De 1492 até o fim das Guerras Indígenas, estima-se que quinze milhões de pessoas tinham sido mortas. Uma bula papal instruíra os cristãos a conquistarem os países não cristãos e matarem todos os ocupantes ou "reduzir essas pessoas à escravidão perpétua".[3] Da África às Américas, a escravidão e o genocídio foram abençoados pela igreja, e as riquezas do então chamado Novo Mundo consolidaram o papado e as monarquias europeias. Seja por culpa seja por uma crença justificadora de que os habitantes originais não eram completamente humanos, a história foi substituída pelo mito de terras quase inabitadas.

Pensando em nosso processo educacional em diferentes décadas e partes do país, nós três naquela cozinha chegamos à conclusão de que aprendemos mais sobre a Grécia e a Roma antiga do que sobre a história da terra na qual vivemos. Aprendemos sobre os construtores das pirâmides do Egito, mas não sobre os construtores das pirâmides do rio Mississippi.

No dia seguinte, Deborah nos leva de carro até Flint Ridge, uma antiga pedreira que um dia forneceu sílex para as ferramentas nativas usadas na caça, na agricultura e na construção. De acordo com as lendas locais, os índios preferiram se atirar para a morte daquele cume a serem massacrados pelo inimigo.

Precisamos de apaziguamento, e o encontramos no Monte da Serpente.

E lá está ela, uma serpente ondulante e coberta de grama se alongando por quatrocentos metros em um platô sobre o vale. Parece emergir da terra, em vez de ter sido construída nela. De um globo ou cometa na boca a uma cauda espiralada, acreditava-se que a sua direção era aleatória até que astrônomos se deram conta de que a cabeça aponta para onde o sol se põe no solstício de verão e a cauda, para onde o sol nasce no solstício de inverno. A datação por radiocarbono determina que a serpente tem pelo menos dois mil anos de idade, e não os poucos séculos que se pensava originalmente. Ela é a maior efígie de terra ainda existente naquela área, e também no mundo. Como muitos desses montes, a serpente teria sido destruída para abrir espaço para construções se não tivessem arrecadado dinheiro para salvá-la — nesse caso, com a ajuda de um grupo de mulheres do Museu Peabody de Massachusetts.

Há um pequeno observatório de madeira e panfletos do estado de Ohio, mas eles focam os fatos — por exemplo, que o Monte da Serpente é tão extenso quanto quatro campos de futebol —, e não o significado. Em *The Sacred Hoop*, Paula Gunn Allen, poeta, mitóloga e acadêmica nativa, explica que Mulher Serpente era um dos nomes do espírito quintessencial original "que permeia tudo, que é capaz de produzir uma música poderosa e um movimento radiante, e que se move para dentro e para fora da mente (...) ela é ao mesmo tempo Mãe e Pai de todas as pessoas e todas as criaturas. É a única criadora do pensamento, e o pensamento precede a criação.".[4]

Na mitologia ocidental, ela pode ser comparada à Medusa, a deusa grega com cabelos de serpente, cujo nome significa Mulher Sábia ou Protetora. Ela um dia foi todo-poderosa — até que o patriarcado surgiu na forma de um jovem homem mítico que cortou a cabeça dela. Quem ordenara que ele fizesse isso fora Atena, que nascera já adulta da cabeça do pai, Zeus — uma deusa criada pelo patriarcado e, portanto, sem mãe. Existe história no que rejeitamos como pré-história.

Nos livros que levamos conosco, lemos que as primeiras escavações de túmulos naquela área revelaram um jovem casal deitado lado a lado usando joias e peitorais, os narizes moldados em cobre para preservá-los depois que a frágil cartilagem não existisse mais. Seus corpos estavam cercados por botões feitos de madeira coberta de cobre e de pedra, além de mais de cem mil pérolas.[5]

Naquela noite nos juntamos à mãe de Deborah, a sua avó de 86 anos, além de professores e vizinhos, em uma ceia comunitária no ginásio da escola. São boas-vindas para nós. Com o humor em ritmo lento e a cordialidade que aprendi a apreciar, eles falam sobre a história do provinciano estado de Ohio e ficam satisfeitos por estarmos interessadas nisso. A avó de Deborah viveu toda a sua vida perto de morros Adena que podem ser ainda mais antigos do que aquele que acabamos de ver. Eles se entregam a reminiscências de tudo, de passeios românticos nas obras de terra do Grande Círculo à conexão que sentem com pessoas que chamam simplesmente de "os antigos". Contamos a eles sobre o jovem casal rodeado de cobre e pérolas. Todos acendemos uma vela por eles.

O que não conto a eles é um sentimento que eu mesma não compreendo. Quando criança, ia a reuniões teosóficas com a minha mãe e frequentava uma igreja congregacional onde fui batizada. Participei de muitos sedarim de Pessach, os jantares cerimoniais judaicos, reformulados com erudição e poesia para incluir as mulheres. No entanto, nada disso me pareceu tão atemporal e verdadeiro quanto a Mulher Serpente.

II.

AO VOLTAR PARA CASA DE UMA VIAGEM PELA ESTRADA EM 1970, vejo um grafite pintado em grandes letras sobre o túnel Midtown Queens: RODAS SOBRE OS CAMINHOS INDÍGENAS.

Logo me vejo procurando por esse grafite toda vez que volto para casa. Eu me pergunto: *Quem escalou tão alto acima do tráfego? Algum dos impetuosos jovens artistas de rua de Nova York? Algum jovem apaixonado por uma cultura que não é a dele, como Marlon Brando? Um descendente de uma tribo que uma vez viveu aqui?*

Imagino que não seja uma mensagem de uma cultura viva. Ainda não me dou conta de que é parte de uma jornada que vai mudar a forma como encaro o mundo e o que é possível.

O QUE ACONTECEU UMA VEZ PODE ACONTECER DE NOVO

Mais tarde, quando estou sentada no meu lugar favorito entre os altos afloramentos das pedras ígneas do Central Park, a uma curta caminhada do meu apartamento, me pergunto: *Quem vivia neste mesmo lugar há muito tempo, antes de os holandeses e depois os ingleses chegarem? Que mãos tocaram essa pedra e quem olhou para o mesmo horizonte?* Essa história vertical me parece mais familiar e sensorial do que a história escrita. Ela tinha tentado se comunicar comigo o tempo todo, eu é que não estava prestando atenção.

QUANDO EU ERA MAIS jovem e tentava me tornar uma escritora ao entrevistar outros escritores, fui designada para escrever um perfil de Saul Bellow, o romancista superpremiado que escrevera crônicas de Chicago em toda a sua diversidade. Como não queria ficar sentado para me dar uma entrevista, ele me levou em um tour de um dia por essa cidade que era uma personagem em todas as suas obras. Começamos pelos quartos claustrofóbicos de um cortiço preservado para mostrar como gerações de imigrantes europeus viveram e por uma loja de bairro que vendia abridores de lata e outros itens baratos na parte da frente e anéis de diamante nos fundos. Depois fomos a um bar onde nativos norte-americanos trabalhadores da indústria siderúrgica ficavam sentados em silêncio, bebendo enquanto a luz da manhã era filtrada pelas venezianas. Eram moicanos, Bellow explicou com o olho de romancista para uma boa história, e tinham tão pouco medo de altura que podiam andar em vigas de aço a uma altura de setenta andares enquanto pegavam rebites quentes com uma peneira de metal — algo como uma partida de pelota basca. Ele admirava o dom natural deles e os encarava como diferentes. Para mim, eles pareciam tão isolados quanto migrantes mexicanos trabalhando nos campos da Califórnia ou sul-africanos trabalhando em minas de diamante.

Anos mais tarde, como se eu tivesse enviado um chamado para o universo, conheci mulheres em uma reserva moicana no Canadá. Elas viviam perto de uma ponte da estrada de ferro que dera origem a esse mito de intrepidez. Elas me asseguraram que os homens moicanos tinham tanto medo de altura quanto qualquer outra pessoa, mas precisavam dos empregos. Talvez tivessem sido ajudados por um hábito de caminhar por trilhas colocando um pé na frente do outro e por uma tradição de bravura diante do perigo, mas tantos haviam morrido que as mulheres moicanas pediram aos seus homens para nunca irem juntos para um mesmo serviço, a fim de diminuir o risco de ficarem viúvas em grupo e de as crianças ficarem sem pai. Se não tivesse ido até aquele triste bar e não tivesse visto os homens se embriagando — e se não tivesse conhecido essas mulheres —, eu também teria acreditado no mito de uma escolha corajosa.

Não surpreende que a história oral acabe sendo mais precisa do que a história escrita. A primeira é transmitida pelos muitos que estavam presentes. A segunda é escrita pelos poucos que provavelmente não estavam.

Nos meus próprios livros de escola, me lembro de ler títulos como "Os índios eram atrasados". Essas fontes ignoravam uma cultura, ou eram ignorantes a respeito dela, com técnicas de agricultura que deram ao mundo três quintos das colheitas ainda em cultivo nos tempos modernos,[6] desenvolveram o algodão de fibra longa que tornou possíveis os moinhos da Inglaterra e atraíram tantos colonos para o estilo de vida indígena, em vez do europeu, que Benjamin Franklin reclamou acidamente disso. Como escreveu Jean-Jacques Rousseau: "Os índios gozavam de igualdade e abundância; os europeus viviam acorrentados."[7]

Com frequência, os mitos sobre os índios os retratam como mais violentos do que a sociedade branca ao redor deles, embora o "escalpamento" tenha sido iniciado pelo Exército dos Estados Unidos, de modo a pagar aos soldados e aos colonos uma recompensa por cada índio assassinado. Na minha infância, os filmes de faroeste de Hollywood apresentavam alguns nobres selvagens assim como alguns guerreiros destemidos (ou melhor, atores não indígenas interpretando esses papéis), as mulheres pioneiras, porém, eram retratadas tendo um destino pior do que a morte caso fossem capturadas. "Mestiços" nascidos dessas ligações eram vistos como se quisessem apenas ser aceitos na sociedade branca e, principalmente se fossem mulheres, estavam condenadas a uma sexualidade fora de controle.

Na verdade, eram muito mais comuns as mulheres brancas que experimentavam o trabalho coletivo e a condição mais elevada da mulher nas culturas nativas e as escolhiam em detrimento da sua própria. Por exemplo, Cynthia Ann Parker foi uma comanche adotada que deu à luz o último chefe comanche livre, foi capturada pelos soldados da força policial dos Texas Rangers e passou os últimos dez anos de sua vida tentando voltar para a cultura que amava.

Como Benedict Anderson escreveu em *Imagined Communities*, uma denúncia espirituosa e letal de histórias de ficção que justificavam o nacionalismo: "Todas as mudanças profundas na consciência (...) trazem com elas amnésias características. Desses esquecimentos (...) florescem as narrativas."

Até mesmo um grafite em cima de um túnel pode dar início a uma jornada que nunca termina.

PENSANDO NA CONFERÊNCIA NACIONAL da Mulher em Houston, percebo quanto aprendi, não apenas durante a conferência, mas nos dois anos de viagens e conferências estaduais que levaram a ela. LaDonna Harris, uma ativista comanche muito querida, foi a única mulher do que ela chamava de América Tribal dentre os nossos comissários, e era também uma rara conexão com Washington.[8] Ela se casara com Fred Harris, seu namorado do ensino médio, que, com a ajuda dela, se tornou senador pelo estado de Oklahoma. Algumas pessoas brincavam, dizendo que ela era o terceiro senador do estado, porque era muito ativa na organização e na educação sobre as questões dos nativos.

Para estimular o orgulho nos jovens nativos e levar conhecimento para o restante do país, LaDonna também fundou o Norte-americanos pela Igualdade dos Indígenas, com um Programa de Embaixadores que treinava jovens mulheres e homens para falar sobre a história e a cultura deles. Isso promovia mais entendimento no geral, além de confiança nas novas gerações de líderes emergentes, e essa ideia seria adaptada pelos Primeiros Povos em outros países. Ainda assim, como ela me contou, o primeiro desafio deles geralmente era começar do zero, explicando: "Nós ainda estamos aqui."

A própria LaDonna me lembrava pessoas que conheci na Índia que também vinham de culturas mais antigas do que qualquer coisa nos meus livros de história. Como elas, ela tinha uma dupla-consciência, um termo criado por W.E.B. Du Bois para descrever a experiência dos afro-americanos de serem indivíduos únicos por dentro, porém ao mesmo tempo generalizados pelo olhar racista dos que estão de fora. De alguma forma, LaDonna virou isso de ponta-cabeça. Ela vivia plenamente no mundo moderno, mas incluía a sua consciência nativa nessa experiência, e se tornou uma ponte entre os dois mundos. Estar perto de LaDonna significava ter a percepção de uma envergadura muito maior da história; também unir, em vez de separar, os seres humanos e a natureza; e valorizar atributos atemporais como espiritualidade e humor. Este último parecia tão comum para LaDonna e outras pessoas do Território Indígena que eu me perguntava de onde tinha vindo o estoico e inexpressivo índio das tabacarias.* Em nossas intermináveis reuniões com outros comissários, ela, como muitos outros nativos que

---

* Como no século XVII a maior parte da população não sabia ler, os primeiros comerciantes começaram a usar figuras ou símbolos descritivos para anunciar os produtos que vendiam. Os índios norte-americanos sempre estiveram associados ao tabaco porque o apresentaram aos europeus, de forma que a figura de nativos norte-americanos — em geral na forma de uma escultura de madeira, algumas vezes em tamanho real, colocada diante da fachada — era largamente usada para identificar as tabacarias. (*N. da E.*)

conheci ao longo dos anos, tinha a capacidade rara de encontrar ironia e humor em meio à seriedade — e vice-versa.

Eu achava que a presença de LaDonna entre os 35 comissários do Ano Internacional da Mulher enviaria uma mensagem para as nativas norte-americanas de todo o país que, de outra forma, poderiam não se sentir convidadas a comparecer às conferências estaduais. O que eu não sabia era quão raro isso era. Representando cerca de 1% da população — pelo menos de acordo com a notória subcontagem do Censo dos Estados Unidos[9] —, as mais de quinhentas tribos e nações compunham o grupo mais reduzido, mais pobre e menos educado formalmente dos Estados Unidos. As nações eram muito diversas, variando no tamanho desde a Nação Navajo, que se estendia por diversos estados, até reservas de menos de oito hectares. Porém, apesar da diversidade, elas compartilhavam lutas em comum, como lidar com um governo federal que ainda tinha que honrar um tratado em sua totalidade, assumir o controle da educação e do tratamento de suas próprias crianças, proteger suas terras da exploração de petróleo, urânio e outros recursos lá existentes — e muito mais. Por exemplo, as mulheres das reservas sofriam o maior índice de abuso sexual no país; ainda assim, os homens não nativos, que eram a maior parte dos agressores, não eram submetidos à polícia ou à jurisdição tribal, e em sua maioria eram ignorados pelo sistema legal mais amplo.

Com as caladas, contidas e às vezes hesitantes mulheres nativas que foram às reuniões e ficaram para falar, aprendi sobre as gerações de famílias indígenas que foram forçadas por lei a mandar seus filhos para internatos cristãos muitas vezes financiados com o dinheiro de impostos, passando por cima da separação entre igreja e estado. O homem que fundou essas escolas no século XIX cunhou o lema "Mate o índio, salve o homem". Eles privavam as crianças de suas famílias, seus nomes, sua língua, sua cultura e até mesmo de seu cabelo comprido. Em seguida ensinavam-lhes uma história cuja medida de progresso era a derrota dos índios. Com frequência essas crianças eram submetidas a trabalho forçado, desnutrição e abusos físicos e sexuais. Mais tarde, depois que muitas dessas escolas foram fechadas, no terreno ao redor delas foram descobertos túmulos de crianças que morreram de fome e em decorrência de abusos. O mais triste de tudo é que dois séculos de abuso infantil nos internatos indígenas algumas vezes normalizaram uma educação de crianças baseada na punição e a violência sexualizada dentro das famílias indígenas. Os padrões da infância são repetidos porque são os que conhecemos. Mesmo quando as escolas eram humanas, ensinar línguas nativas e praticar a religião nativa era ilegal — algo que perdurou até os anos 1970.

Ouvir essas histórias me fez lembrar das palavras do grande romancista ganês Ayi Kwei Armah: "Por estações e estações e estações, todo o nosso movimento tem sido ir contra nós mesmos, uma jornada rumo ao desejo do nosso assassino."[10]

No Território Indígena, há uma crença de que são necessárias quatro gerações para curar um ato de violência. Uma vez que muitos séculos de atos assim ainda precisam ser conhecidos ou levados a sério pela maioria dos norte-americanos antes de serem curados, essa nação pode continuar a repetir sua infância violenta — até encontrarmos a ferida e a curarmos.

Comecei a perceber que grande parte do nosso problema é a simples ignorância a respeito do que as culturas mais antigas têm para ensinar. Em Minnesota, uma jovem mulher do Mulheres de Todas as Nações Vermelhas, um grupo nascido do ativismo dos anos 1970 que forma os círculos de mulheres locais e também atua em várias frentes, dos direitos de posse de terra aos perigos à saúde, me explicou que as nações nativas eram muitas vezes *matrilineares*: ou seja, a identidade do clã era passada através da mãe, e o marido se juntava à família da esposa, e não o contrário. Matrilinear não significa *matriarcal*, que, tal como *patriarcal*, parte do princípio de que *um* grupo deve dominar — um fracasso da imaginação. Em vez disso, os papéis femininos e masculinos eram distintos, porém flexíveis e igualmente valorizados. As mulheres geralmente eram responsáveis pela agricultura e os homens, pela caça, mas um não era mais importante do que o outro.

As mulheres também eram bastante capazes de decidir quando e se queriam ter filhos. Às vezes, quando as mulheres nativas vinham falar comigo depois das reuniões, elas listavam ervas tradicionais usadas como contraceptivos ou abortivos, estivessem ou não ainda em uso. Elas sabiam que nos anos 1970 o Serviço de Saúde Indígena do governo dos Estados Unidos admitiu que milhares de mulheres nativas tinham sido esterilizadas sem consentimento informado. Algumas diziam que era uma estratégia de longo prazo para tomar posse das terras indígenas, e outros diziam que era o mesmo tipo de racismo que esterilizara mulheres negras no Sul. Tanto os tradicionalistas quanto os jovens radicais do Movimento Indígena Norte-americano chamaram isso de "genocídio lento". Ele também retirou o poder irrevogável das mulheres.

Descobri que as línguas nativas, cheroqui e outras — como o bengali e outras línguas antigas — não tinham pronomes de gênero como *ele* e *ela*. Um ser humano era um ser humano. Até mesmo o conceito de *chefe*, uma palavra de origem francesa, refletia uma concepção europeia de que deveria haver um líder homem com ares de rei. Na verdade, *caucus* (convenção política), uma palavra derivada das línguas algonquins, refletia com mais fidelidade as camadas dos círculos de conversa e o objetivo do consenso que estavam no cerne da governança. Homens e mulheres podiam ter deveres diferentes, mas o objetivo era o equilíbrio. Por exemplo, eram os homens que falavam nas reuniões, mas as mulheres indicavam e informavam os homens que iam falar.

Encontrei muitos testemunhos não nativos desse modo diferente de vida. Por exemplo, nos primeiros tempos da nação norte-americana, professoras brancas em escolas nativas escreveram sobre se sentirem mais seguras nas comunidades tribais do que entre os seus. Etnógrafos e jornalistas descreveram a raridade do estupro. O abuso de mulheres estava bem no topo, junto com roubo e assassinato, como uma das três razões pelas quais um homem não poderia se tornar um *sachem*, ou um líder sábio. Tudo que é proibido deve ter existido, mas os europeus ficaram chocados com a raridade com que essas coisas aconteciam. Encontrei testemunhos como o do general James Clinton — nem um pouco amigo dos índios que ele perseguia —, que escreveu, em 1779: "Por piores que sejam esses selvagens, eles nunca violam a castidade de uma mulher, [nem mesmo] das prisioneiras."[11]

Na Califórnia, me sentei para almoçar na mesma mesa que uma professora de espiritualidade pré-monoteísta, junto com diversas mulheres de algumas das tribos desse estado que tem mais nativos norte-americanos do que qualquer outro. Todas concordaram que o paradigma da organização humana era o círculo, não a pirâmide ou a hierarquia — e que poderia voltar a ser assim.

Eu nunca soubera que *havia* um paradigma que unia em vez de atribuir precedência. Foi como se eu estivesse esperando oposição — e de repente me visse em um mundo acolhedor; como pisar firme esperando um degrau íngreme e descobrir um terreno plano.

Ainda assim, quando uma estudante de direito laguna do Novo México reclamou que os cursos dela não citavam a Confederação Iroquesa como o modelo para a Constituição dos Estados Unidos — nem explicavam que essa confederação ainda existente é a mais antiga democracia do mundo —, achei que ela estava sendo romântica. Porém, li sobre a Convenção Constitucional e descobri que Benjamin Franklin tinha de fato citado a Confederação Iroquesa como um modelo.[12] Ele estava bastante ciente do sucesso da confederação em unificar vastas áreas dos Estados Unidos e do Canadá ao unir as nações nativas em torno de decisões mútuas, mas ao mesmo tempo permitir a autonomia das nações nas decisões locais. Ele esperava que a Constituição fizesse o mesmo pelos treze estados. Foi por isso que convidou dois homens iroqueses para irem até a Filadélfia como conselheiros. Dizem que uma das primeiras perguntas que eles fizeram foi: *Onde estão as mulheres?*

Ao contrário do modelo nativo, a Constituição dos Pais Fundadores permitia a escravidão e a propriedade privada assim como a exclusão das mulheres. Entretanto, tal como seu modelo, a Constituição virou de ponta-cabeça todos os sistemas de governo da Europa, da Grécia antiga à Magna Carta, colocando todo o poder nas mãos do povo; criando camadas de círculos de conversas, do nível local ao federal; separando o poder militar do poder civil, e eliminando as monarquias e os soberanos hereditários. Pareceu-me que os norte-americanos poderiam pelo menos dizer obrigado. Em vez disso, perdurava a ideia de que a democracia tinha sido inventada na Grécia antiga, apesar do fato de que os gregos tinham escravidão, além de excluírem as mulheres da cidadania, que também era limitada por classe, e muito mais.

Como uma porta-voz nativa disse com ironia quando as nações indígenas estavam sendo instruídas sobre a democracia em 1970: "É possível que nós, os índios, sejamos os únicos cidadãos deste país realmente capazes de entender a sua forma de governo (...), copiada da Confederação Iroquesa."[13]

III.

ANTES DE HOUSTON, EU TINHA ORGULHO DA DIVERSIDADE GEOgráfica e de experiências representadas no conselho diretor da Fundação Ms. para Mulheres. Depois de Houston, eu não podia acreditar que não tivéssemos no conselho uma representante do Território Indígena.

Dessa forma, comecei a trabalhar de perto com quatro mulheres que se juntaram a nós nos anos 1980 e 1990, e continuamos a trabalhar informalmente desde então. Cada uma delas poderia ser um sucesso em qualquer lugar, mas mesmo assim optaram por permanecer em um modo de vida que era, de acordo com os padrões convencionais, marginalizado e empobrecido e estava sob risco de desaparecer. Cada uma delas tinha um dos pais indígena e o outro não, e isso também teria tornado o sucesso convencional delas mais fácil. A escolha delas de ficar e lutar provou o valor do afeto e do parentesco, do equilíbrio e de uma compreensão do mundo natural. Tudo que eu sabia era que estar perto delas fazia com que eu me sentisse estranhamente compreendida e esperançosa.

Rayna Green tornou nossas animadas reuniões de conselho diretivo ainda mais animadas. Como escritora cheroqui, folclorista e antropóloga do Programa Índio Americano do Instituto Smithsoniano em Washington, D.C., ela enriqueceu nosso trabalho e o expandiu para novos lugares. Assim como seu senso de humor despretensioso. Graças a ela, comecei a aprender sobre o *trickster*, uma figura comum nas mitologias nativas, um atravessador de fronteiras que pode ir a qualquer lugar. Ao contrário do bobo da corte e do palhaço, que estão na base de uma estrutura hierárquica e sobrevivem apenas porque fazem o rei rir, o *trickster* é livre, um paradoxo, aquele que rompe barreiras e nos faz rir — e o riso abre as portas para o sagrado. Nas espiritualidades nativas, geralmente há uma crença de que não podemos rezar a não ser que tenhamos rido. Como o *trickster* às vezes é do sexo feminino e é o espírito dos espaços livres e das estradas, comecei a achar que tinha encontrado um totem para mim mesma.[14]

Por exemplo, sempre que eu ou outra pessoa em nossas reuniões de conselho diretivo explicávamos alguma injustiça de maneira muito detalhada ou, ao contrário, destacávamos o óbvio com um ar de descoberta, o senso de humor de Rayna restaurava as proporções. Quando seu ciclo no conselho chegou ao fim, cinco anos depois, ela deixou para trás um ditado que eu só iria entender mais tarde: *Feminismo é memória*.

Com a ajuda de Paula Gunn Allen, eu finalmente consegui entender. "As feministas com frequência acreditam", ela escreveu, "que ninguém nunca viveu em um tipo de sociedade que empoderava as mulheres e tornava esse empoderamento a base das regras e da civilização. O preço que a comunidade feminista paga por não ter esse conhecimento (...) são a confusão e a divisão inevitáveis e muito tempo perdido."¹⁵

A conclusão dela era simples e incrível: "A raiz da opressão é a perda da memória."

EM SEGUIDA VEIO WILMA Mankiller, alguém que eu admirava, mas que nunca tinha conhecido. Ela foi a primeira mulher a ser eleita subchefe da Nação Cheroqui e logo depois seria designada para cumprir o mandato de chefe principal. Dois anos depois, em 1987, ela seguiria adiante e se tornaria a primeira mulher a ser eleita chefe principal nos tempos modernos.

O dom de Wilma de ajudar as pessoas a encontrarem a confiança em si mesmas — de criar independência, não dependência — era exatamente o tipo de sabedoria de que a Fundação Ms. precisava. Se tinha sido capaz de realizar esse milagre no Território Indígena apesar dos séculos de perda de vidas, de terras e de respeito, ela também poderia ajudar mulheres e garotas diversas a encontrarem sua força.

Eu já ouvira sobre o trabalho duro e pioneiro de Wilma antes do almoço em que discutimos a entrada dela no conselho diretor da Ms., por isso fiquei surpresa ao me ver na presença de uma mulher serena, afetuosa e que sabia ouvir. Era difícil acreditar que ela era 11 anos mais nova do que eu; sua sabedoria era muito mais velha. Eu me senti como se estivesse sendo abrigada por uma árvore robusta e atemporal. O simples fato de estar com ela tornava difícil não ser tão autêntica e livre de frescuras como ela. Seu senso de humor não se mostrava com frequência, mas, quando se mostrava, era tão natural quanto o tempo. Por exemplo, quando alguém perguntava sobre o sobrenome dela com sincera curiosidade, ela explicava que *Mankiller* [matadora de homens] era um título hereditário para uma pessoa que protegia a vila. Mas você deve ter imaginado que muitas pessoas perguntavam isso a ela de maneira condescendente, e nessas ocasiões ela simplesmente respondia, impassível: "Eu fiz por merecer."

Depois de muitas reuniões do conselho diretor e muitos jantares, fiquei sabendo que ela era a sexta de onze filhos de uma mãe metade alemã, metade irlandesa e de um pai com sangue 100% cheroqui. Seus avós maternos não aprovavam o casamento, mas a mãe dela se apaixonou — e nunca olhou para trás.

Wilma passou seus primeiros dez anos de vida nas terras do avô paterno, chamadas Mankiller Flats, no interior de Oklahoma. Essas terras foram a parte que lhe coube no fim do Caminho das Lágrimas, a infame marcha forçada da década de 1830 que expulsou os cheroquis da sua terra natal na Geórgia. Mais de um terço de todos os homens, mulheres e crianças que fizeram a marcha morreram por causa do frio, da fome e de doenças. Graças à Lei de Remoção dos Índios do presidente Andrew Jackson, as terras cheroquis foram entregues a fazendeiros brancos que as usaram para cultivar algodão com trabalho escravo e para explorar minas de ouro.

Em Mankiller Flats não havia eletricidade nem água corrente, mas havia um riacho em cujas margens cresciam ervas medicinais, hectares de floresta para explorar, um jardim com frutas e vegetais suficientes para serem armazenados para o inverno e jogos para brincar à luz de lanternas com seus irmãos e irmãs. Só quando senhoras brancas da igreja foram até lá distribuir roupas doadas Wilma entendeu que a família dela era vista como necessitada. Ela desenvolveu uma aversão para toda a vida a frases como *Deus os abençoe* e *coitadinhos*.

Então, em uma das muitas tentativas de Washington de "incorporar" os nativos norte-americanos por meio da realocação e da assimilação — e também de tirá-los de terras valiosas —, os pais delas foram persuadidos a se mudar para São Francisco, onde poderiam ter "uma vida melhor". Com dez anos de idade, Wilma de repente se viu em meio à dura vida em um conjunto habitacional urbano — uma surpresa ainda maior para uma garota que nunca tinha visto um telefone ou encanamento, nem aquela quantidade de gente em um mesmo lugar. Foi, ela se lembra, "como aterrissar em Marte". Apesar de ter tido uma experiência difícil na escola por ser diferente e de a família ter de sobreviver com o salário mínimo que o pai dela ganhava, eles encontraram uma comunidade e uma rede de apoio em um centro indígena com outras famílias realocadas.

Quando seu pai se tornou estivador, Wilma começou a aprender, na mesa da cozinha, sobre organização sindical. Aquele trabalho não era para garotas, então ela foi para uma faculdade local com a esperança de se tornar assistente social. Pouco antes de completar dezoito anos, ela se apaixonou por um jovem equatoriano que tinha ido para os Estados Unidos para estudar. Aos 21 anos, ela era uma mulher casada com duas filhas e um marido que esperava que ela fosse uma dona de casa.

Quando Wilma e eu começamos a passar mais tempo juntas como amigas, ela me contou que olhava para o jovem marido e desejava, de todo o seu coração, que pudesse ser a esposa tradicional que ele queria. Porém, ela também ansiava por fazer parte do ativismo político que tomava conta de São Francisco nos anos 1960. Ela continuou a estudar para obter um diploma e participou da ocupação, durante 19 meses, de Alcatraz, uma prisão abandonada em uma ilha pertencente ao governo federal que supostamente ia voltar para as mãos dos índios. Essa experiência de ativismo e de comunidade fez com que ela, por fim, se sentisse reconectada com sua própria vida.

Em 1974, Wilma e o marido se separaram. Ela continuou na faculdade e encontrou o apoio de outras mães solteiras, mas ainda se sentia longe da própria terra. No verão de 1976, ela deixou sua casa confortável, comprou um carro vermelho com o último dinheiro que tinha e partiu com suas duas filhas adolescentes para Oklahoma e Mankiller Flats.

A casa da família pegara fogo anos antes, mas elas acamparam no carro às margens de um lago perto da terra ancestral que o pai dela se recusara a vender, não importava quão sem dinheiro estivesse. Wilma e suas filhas nadaram, pescaram e colheram frutos selvagens como ela fazia quando criança. Aprenderam a identificar as horas pela posição do sol, jogaram Scrabble à luz da lanterna e ouviram música de um rádio portátil ao lado da fogueira do acampamento. Longe de se sentir insegura sem dinheiro e sem uma casa, Wilma disse que se sentiu livre pela primeira vez desde que tinha ido embora dali. Isso fez com que eu me desse conta do quão profunda era a conexão dela com aquela terra.

Mais tarde, ela encontrou uma casa abandonada perto do acampamento, transformou-a em um lar improvisado e se candidatou a um emprego de iniciante na Nação Cheroqui em Tahlequah. Depois de muitas rejeições, ela foi contratada como redatora de propostas de financiamento. Ela não apenas trabalhava com mais afinco do que todo mundo, mas também começou a demonstrar seu dom único como organizadora. Ao respeitar e esperar que os outros tivessem autoridade sobre si mesmos, ela conduzia as pessoas para fora do estado de passividade e desespero. Era o começo de um duro e longo caminho rumo à liderança.

Três anos mais tarde, Wilma estava dirigindo em uma estrada deserta do interior e bateu de frente com outro carro. O corpo dela foi esmagado e ela sobreviveu por pouco. Não lhe contaram até muito tempo depois que o motorista do outro carro era uma amiga — que morrera com o impacto.

Ela supostamente ficaria em uma cadeira de rodas pelo resto da vida. Foi apenas depois de 17 cirurgias — além de uma crise de miastenia gravis, uma doença neuromuscular que provoca fraqueza nos músculos — que ela voltou a andar. Mesmo assim, Wilma tinha de usar um suporte de metal que ia do joelho ao tornozelo em uma das pernas, sofria de dores e inchaço e precisava de sapatos feitos especialmente para ela.

Tudo isso acontecera muito antes de nos conhecermos. Suas saias esvoaçantes escondiam o suporte, e sua calma escondia a dor. Eu nunca teria imaginado nada daquilo.

Com Charlie Soap, um cheroqui que também trabalhava para a Nação — e que era fluente em cheroqui, ao passo que Wilma não era —, ela abraçou um projeto que parecia impossível: tentar promover mudanças positivas para os residentes de Bell, uma comunidade rural isolada composta de trezentas famílias. Era um lugar em que havia tanta pobreza e desespero que, mesmo as pessoas que deixavam a comunidade, tinham vergonha de dizer que um dia tinham vivido lá.[16]

Como Wilma era paciente, respeitosa, boa ouvinte e entendia que as pessoas só conseguiam ganhar confiança quando tomavam decisões por si próprias, ela aos poucos persuadiu as famílias a confiarem nela o suficiente para participarem de uma reunião na comunidade e decidirem do que elas mais precisavam. Wilma achava que poderia ser uma escola, mas as famílias escolheram algo que ajudaria a todos, jovens e velhos: água corrente. Eles vinham sobrevivendo com uma bomba, carregando baldes todos os dias. Conectar a comunidade ao sistema de fornecimento de água significaria cavar trinta quilômetros de valas profundas e instalar grandes tubulações, além de mais três quilômetros de tubulações menores até cada casa. Wilma se comprometeu a conseguir o dinheiro e encontrar o equipamento — se eles mesmos fizessem o trabalho.

Ninguém achava que isso era ao menos possível, mas a fé de Wilma neles aumentou esperança de que eles pudessem ajudar a si mesmos. Famílias inteiras, de crianças a idosos, fizeram o trabalho de cavar e instalar os canos. O trabalho durou 14 longos e árduos meses, mas, no final, eles obtiveram duas vitórias: água corrente e uma comunidade confiante, em vez de desesperada. Foi uma proeza tão grande que a CBS News cobriu tudo, pessoas ao redor do país se sentiram inspiradas, assim como os espectadores nas regiões não desenvolvidas do mundo tão parecidas com Bell.[17] Tempos depois, essa história de Wilma e Bell se tornaria um filme, *The Cherokee Word for Water* [A palavra cheroqui para água].

Charlie e Wilma criaram um laço durante essa longa luta e, em 1986, o mesmo ano em que ela se juntou ao conselho diretor da Ms., eles se casaram.

Certa vez, depois da uma dolorosa reunião da Fundação Ms., com muitas propostas de centros de atendimento a vítimas de violência sexual e pouco dinheiro para dar a eles, Wilma me contou a história de algo com o que ela mesma não lidara. Em um cinema perto do conjunto habitacional onde morava em São Francisco, ela tinha sido abusada sexualmente por um grupo de garotos adolescentes. Ela falara com eles porque ficara lisonjeada com o fato de alguém querer falar com ela — e então fora traída. Ela não contou nada aos pais nem aos amigos. Tampouco entrou em detalhes comigo. A experiência ainda parecia ao mesmo tempo séria demais e não séria o bastante. Somente ao se sentar em um círculo de mulheres e ouvir histórias parecidas com a sua ela se deu conta de que não estava sozinha, que não tinha sido culpa dela, que ela podia falar sobre o que havia acontecido.

Dali em diante eu percebi que ela concordara em se juntar a nós por uma razão, consciente ou não. Pensei nisso novamente quando eu, ela e Charlie passamos um feriado de inverno no México com Alice Walker. No fim da nossa viagem, Wilma nos disse, baixinho: "Essa é a primeira vez na minha vida que eu estive com pessoas que não precisavam de nada de mim."

Eu tive um vislumbre do preço que Wilma pagou por liderar um povo que por muito tempo fora impedido de liderar a si mesmo.

Em 1987 ela concorreu ao cargo de chefe principal da Nação Cheroqui, um movimento bastante controverso. Nunca uma mulher cheroqui fora eleita chefe principal nos tempos modernos, e muitos cheroquis tinham passado a acreditar que a liderança masculina era tão inevitável quanto o cristianismo e a comida comprada em lojas. Em tempos passados, o conselho das anciãs da Nação Cheroqui escolhera líderes e até mesmo decidira se deveriam lutar em guerras. Tratados com Washington tinham que ser assinados tanto pelos anciãos quanto pelas anciãs, algo que os oficiais de Washington ridicularizavam impiedosamente como "Governo das Anáguas". Alguns cheroquis modernos ainda temiam essa ridicularização, ou achavam que uma mulher não poderia representar a Nação em Washington, ou ambas as coisas.

A campanha eleitoral dela teve todas as complexidades de qualquer campanha estadual, acrescidas da necessidade de alcançar eleitores cheroquis registrados em estados fora de Oklahoma e em países estrangeiros. Eu me vejo no papel familiar de ajudar na arrecadação de fundos e até mesmo em um comercial de televisão. Porém, no fim, Wilma venceu por causa do seu histórico de ajudar as pessoas a se ajudarem, como fez em Bell, e também porque os tradicionalistas cheroquis, que raramente votavam antes, viram a liderança dela como um retorno ao equilíbrio e à reciprocidade do passado.

Depois disso, testemunhei enquanto ela, calmamente, pessoa por pessoa, uma comunidade rural por vez, uma batalha contra os lobbys de Washington por vez, ajudou as pessoas a construírem seus próprios sistemas de distribuição de água, programas para jovens e um sistema de atendimento médico que se tornou um modelo para outras áreas rurais. Aos poucos ela fez com que a Nação Cheroqui, que era majoritariamente dependente da destinação de verbas do governo, se tornasse majoritariamente independente por meio de negócios comunitários. Para honrar outras líderes nativas, ela entrevistou várias delas para seu livro *Every Day Is a Good Day: Reflections by Contemporary Indigenous Women* [Todo dia é um bom dia: reflexões de mulheres indígenas contemporâneas].[18]

Em 1991, ela foi reeleita com o número sem precedentes de 82% dos votos. Em 1994 o presidente Bill Clinton convidou líderes de todas as nações nativas para um encontro em Washington — o primeiro da história. Esse grupo composto quase totalmente de homens elegeu Wilma como um dos seus dois porta-vozes.

Seis anos depois, eu fui à Casa Branca com Wilma e assisti enquanto o presidente Clinton e Hillary Clinton conferiam a ela a Medalha da Liberdade, a maior honraria civil do país.

Enquanto ela estava lá de pé, forte, generosa e nem um pouco intimidada por outro chefe de Estado, eu não fui a única na plateia que pensou: *Ela poderia ser presidente.* Eu também pensei: *Em um país justo, ela seria.*

Em seu último ano, Wilma ficou no conselho diretor durante algum tempo junto com sua sucessora, Rebecca Adamson, uma mulher tímida, esguia e magnética que era uma especialista autodidata em economias de base. Mais jovem e tímida do que Rayna e Wilma, ela parecia derrotar sua timidez com absoluta força de vontade. O dom dela de entender tudo, desde o mais humilde detalhe à teoria econômica mais desafiadora, me lembrava do ideal dos anos 1930, da classe trabalhadora intelectual.

Ao contrário de Rayna e Wilma, Rebecca crescera totalmente fora do Território Indígena. Ela foi salva pelos verões que passou nas Montanhas Enfumaçadas, onde a sua avó cheroqui morava. Lá, Rebecca descobriu um modo de vida que a fazia se sentir em casa. Por fim, abandonou a faculdade para se tornar o primeiro membro da equipe contratada pela Coalizão de Conselhos Escolares Controlados pelos Índios, um grupo com o grande objetivo de reformar as escolas que estavam maltratando ou humilhando as crianças indígenas, fossem elas gerenciadas por religiosos, pela Agência de Assuntos Indígenas ou por conselhos escolares locais. Na experiência de Rebecca, esse direito a escolas que não maltratassem nem humilhassem ia representar para o Território Indígena o que se registrar como eleitor e votar no Sul representaram para os afro-americanos — o começo de um movimento maior. Dados os paralelos de preconceito e poder, Rebecca teve a vida ameaçada mais de uma vez.

Quando a conheci, ela havia terminado a faculdade em regime de meio-período, fizera uma pós-graduação em economia e estava atuando como consultora da Organização Internacional do Trabalho das Nações Unidas e de grupos indígenas em outros países. Ela tinha o dom de se fazer compreender — um sinal seguro de um bom organizador — e escreveu um ensaio sobre a vida nas reservas com o título conciso de "Land Rich, Dirt Poor" [Em terras ricas, na extrema pobreza]. Ela também resumiu seu objetivo organizacional em um slogan de quatro palavras que imprimiu em camisetas: DESENVOLVIMENTO — COM VALOR AGREGADO.

Eu não entendi completamente a profundidade desse "valor agregado" até que Rebecca me pediu para ir a uma reunião de dois dias com ativistas perto da Reserva Pine Ridge, na Dakota do Sul. Meu papel era levar o meu conhecimento sobre o sistema gandhiano de economia dos vilarejos, além da experiência das mulheres de baixa renda e que viviam com subsídios do Estado e que haviam criado seus próprios pequenos negócios familiares com o apoio da Fundação Ms. Além disso, eu não tinha a menor ideia do que esperar.

Nossa reunião aconteceu em um pequeno hotel pertencente às tribos perto das Badlands da Dakota do Sul. O objetivo era entender como criar uma economia comunitária de sucesso em um mundo economicamente individualista.

Durante dois dias inteiros e noite adentro, essa discussão casual, séria, idealista e prática prosseguiu. Eu observei quão atentamente todos ouviam e quão pouco ego parecia estar envolvido nas falas. De tempos em tempos, Larry Emerson, um educador navajo, e Birgil Kills Straight, o tradicionalista lakota da Nação Oglala Sioux que contratara Rebecca para trabalhar no movimento escolar, falavam, algumas vezes ilustrando seus comentários no quadro-negro; depois, apenas voltavam a ouvir. Nenhum dos dois parecia ter necessidade de falar muito, mostrar o quanto sabiam, aprovar ou desaprovar o que os outros diziam ou estar no controle. Levei um tempo para me dar conta de que *esses homens falam apenas quando têm algo a dizer*. Eu quase caí da cadeira.

Naquelas reuniões, aprendi que até mesmo os diagramas econômicos não precisam ser lineares. O nosso era um ninho de círculos concêntricos, e um empreendimento era medido por seu valor para cada círculo, do indivíduo e da família à comunidade e ao meio ambiente. Eu me dei conta de que Rebecca e seus colegas estavam tentando fazer nada menos do que transformar o Sistema Nacional de Contas, o sistema estatístico usado nos Estados Unidos e na maioria dos países para medir a atividade econômica. Por exemplo, o valor de uma árvore depende do seu valor estimado ou do seu valor de venda, mas se é vendida e derrubada, não ficam contabilizadas na parte de débitos do livro fiscal as perdas de oxigênio, das sementes que dariam origem a outras árvores ou do valor para a comunidade e para o meio ambiente. Aquele grupo estava inventando uma nova maneira de medir lucros e perdas.

No fim dos nossos dias juntos, eu compreendia a economia de uma forma completamente nova. Um balanço podia de fato ter a ver com equilíbrio.

FAITH SMITH, UMA EDUCADORA ojibwa de Chicago, sucedeu Rebecca no conselho diretor. Calada, intensa e de uma beleza clássica, Faith representava a metade dos nativos que vivem nas cidades e têm experiências multitribais. Para proporcionar aos estudantes nativos das cidades uma faculdade que incluísse sua própria história, ela ajudou a fundar a Faculdade dos Serviços Educacionais Nativo-americanos, uma pequena instituição privada controlada pelos índios que confere diplomas de graduação a estudantes de idades entre dezessete e setenta anos.

Ela me contou que apenas 10% dos estudantes nativos que ingressam nas instituições de ensino regulares permanecem por tempo suficiente para obter um diploma, em parte porque estão em uma versão acadêmica do mundo que não inclui sua experiência ou mesmo sua existência. Aquela faculdade, entretanto, estava formando 70% dos que entravam e mandando de 20% a 30% para escolas de pós-graduação.

Quando fui visitar Faith na faculdade em Chicago, almoçamos com estudantes que me contaram que, em outras instituições de ensino, se sentiam forçados a escolher entre uma educação que os excluía e uma comunidade que os incluía. Ali eles podiam ter ambas as coisas.

O almoço em si foi um aprendizado. Os estudantes explicaram que a comida era uma marca geracional. Os avós deles e outros nascidos antes da Segunda Guerra Mundial tinham vivido no campo e comido alimentos nativos tradicionais, do tipo que fizeram os colonos escreverem para casa contando como os índios eram mais altos, mais fortes e mais saudáveis. Depois vieram as gerações de nativos que viviam nas reservas, dependentes das provisões do governo de açúcar refinado, banha de porco e farinha branca, e também de entrepostos comerciais que negociavam álcool. A saúde dos nativos decaiu, e o alcoolismo e a diabetes cresceram. Cada estudante que estava comendo comida saudável naquela sala de aula ensolarada e multifuncional tinha pelo menos um amigo ou membro da família que precisava fazer hemodiálise. Levar parentes para hospitais e clínicas se tornou um ritual familiar.

Eu podia ver que Faith era um exemplo de muitas maneiras. Ela era diretora da faculdade, mas, mesmo assim, recebia a mesma quantia que pagava aos professores e ao zelador sempre que o fluxo de caixa se tornava um problema. Sua forma física também era importante. Sobrecarregada, porém saudável e esbelta, ela era um exemplo vivo do que era possível. Uma placa na parede do refeitório explicava:

VOCÊ NÃO PODE VIVER CORRETAMENTE APENAS
POR MEIO DO PENSAMENTO.

VOCÊ TEM QUE VIVER DE MANEIRA
A PENSAR CORRETAMENTE.

— ANCIÕES NATIVOS.

IV.

SEMPRE QUE ESTAVA EM UM TERRITÓRIO NOVO, EU PERGUNTAVA sobre a história vertical das pessoas que tinham vivido ali no passado longínquo ou que pudessem ainda estar vivendo ali. Tentava nunca fazer um discurso sem incluir exemplos nativos, assim como fazemos com outros grupos neste país diverso. Era como lançar pão sobre as águas. Ele quase sempre voltava amanteigado — com novo conhecimento.

- Em uma turnê de lançamento de um dos meus livros na cidade onde cursei a faculdade, Northampton, em Massachusetts, eu testo minha pergunta sobre culturas originais. Um senhor branco muito idoso e malvestido nos fundos da livraria diz que ouviu dizer que, em campos abandonados nos arredores, há um padrão estranho de grandes elevações na terra a uma determinada distância uns dos outros, como um tapete antiderrapante gigante. Eles estão ali desde tempos imemoriais e supostamente seriam um método indígena de plantação.

    Eu peço ajuda a um bibliotecário da Smith College. Nós descobrimos que as elevações se chamam *milpa*, pequenos montes de terra onde cultivos complementares eram plantados. Ao contrário da aragem linear, que encoraja o escoamento da água e a erosão do solo, o padrão circular armazena a água da chuva. Em cada monte é plantado um conjunto das Três Irmãs, que eram os principais produtos da agricultura indígena: milho, feijão e abóbora. O milho proporcionava um caule para os feijões escalarem, ao mesmo tempo em que fazia sombra para os feijões vulneráveis. A cobertura da terra proporcionada pelas abóboras estabilizava o solo, e as raízes do feijão mantinham o solo fértil ao fornecerem nitrogênio. Como um toque final, calêndulas e outros pesticidas naturais eram plantados ao redor de cada monte para manter os insetos prejudiciais afastados. No conjunto, era um sistema tão perfeito, que, em alguns países da América Central, pobres demais para adotarem um sistema de aragem linear com maquinário, pesticidas artificiais e monocultivos para o agronegócio, esses mesmos *milpa* vêm produzindo muito bem há quatro mil anos.[19] Não apenas isso, mas a *milpa* pode ser plantada em florestas sem ter que cortar as árvores; no máximo será necessário remover alguns galhos para permitir que a luz do sol chegue ao monte. Esse método foi uma das principais razões para três quintos de todos os alimentos de base no mundo terem se desenvolvido nas Américas.

- Estou em Oklahoma City para um almoço em homenagem às Mulheres do Ano, um reconhecimento às mulheres líderes empresariais. Não é uma cidade na qual pareça ser uma boa ideia perguntar sobre o Território Indígena. É tão conservadora que seu principal jornal imprime citações da Bíblia na primeira página. Além disso, estou distraída fazendo ligações para angariar fundos dos quais depende o destino da revista *Ms*. Seu breve e acidental dono está ameaçando fechá-la a não ser que levantemos o valor de compra de imediato — uma forma de extorsão, uma vez que ele sabe que a equipe se importa demais para deixar que isso aconteça.

  Depois do almoço, uma senhora de meia-idade com uma bandeira dos Estados Unidos na lapela me conta que é assombrada por uma história que a avó lhe contara. Uma companhia mineradora de Oklahoma foi fundada nos anos 1930 com o propósito único de vasculhar e pilhar os montes funerários indígenas. Os jornais locais compararam os "achados" a tesouros das tumbas egípcias, uma descrição que atraiu caçadores de souvenires, mas que fez com que os montes funerários parecessem ainda mais remotos para as famílias nativas locais cujos ancestrais tinham sido enterrados ali. Essa companhia viajou o país vendendo artefatos frutos da pilhagem — facas de sílex tão grandes quanto espadas, tigelas de cobre, cachimbos no formato de animais, conchas esculpidas em joias, pérolas —, tudo por alguns dólares ou até mesmo centavos. Como acharam que havia pouco mercado para tecidos ou itens de madeira, eles os empilharam e os queimaram.

Somente depois de alguns anos a legislatura de Oklahoma se curvou ao ultraje dos arqueólogos e das famílias nativas, aprovando uma lei contra esse tipo de pilhagem. Como vingança, a companhia mineradora colocou dinamite nos montes e os explodiu.

Vou me lembrar desse dia em Oklahoma por causa do espírito vingativo daquela dinamite e da importância da história daquela avó. Quando volto para o meu quarto de hotel, há outra razão. Uma mulher que não conheço, mas que se importa com o destino da revista *Ms.*, telefona para dizer que vai nos ajudar a comprar a revista e nos livrar da dependência. O *sim* dela resolveu a questão. Como a última de uma dúzia de mulheres investidoras, ela torna a continuação da revista possível.

Ela também comenta sobre a coincidência de me encontrar em Oklahoma City, de onde a família dela é e onde ela cresceu. Ela é a neta feminista da família extremamente conservadora que é dona do jornal de Oklahoma City com os versos da Bíblia impressos na primeira página. Ela fugiu de Oklahoma, mas levou com ela o espírito da terra, não do jornal.

- No Arizona, onde estive fazendo palestras, sou convidada para o jantar do Dia de Ação de Graças por Leslie Silko, uma romancista e diretora de cinema de Laguna Pueblo cuja escrita parece conectar todas as eras e todas as coisas vivas. Eu a conheço apenas por ter passado um estranho fim de semana com ela e seu parceiro de roteiro, Larry McMurtry, em um hotel perto do aeroporto de Dallas/Forth Worth. Nós nos encontramos para discutir a possibilidade de fazermos um projeto de filme juntos, mas nunca conseguimos resolver o problema de como elaborar o roteiro. Como compensação, compramos botas de vaqueiro exóticas.

O jantar caseiro é com Leslie e a mãe dela, em uma pequena casa de madeira desbotada pelo sol que parece ter simplesmente brotado no meio do deserto. Depois do jantar, Leslie me dá o presente memorável de um passeio em um de seus pôneis indígenas. Dentre as coisas que descubro, enquanto cavalgamos lentamente no ritmo dos pôneis, é que a Mulher Serpente do Meio-Oeste é chamada de Mulher Aranha no Sudeste — mas é a mesma fonte de criação e energia. Eu me lembro da Mulher Aranha da primeira página do romance de Leslie, *Ceremony*. Ela é a Mulher Pensamento que nomeia as coisas e, assim, as traz à existência. Até então, eu me imaginava a única que acreditava que as aranhas deviam ser o totem dos escritores. Ambos vão para um espaço sozinhos e tecem a partir de seu próprio corpo uma realidade que nunca existiu antes.

Até essa cavalgada, eu me sentia bem em meio à natureza apenas se estivesse perto do mar. Talvez porque o mar dando em uma praia sempre tivesse sido nosso objetivo durante as viagens da minha infância, ou talvez porque minhas experiências de vastidão verdes no Meio-Oeste tivessem sido frias e solitárias, o oceano era a única parte da natureza que eu, uma pessoa da cidade, realmente curtia.

Porém, aquilo era diferente. A grande extensão de areia em tons de marfim, bege e rosa, o aparente nada que se revelava um delicado universo de vida vegetal tão logo se olhava de perto — tudo aquilo estava bem ali diante de nós enquanto cavalgávamos na luz do fim de tarde.

Tentei explicar tudo isso a Leslie, um pouco envergonhada por confessar qualquer desconforto diante da natureza àquela mulher que se sentia tão à vontade nela, mas ao mesmo tempo confusa por não estar deprimida nem me lembrar da tristeza da minha infância no Meio-Oeste enquanto estava ali, tão longe do oceano.

"Mas é claro", Leslie disse. "O deserto costumava ser o solo do oceano."

De repente, por um momento enxerguei aquela terra como um ser vivo em seu próprio tempo, como ela fazia.

Claramente, Colombo nunca "descobriu" a América, em nenhum sentido da palavra. As pessoas que a conheciam já estavam aqui.

V.

WILMA NÃO CONCORREU A UM TERCEIRO MANDATO COMO CHEFE principal; ela recebera um diagnóstico de câncer e precisava fazer quimioterapia. Eu sabia que ela temia as visitas regulares ao hospital para semanas de administração de medicação intravenosa. Ela já passara tempo demais em hospitais, e não era tão invulnerável quanto parecia. Suas duas filhas tinham estado com ela fielmente em crises de saúde no passado, mas agora tinham empregos e viviam em Oklahoma. Perguntei a Wilma se eu poderia ficar com ela em Boston, em vez de ir em uma viagem marcada para a Austrália que eu poderia facilmente fazer em outra ocasião — esperando, mas não acreditando, que ela, sempre forte, diria sim, e ela de fato disse. De todos os presentes que ela me deu, esse foi o maior.

Eu e Wilma ficamos em uma casa grande e antiquada que seus amigos haviam nos emprestado para o verão. Todas as manhãs íamos até o hospital, onde os medicamentos pingavam devagar em suas veias, depois voltávamos para casa para assistir aos filmes que havíamos alugado, incluindo cada episódio da série *Prime Suspect*, com Helen Mirren, uma representação da força e da complexidade feminina que Wilma adorava.

Para mim, aquelas semanas em Boston com Wilma se tornaram uma lição sobre a capacidade dela de ter "uma mente boa", nas palavras dela, o que também significava a capacidade de uma pessoa de sobreviver. Sua esperança era preservar o que ela chamava de O Caminho, mantê-lo vivo, para aquele momento futuro quando a atual obsessão pelo excesso e pela hierarquia implodir. Wilma dizia que muitos nativos acreditavam que a Terra, como um organismo vivo, um dia iria simplesmente se livrar da espécie humana que a estava destruindo — e recomeçar. Em uma visão menos cataclísmica, os humanos se dariam conta de que estamos matando nossa casa e uns aos outros, e buscariam O Caminho. Era por isso que os nativos o estavam guardando.

Isso parecia impossivelmente generoso. Também parecia simplesmente impossível. Muitos nativos tinham esquecido ou abandonado O Caminho, e havia poucas chances de reaprendê-lo. Essa visão do mundo tem mais camadas do que eu sei, mas parece começar com um círculo no qual todas as coisas vivas estão relacionadas, e com o objetivo do equilíbrio, e não da dominância, que é o que perturba o equilíbrio.

Em nossas semanas de conversas, filmes e amizade, eu observei enquanto Wilma transformava um calvário médico em mais um dos acontecimentos da sua vida, e não na sua definição. Eu acredito que ela estava me ensinando uma forma íntima do Caminho. Nas palavras dela: "Todo dia é um bom dia — porque somos parte de tudo que é vivo."

Esse não foi o único presente de Wilma para mim. Muitas vezes, nos últimos anos, me juntei a ela em Oklahoma no final do verão para o Feriado Nacional Cheroqui: dias passados em meio a danças cerimoniais e banquetes de comidas tradicionais e não tão tradicionais, comprando criações de artistas e artesãos em barraquinhas que circulavam a área de acampamento e conhecendo membros de outras nações que tinham ido até lá como dançarinos e convidados. Foi lá que finalmente cumpri a profecia da dança da mulher que me dera o xale cerimonial vermelho em Houston tantos anos antes.

EM UM ENORME CAMPO gramado cercado por arquibancadas baixas e holofotes altos, dezenas de dançarinos tradicionais circulavam vagarosamente na noite de verão. Cada participante ou grupo estava vestido e dançando da maneira tradicional de uma tribo e de uma parte do país, mas cada pessoa era única também. Não havia um programa para explicar a ordem dos dançarinos. Cada um parecia focado em si mesmo, e não no público. No fim, prêmios eram concedidos, mas ninguém parecia perceber que estava sendo avaliado.

Esse equilíbrio entre tribo e individualidade, comunidade e singularidade foi uma surpresa em um mundo que nos faz pensar que temos que fazer uma escolha entre um e outro.

Depois do feriado público, Wilma e Charlie me convidaram para me juntar a eles em uma Dança Cheroqui dos Pés que vinha em seguida. Mesmo depois de 1978, quando a Lei de Liberdade Religiosa dos Índios Norte-americanos finalmente extinguiu a proibição dos rituais sagrados, essa cerimônia, que acontecia havia milênios, permaneceu a salvo e sagrada, ou pelo menos privada. As pessoas de fora tinham que ser convidadas para poderem ir — ou ao menos para saberem *aonde* ir.

Dirigimos por estradas rurais escuras sem sinalização nem iluminação indicando os retornos e curvas, depois estacionamos em um campo sem demarcação junto com dezenas de carros e pick-ups. Ao andar na direção de uma grande luz tremeluzente que se erguia em direção ao céu, aos poucos percebi que vinha de uma fogueira mais alta até mesmo do que os homens e mulheres que se moviam ao redor dela. Ao nosso lado havia abrigos rústicos de madeira e dezenas de longas mesas de piquenique, iluminadas por lanternas ou lâmpadas penduradas nas árvores. Estavam repletas de comida o suficiente para durar a noite inteira. Havia caldeirões antigos com ensopado, bandejas de galinha frita, dezenas de tortas de fruta e montes de pão frito feito com a farinha branca, a banha de porco e o açúcar que as provisões do governo transformaram em um benefício nada saudável e consagrado pelo tempo. Não era permitido álcool naquele espaço sagrado, mas havia coolers com refrigerantes e bules de café. Os grupos familiares comiam ou conversavam tranquilamente —

não sussurrando, como em uma igreja, mas tampouco alto ou de maneira ruidosa. As pessoas assistiam aos dançarinos em cadeiras reclináveis, algumas longe do fogo e enroladas em cobertores para se proteger do frio, outras mais perto, apenas descansando antes de se juntar novamente à dança. Do outro lado da enorme fogueira, eu podia ver um grupo de homens nas sombras entoando em tom profundo canções de chamada e resposta.

Os dançarinos rodopiavam ao redor da enorme fogueira, o círculo interno quase sem se mover, e o externo aumentando a velocidade como um chicote até que apenas os mais jovens e os mais fortes conseguiam acompanhar. Charlie me convidou a entrar no círculo com ele, e era assustador, como tentar entrar em um trem em movimento. Uma vez dentro do círculo, percebi que os dançarinos na verdade não estavam batendo os pés, era mais como se estivessem afagando a terra a cada passo. Tanta gente junta produzia o som de um profundo sussurro. Formamos uma linha curva, como uma enorme concha de náutilo viva, com as anciãs no centro ao redor do fogo. Wilma me contara que nas calças pesadas delas havia pequenos cascos de tartaruga costurados, e cada casco era recheado com pequenos seixos, de modo que, quando batiam no chão, seus pés e os cascos barulhentos produziam um som que eu nunca ouvira antes, mas que, mesmo assim, soava verdadeiro e familiar. As anciãs estavam celebrando o ritmo da vida.

Eu sabia que Wilma devia estar dançando com as anciãs no centro, perto do fogo. Mas será que conseguiria?

Eu me sentei com ela na extremidade da luz da fogueira enquanto ela se preparava para um ritual que sobrevivera a séculos de perda de terras, batalhas, epidemias letais, línguas e práticas espirituais proibidas por lei e outras tentativas de lhes tirar a casa, a cultura, o orgulho, a família e a própria vida. Observei enquanto Wilma amarrava grossas tiras de tecido do joelho ao tornozelo, cobrindo o suporte de aço sem o qual ela não conseguia andar, e acrescentando o peso dos cascos de tartaruga e dos seixos por escolha própria. Ela saiu da escuridão, passou pelos dançarinos na veloz espiral no final do círculo e entrou no círculo interno de mulheres que se moviam ao redor do fogo.

E então, ela dançou.

ALGUNS ANOS SE PASSARAM, e eu sei que Wilma ainda tem problemas de saúde. Ultimamente, ela tem feito uma série de exames por causa do cansaço e de dores nas costas, mas presumo que ela vá superar esses obstáculos, porque isso é o que sempre fez. Estive ao lado dela durante sessões de hemodiálise por causa da doença nos rins que ela herdara do pai, um transplante de rim, o câncer provocado pelos imunossupressores para manter o órgão transplantado, a quimioterapia e um segundo transplante, depois uma segunda batalha contra o câncer.

Havia muito tempo que queríamos escrever um livro juntas. Agora, tínhamos reservado o mês de maio de 2010 para espalhar nossas anotações e nossas pesquisas sobre a mesa da cozinha dela e começar a escrever sobre as práticas tradicionais nas culturas originais com as quais as culturas modernas poderiam aprender. Ela tem ainda menos tempo do que eu para escrever, por isso estamos animadas com a ideia. Além disso, se tínhamos mais alguma iniciativa em mente, era a de abrir uma escola de organizadores. Wilma poderia passar adiante o seu dom de fomentar independência; eu poderia explicar por que as histórias e o ato de ouvir fazem parte das mudanças que acontecem de baixo para cima. Organizadores norte-americanos e de outros países poderiam vir ensinar e ajudar a elaborar soluções para os problemas uns dos outros.

Em março, estou em uma conferência na minha faculdade, onde sempre penso no meu antigo eu no campus, um pouco assustada e deslocada. Entretanto, agora estou prestes a completar 76 anos e planejo viver até os cem. Estou fazendo um trabalho que amo, com amigos que amo. O que poderia ser melhor do que isso?

Então recebo uma mensagem atípica de Wilma: *Posso ir agora, em vez de esperar até maio?*

Eu sei o que isso significa. Cancelo conferências e planos de aniversário. Ao telefone com Charlie, descubro que Wilma foi diagnosticada com câncer no pâncreas em estágio avançado. É um dos tipos mais agressivos e dolorosos.

Dois voos e uma longa viagem de carro depois, chego à casa de Wilma e Charlie em Mankiller Flats. Sua equipe de cuidadores está reunida. Além de Charlie, estão lá Gina e Felicia, as duas filhas dela, que vêm e vão de suas casas ali perto; a dra. Gloria Grim, uma jovem médica que dirige as Clínicas de Saúde Rurais dos Cheroqui que Wilma começara; além de duas das amigas mais antigas de Wilma, uma das quais é enfermeira. Elas haviam feito um pacto vitalício de estarem presentes quando uma das muitas crises de saúde de Wilma parecesse ser a última.

Wilma está deitada em uma cama de hospital ao lado da cama com dossel que ela compartilha com Charlie, de modo que eles fiquem no mesmo quarto. Ela está calma, sincera, lacônica, até mesmo engraçada, e tão ciente quanto qualquer médico do que está acontecendo dentro do seu corpo. Ela consegue perceber que eu ainda não aceitei nada do que está acontecendo. Como que para me confortar, ela diz que a maioria dos norte-americanos deseja morrer em casa, mas muitos passam as últimas semanas em um hospital, sem amigos nem família por perto. Eu pergunto se ela está organizando uma campanha pelo direito de morrer em casa. Isso a faz rir, e eu ganho algum tempo.

A única coisa em que consigo pensar é na descrição dela da experiência de quase morte depois da batida de carro anos antes. Ela me disse que era como se ela estivesse voando no espaço, mais rápido do que qualquer criatura viva poderia voar, sentindo-se aquecida e amada em cada poro do seu ser, como se ela e o universo fossem um só; e então ela se deu conta: *Este é o propósito da vida!* Somente pensar em suas duas filhas jovens a fez voltar.

Eu sempre me lembrava disso e desejava que as outras pessoas que eu amava pudessem partilhar esse último sentimento. Um dia espero me sentir assim também, mas não consigo pensar em um momento assim para Wilma agora. Não consigo desejar isso para ela, porque significaria que ela teria partido. Ela me mostra uma declaração que está escrevendo sobre a doença, explicando que está "preparada psicológica e espiritualmente para essa jornada". Ela definitivamente está mais preparada do que eu.

Naquela noite, acordo assustada ao ouvir Wilma gritar de dor. Encontro Charlie aquecendo cobertores em um antigo fogão a lenha. Como curandeiro tradicional, ele não apenas conhece os usos das ervas, mas tem um instinto para técnicas ainda não testadas. Desenvolveu um sistema de colocar cobertores aquecidos sobre o corpo de Wilma, o que de fato parece aliviar a dor. Essa sequência aterrorizante é repetida diversas vezes.

No dia seguinte, pergunto à jovem dra. Grim, que não poderia ser mais diferente do que seu sobrenome,* o que pode ser feito com relação à dor. Ela diz que Wilma sabe que morfina e outros opiáceos ajudariam, mas a quantidade necessária para anestesiar a dor também iria entorpecer sua consciência. E ela quer estar completamente presente por tanto tempo quanto puder.

Nos dias seguintes, familiares, amigos e colegas vêm de quilômetros de distância para vê-la. Eles se sentam perto dela, lembram o passado, discutem sobre políticas para o futuro e levam tortas, bolos e guisados para o sempre crescente número de visitantes. As crianças levam flores ou cantam uma canção que aprenderam na igreja ou na escola, ou apenas assistem à televisão. Alguns olham para Wilma e para os pais de uma forma que mostra que nunca vão esquecer. Quando alguns dos visitantes mais velhos vão embora, eles dizem: "Nos vemos do outro lado da montanha."

---

* *Grim*, em inglês, quer dizer triste, severo. (*N. da T.*)

Eu nunca vi tanta integridade diante da morte.

As pessoas mais próximas da família realizam as pequenas tarefas contínuas: lavam roupa, providenciam lenha, alimentam o cachorro de Wilma e os gatos que ficam do lado de fora. Dentre elas estão nossos amigos em comum de São Francisco, Kristina Kiehl e Bob Friedman. Kristina está lá há três semanas, ajudando nesse desafio final como fez com tantos outros. Ela inventa uma forma de lavar o cabelo de Wilma na cama. Bob se encarrega da tarefa contínua de lavar a louça das muitas pessoas que se reúnem na cozinha, conversando baixinho.

À noite, Wilma grita de dor. Depois, isso começa a acontecer durante o dia também. Eu não consigo suportar. Começo a pesquisar a fundo e telefono para todos os médicos que conheço. Descubro que há diversos tipos de bloqueio drástico dos nervos que poderiam diminuir a dor e deixá-la consciente. Porém, esses procedimentos só podem ser feitos em um hospital.

A equipe de cuidadores de Wilma se reúne com a dra. Grim, que diz que uma ambulância local poderia levá-la para o hospital e de volta para casa — um trajeto de mais de duas horas todos os dias. Nós conversamos com Wilma. Ela pensa a respeito. A ambulância chega e estaciona no jardim, por via das dúvidas. Ela chega à conclusão de que pode morrer no meio do caminho ou acabar ficando ligada a fios e sondas demais para deixar o hospital, e ela quer estar em casa, no Território Indígena. Ela nos agradece por lhe dar uma opção. Para mim, ela diz com um pouco do seu velho bom humor: "Você é uma organizadora até o fim!"

Isso também me lembra um princípio da organização: *Qualquer pessoa que está passando por algo sabe mais sobre isso do que qualquer especialista no assunto.* Daquele momento em diante, eu aceito a sabedoria de Wilma.

Percebendo que preciso de uma tarefa, as filhas de Wilma me incumbem de cuidar para que a contribuição de cada visitante seja registrada em uma lista na cozinha. Eu escrevo nomes ao lado de tortas de pêssego e ruibarbo, jarras de chá gelado doce e bandejas de pão de milho. Uma estudante do ensino médio leva para dentro caixas de garrafas d'água, e um homem silencioso vestindo macacão corta a grama simplesmente porque isso precisa ser feito. A família de Wilma quer poder agradecer a cada um da lista. Uma vez mais, cada indivíduo honra a comunidade, e vice-versa. Eu finalmente entendo por que Winterhawk, o filho de Charlie de um casamento anterior, abriu mão de uma bolsa de estudos em Dartmouth para ficar conosco. Não foi apenas a terra que levou Wilma de volta para casa, foi também a comunidade.

Na longa mesa da cozinha, o fato de conhecermos Wilma cria um laço entre nós e pessoas desconhecidas conversam entre si. O marido da grande amiga dela que morreu no acidente de carro está lá há dias e explica que Wilma ajudou a criar a filha dele. Gail Small, amiga de Wilma e uma das ativistas que ela admira e sobre quem escreveu em seu livro *Every Day Is a Good Day*, veio da distante Nação Cheyenne do Norte, em Montana. Lá, Gail passou a vida travando uma batalha para impedir que empresas de extração e exploração de energia destruíssem a terra e para impedir que as escolas religiosas abusassem da próxima geração. Como ela diz: "Crianças foram molestadas sexualmente por padres e freiras, depois voltaram para casa para espalhar eles mesmos esse câncer." Ela criou não apenas um grupo ambiental chamado Ação Nativa, mas também uma escola fundamental na reserva.

Oren Lyons veio de sua casa no norte do estado de Nova York, sede do corpo governamental de seis nações da Confederação Iroquesa, ou Haudenosaunee. É a democracia contínua mais antiga do mundo.[20] Sempre que eu ou Wilma o consultávamos a respeito de algo sério, ele respondia: "Eu preciso me aconselhar com as minhas anciãs primeiro." Na verdade, foi a igualdade das mulheres nessas nações que inspirou as mulheres brancas da vizinhança a começarem a organizar o movimento sufragista.

A mãe de Wilma está lá todas as manhãs, vindo a pé de sua casa no fim da rua poeirenta. Ela me conta que Wilma a levou para a Irlanda para ver a terra de seus ancestrais pela primeira vez. Nós duas sabemos que ela vai viver mais do que a filha.

Eu prometi levar as conversas da cozinha para Wilma, uma vez que ela não consegue mais participar. Durante as duas semanas que estou ali, a casa se torna como um navio ao mar para mim; nada mais existe. Eu digo que, graças a ela, pude entender o poder da comunidade. Ficamos em silêncio. Eu temo que seus momentos bons tenham acabado. Então, ela sorri e diz: "Você nunca mais será a mesma."

Mais tarde, uma médica auxiliar chega, e eu sei que ela decidiu aceitar a morfina. Como estamos na vida real, e não em um romance, não há uma linha nítida, um adeus definitivo. Wilma simplesmente parece se afastar, como a maré retrocedendo para longe de todos nós que ficamos parados na praia.

O momento seguinte é completamente diferente do momento anterior. Agora entendo por que as pessoas acreditam que a alma vai embora com o último suspiro. Tudo parece igual, mas ao mesmo tempo tudo está diferente. Nós ficamos de pé no quarto, ao redor da cama de Wilma. Ela não está mais lá.

Atendentes respeitosos chegam com uma maca com rodinhas, abrem as portas francesas e conduzem Wilma lentamente pela varanda onde ela adorava se sentar, e por sua amada terra pela última vez.

Mais tarde, suas cinzas serão devolvidas às margens da nascente onde as ervas medicinais de Charlie crescem. É onde ela queria estar.

É UMA LINDA MANHÃ de sábado, 10 de abril de 2010, e estamos sentados do lado de fora, nos Campos Culturais Cheroquis. Embora tenham se passado apenas quatro dias desde a morte de Wilma, 150 líderes tribais, estaduais e nacionais, incluindo o presidente Clinton e o presidente Obama, enviaram mensagens, e cerca de 1500 pessoas se reuniram para ouvir amigos e parentes compartilharem suas memórias pessoais. É o melhor tipo de homenagem, porque cada um de nós vai embora sabendo um pouco mais sobre Wilma do que sabíamos quando chegamos.

Um de seus últimos pedidos foi que todos usassem ou levassem algo de sua improvável cor favorita: rosa choque. Uma bebida simbólica feita com morango é servida. O morango se chama *ani* em cheroqui e têm a função de ajudá-la a atravessar o céu para junto de seus ancestrais.

Para mim, é o começo de anos atendendo ao telefone e me dando conta de que não posso falar com ela; pensando sobre nosso livro sabendo que não podemos escrevê-lo juntas; ouvindo algo que a faria rir, mas que não posso contar a ela.

Minha amiga Robin Morgan, autora de um romance lindamente pesquisado sobre os tempos pagãos,[21] me telefona para dizer que Wilma está sendo homenageada em muitos países mundo afora como Uma Grande. As culturas pagãs e nativas compartilham muitas crenças, e uma delas é que acender sinais de fogo em pontos altos na paisagem ilumina o caminho de Um Grande para casa. Como os amigos de Wilma dizem, ela finalmente está indo para o outro lado da montanha.

Ao fim do meu próprio tributo a Wilma, digo para as pessoas reunidas ali no interior de Oklahoma que em nada menos do que 23 países sinais de fogo foram acendidos para Wilma, e que agora eles iluminam o caminho dela de volta para casa.

De volta à casa de Wilma e Charlie, ele realiza o último pedido dela, um que ela ao mesmo tempo estava e não estava rindo quando fez. Ela pediu a ele que pegasse o suporte metálico que ela tivera que usar durante todos os anos após o acidente de carro, o fincasse no campo e o destruísse atirando nele. Ele faz exatamente o que ela pediu.

JÁ SE PASSARAM CINCO anos desde a morte de Wilma, e eu estou aprendendo mais do que nunca sobre as culturas originais — em meu próprio continente, na Índia e em países da África, de onde todos viemos. Nossa difícil situação atual não foi inevitável por causa da natureza humana. As coisas podem voltar a ser como foram um dia — de uma nova forma.

Uma vez perguntei a Wilma se um dia minhas cinzas poderiam ficar junto às dela, e ela respondeu que sim. No futuro, elas vão ficar. Embora meus ancestrais tenham sido forçados a fugir de sua casa e vir para os Estados Unidos, eu sinto que encontrei a minha terra.

Se eu pudesse dizer uma coisa a Wilma, seria isto:

Ainda estamos aqui.

POSFÁCIO

Voltando para casa

Quando escrevo isto, tenho quinze anos a mais do que meu pai tinha quando morreu.

Só depois dos cinquenta comecei a admitir que estava sofrendo da minha própria forma de desequilíbrio. Embora sentisse pena de mim mesma por não ter um lar, eu sempre fora resgatada pela desobediência e pelo amor à liberdade. Como meu pai, por exemplo, me convenci de que não estava ganhando dinheiro suficiente como autônoma para pagar imposto de renda, algo que me custou meses ao lado de um contador para resolver. Como ele, eu não tinha guardado nenhum dinheiro, então havia uma boa razão para a minha fantasia de terminar como uma pedinte. Lidei com isso simplesmente dizendo para mim mesma: *Vou organizar as outras pedintes.*

Por fim, fui obrigada a admitir que eu também estava vivendo uma vida desequilibrada, mesmo que fosse um desequilíbrio diferente em grau do desequilíbrio do meu pai. Eu precisava de um lar para mim mesma; do contrário, o desequilíbrio ia acabar comigo também. O lar é um símbolo do eu. Cuidar de um lar é cuidar do eu.

Aos poucos, os quartos que eu usava majoritariamente como escritório e closet foram preenchidos com coisas que me davam prazer quando eu abria a porta. Eu tinha uma cozinha que funcionava, uma escrivaninha de verdade sobre a qual espalhar meus papéis e um quarto acolhedor onde meus amigos podiam ficar, algo que sempre quis quando era criança e morava com a minha mãe em lugares tristes demais para convidar alguém a me visitar. Embora fosse um pouco tarde, depois dos cinquenta anos, comecei até mesmo a poupar dinheiro.

Depois de meses aninhada em casa — e comprando coisas como roupa de cama e velas com um prazer que beirava o orgasmo —, uma coisa estranha aconteceu: eu me vi tendo ainda mais prazer em viajar. Agora que estar na estrada era uma escolha minha, não o meu destino, deixei para trás a sensação melancólica de que *todo mundo tinha um lar, menos eu*. Eu podia ir embora porque podia voltar. Eu podia voltar porque sabia que a aventura estava logo depois de uma porta aberta. Em vez de *ou*, descobri um mundo inteiro de *e*.

Muito antes de todas essas divisões se abrirem entre casa e estrada, entre o lugar da mulher e o mundo masculino, os seres humanos seguiam as colheitas, as estações, viajavam com a família, os companheiros, os animais, as barracas. Nós fazíamos fogueiras e nos deslocávamos de um lugar para outro. Essa forma de viajar ainda está em nossa memória celular.

As coisas vivas evoluíram como viajantes. Até mesmo os pássaros migratórios sabem que a natureza não exige que se escolha entre ficar no ninho e voar. Em jornadas longas de até vinte mil quilômetros, os pássaros enfiam o bico debaixo das asas e descansam em qualquer lugar, de pedaços de gelo flutuante à proa de navios ao mar. Então, quando chegam ao seu destino, constroem um ninho e escolhem cada graveto com cuidado.

Eu queria que a estrada tivesse dado mais tempo ao meu pai para que ele pudesse ver as possibilidades do *e* em vez do *ou*. Se ele estivesse vivo quando eu finalmente construí um lar, talvez eu tivesse algo para ensinar a ele, além de tempo para agradecer pelas lições que ele me ensinou.

Eu queria que a minha mãe não tivesse vivido uma vida ainda mais polarizada entre *ou*. Como tantas outras mulheres antes dela — e muitas outras mesmo agora —, ela nunca teve uma jornada própria. Com todo o meu coração, eu desejo que ela tivesse tido a chance de seguir o caminho que amava.

Paro por um momento ao escrever estas palavras. Minha mão, de dedos longos como a do meu pai, descansa na minha escrivaninha, onde eu faço o trabalho que amo, em quartos que foram meu primeiro lar — e que provavelmente serão meu último. Eu estou cercada de imagens de amigos e objetos escolhidos que conheceram o toque de alguém antes do meu — e que conhecerão outros depois que eu me for. Percebo que meu dedo médio se levanta e se abaixa involuntariamente, exatamente como o do meu pai fazia. Reconheço em mim mesma, como reconhecia nele, um toque de inquietude. É hora de ir embora — há tanto lá fora para fazer, para dizer, para ouvir.

Eu posso ir para a estrada — porque eu posso voltar para casa. Eu venho para casa — porque eu sou livre para ir embora. Cada forma de viver é mais valorizada na presença da outra. Esse equilíbrio entre montar acampamento e seguir as estações é ao mesmo tempo muito antigo e muito novo. Todos nós precisamos das duas coisas.

Meu pai não tinha que escolher entre morrer sozinho e as maravilhas da estrada. Minha mãe não tinha que desistir de uma jornada própria para ter um lar.

Nem eu tenho. Nem você.

AGRADECIMENTOS

Quando um livro toma forma ao longo de duas décadas, há muitas pessoas a quem agradecer.

Ann Godoff, da Random House, foi a primeira a acreditar em um livro sobre a vida na estrada escrito por uma organizadora feminista itinerante. Depois, Kate Medina se tornou minha editora, e se houvesse uma olimpíada de bondade, apoio e paciência, ela venceria.

Hedgebrook, o retiro de mulheres escritoras na Ilha Whidbey, em Washington, me proporcionou isolamento, um chalé mágico e tempo para descobrir e escrever a história do meu pai.

Como eu dependia da memória como curadora de histórias — a vida na estrada é intensa demais para manter um diário —, recorri à Sophia Smith Collection, do Smith College, para recuperar lugares e datas, e ao Google para me fornecer tudo que a minha memória não era capaz de reaver.

Tive a sorte de ter hóspedes que se voluntariaram como leitores — especialmente Lenedra Carroll, que leu tudo, e também Agunda Okeyo. As amigas de Nova York Kathy Najimy e Debra Winger leram alguns capítulos. Minha amiga Irene Kubota Neves, jornalista e minha contemporânea, leu e comentou cada palavra, e até mesmo resgatou algumas coisas que haviam sido cortadas.

Durante todo o processo, Robert Levine, meu amigo e agente literário, manteve a fé de que um livro tomaria forma, e transmitiu essa fé aos editores também.

Conforme os anos passavam, eu dedicava um tempo de cada verão a escrever, viajava o resto do ano e começava de novo no verão seguinte. As histórias aos poucos deram origem a mais do que apenas um livro.

Embora eu tenha sido muitas vezes salva por minha colega Amy Richards, que leu e me deu conselhos, ainda assim havia coisa demais. Por fim, Suzanne Braun Levine, a primeira editora da revista *Ms.*, que sabe lapidar como uma escultora, se juntou a Amy. Juntas, elas transformaram Coisa Demais em O Suficiente. Como sugeriram, eu poderia continuar publicando histórias da estrada em um site. (Visite: www.gloriasteinem.com.)

Também tive o prazer de ver Amy, minha companheira de trabalho em três livros e mais de vinte anos, se tornar autora de mais livros do que eu, oradora de mais palestras do que eu e uma organizadora criativa nos Estados Unidos e em outros países. Não há ninguém que faça eu me sentir melhor em relação ao presente e mais esperançosa com relação ao futuro.

Por fim, agradeço a Robin Morgan por me lembrar, mesmo quando a estrada estava fazendo com que eu escrevesse menos, que não há momento melhor na vida do que quando se encontra a palavra certa.

NOTAS

INTRODUÇÃO: OS AVISOS NA ESTRADA

1. Marilyn Mercer, "Gloria Steinem: The Unhidden Persuader", *McCall's*, janeiro de 1972.
2. Robin Morgan, *The Word of a Woman: Feminist Dispatches, 1968-1992* (Nova York: W.W. Norton, 1992), pp. 275-77.
3. Margaret Atwood, "Headscarves to Die For", *The New York Times Book Review*, 15 de agosto de 2004.
4. Uma vez que apenas os óvulos da mulher transmitem o DNA mitocondrial e apenas os espermatozoides dos homens transmitem o cromossomo Y, a composição de uma população atual indica quem veio de longe e quem não veio. Natalie Angier, "Man vs. Woman: In History's Travel Olympics, There's No Contest", *The New York Times*, 27 de outubro de 1998; ela está citando um estudo da Escola de Saúde Pública de Harvard e da Universidade Stanford, referido em Mark T. Seielstad, Eric Minch e L. Luca Cavalli-Sforza, "Genetic Evidence for a Higher Female Migration Rate in Humans", *Nature Genetics* 20 (novembro de 1998).
5. Douglas Martin, "Yang Huanyi, the Last User of a Secret Women's Code", *The New York Times*, 7 de outubro de 2004.

CAPÍTULO I: OS PASSOS DO MEU PAI

1. Bruce Chatwin, *The Songlines* (Nova York: Penguin Books, 1987), p. 161.

CAPÍTULO II: CÍRCULOS DE CONVERSA

1. Além das campanhas publicitárias e dos filmes de Hollywood que romantizavam a posse de um carro, Detroit pressionava por leis contra — e às vezes comprava e destruía — o transporte público, desde os bondes das cidades da costa leste aos trens do litoral da Califórnia. Em um esforço paralelo, a indústria da construção vendia casas isoladas em vez de casas em comunidades. Ver T. H. Robsjohn-Gibbings, *Homes of the Brave* (Nova York: Alfred A. Knopf, 1954).
2. Para saber exatamente por que — em observações bastante inteligentes e inflamadas sobre homens de esquerda que ainda podem soar verdadeiras —, leia o clássico "Goodbye to All That", de Robin Morgan. Originalmente escrito para o *Rat Subterranean News*, em 1970, e mais tarde reimpresso em *The Word of a Woman: Feminist Dispatches, 1968-1992* (Nova York: W. W. Norton, 1992).
3. Ao verificar a história, descobri que pouco antes de a marcha começar, Josephine Baker, vestindo um uniforme da Resistência Francesa, falou sobre o racismo que a levou a se mudar para a França. Daisy Bates era a única mulher listada oficialmente como uma das oradoras na marcha. Ela era a substituta de Myrlie Evers, viúva de Medgar Evers, que havia sido assassinado no Mississippi apenas um mês antes, mas Bates não conseguiu chegar ao Lincoln Memorial por causa do trânsito. Os líderes homens da campanha pelos direitos civis marcharam na Pennsylvania Avenue com a imprensa, enquanto as líderes mulheres marcharam na Independence Avenue. Anna Arnold Hedgeman era a única mulher no comitê de planejamento da marcha de 1963. Ela exigiu firmemente que houvesse mulheres oradoras no programa. Para o relato sobre sua participação, ver sua autobiografia, publicada em 1964, *A Trumpet Sounds: A Memoir of Negro Leadership* (Nova York: Holt, Rinehart and Winston, 1964). Ver também Keli Goff, "The Rampant Sexism at March on Washington", *The Root*, 22 de agosto de 2013.

4. Danielle McGuire, *At the Dark End of the Street: Black Women, Rape and Resistance — A New History of the Civil Rights Movement, from Rosa Parks to the Rise of Black Power* (Nova York: Knopf, 2010).
5. Valerie Hudson, Bonnie Ballif-Spanvill, Mary Caprioli e Chad Emmett, *Sex and World Peace* (Nova York: Columbia University Press, 2012).
6. Vincent Shilling, "8 Myths and Atrocities About Christopher Columbus and Columbus Day", *Indian Country*, 14 de outubro de 2013. Para saber mais sobre as atrocidades de Colombo, ver Howard Zinn, *A People's History of the United States* (Nova York: Harper Perennial, 2005).
7. Gloria Steinem, "The City Politic: A Racial Walking Tour", *New York*, 24 de fevereiro de 1969.
8. Gloria Steinem, "Why Women Voters Can't Be Trusted", *Ms.*, 1972. A marca de cigarros Virginia Slims patrocinou a pesquisa sobre as mulheres norte-americanas feita pela Louis Harris Associates, a primeira pesquisa nacional sobre a opinião das mulheres acerca de questões femininas.
9. Ron Speer, "Gloria's Beauty Belies Her Purpose", *St. Petersburg Times*, 3 de dezembro de 1971.
10. *As If Women Matter: The Essential Gloria Steinem Reader*, organização de Ruchira Gupta (Nova Délhi: Rupa Publications India, 2014).
11. A Emenda da Igualdade de Direitos declara: "A igualdade de direitos perante a lei não deve ser negada ou cerceada pelos Estados Unidos ou por qualquer estado em virtude do gênero."
12. Em uma conferência da Associação Norte-americana de Psicologia em 1979, Sonia Johnson, uma líder feminista mórmon, fez um discurso intitulado "Pânico patriarcal: políticas sexuais na Igreja Mórmon", acusando a Igreja de Jesus Cristo dos Santos dos Últimos Dias de ignorar a separação entre igreja e Estado, ao fazer oposição à Emenda da Igualdade de Direitos com um uso ilegal do dinheiro e do poder da igreja. Ela foi excomungada.
13. Quando chegamos a Houston, aconteceu que outros estados haviam super-representado ligeiramente os afro-americanos, de modo que o corpo nacional ainda refletia o país. Em vez de um demorado processo para contestar a representação do Mississippi, que segundo os rumores era o que a Klan tinha em mente, o grupo das mulheres negras

organizou uma manifestação na arena para informar aos delegados que o Mississippi não estava devidamente representado — e depois seguiu em frente. Aos delegados do Klan não restou nada a fazer além de repetir a promessa do Mago Imperial Robert Shelton: "proteger as nossas mulheres de todas as militantes lésbicas". Ver Caroline Bird e a Comissão Nacional em Observação ao Ano Internacional da Mulher, *What Women Want: From the Official Report to the President, the Congress and the People of the United States* (Nova York: Simon and Schuster, 1979).

14. Comissão Nacional em Observação ao Ano Internacional da Mulher, *The Spirit of Houston: An Official Report to the President, the Congress and the People of the United States* (Washington D.C.: U.S. Government Printing Office, 1978), p. 157.
15. Ibid. A Conferência da Mulher de Houston e as 56 conferências que levaram a ela deram origem a uma agenda nacional geral e a organizações estaduais e nacionais. Ver também Bird, *What Women Want*.
16. Bird, *What Women Want*, p. 37.

CAPÍTULO III: POR QUE EU NÃO DIRIJO

1. Pete Hamill, "Curb Job", uma resenha de *Taxi!*, de Graham Russell Gao Hodges, *The New York Times Book Review*, 17 de junho de 2007, p. 19.
2. Gail Collins, *When Everything Changed: The Amazing Journey of American Women from 1960 to the Present* (Nova York: Little, Brown and Company, 2009).
3. Christine Doudna, "Vicki Frankovich", *Ms.*, janeiro de 1987.

CAPÍTULO IV: UM GRANDE CAMPUS

1. Gerda Lerner, *The Creation of Patriarchy* (Nova York e Oxford: Oxford University Press, 1986), p. 225.
2. Caroline Heldman e Danielle Dirks, "Blowing the Whistle on Campus Rape", *Ms.*, fevereiro de 2014.

3. Até onde sei, ninguém nunca queimou um sutiã. Durante o Concurso Miss América de 1968, em Atlantic City, centenas de feministas protestaram na calçada colocando cintas, blocos de estenografia, aventais, espanadores e outros símbolos do papel "feminino" em uma lata de lixo e ameaçando queimar tudo; era um eco dos que resistiram à convocação para lutar do Vietnã ateando fogo em seus certificados de alistamento militar. Entretanto, elas não conseguiram permissão para fazer fogo e nunca queimaram nada.
4. Ira C. Lupu, "Gloria Steinem at the *Harvard Law Review* Banquet", *Green Bag*, outono de 1998.
5. Ibid., pp. 22-23.

CAPÍTULO V: QUANDO A POLÍTICA É PESSOAL

1. Na verdade, isso era o velho jornalismo. Antes da invenção do telégrafo, os escritores usavam o ensaio e outras formas de expressão literária para permitir que o leitor enxergasse através dos olhos do escritor. Os muitos livros do jovem Winston Churchill eram coletâneas dos seus ensaios jornalísticos com relatos sobre Cuba, a Índia e a África. Depois, o telégrafo passou a priorizar os fatos — quem, o quê, por quê, quando, onde —, que depois eram elaborados com cada parágrafo em forma de pirâmide. As transmissões eletrônicas simultâneas, porém, deram liberdade aos escritores novamente. Os fatos precisam ser checados, mas as histórias podem ser contadas outra vez.
2. Gloria Steinem, "Trying to Love Eugene", *New York*, 5 de agosto de 1968.
3. Para um relato de como exatamente o Partido Republicano expulsou de forma gradual as mulheres que apoiavam a igualdade, ver Tanya Melich, *The Republican War Against Women: An Insider's Report from Behind the Lines* (Nova York: Bantam Dell, 1998).
4. Enquanto eu escrevia isto, liguei o rádio e lá estava Barry Faber, que agora é apresentador de rádio digital e um dos defensores da "teoria do nascimento", ou seja, alguém que acredita que o presidente Obama na verdade não nasceu no Havaí e, por isso, assumiu o cargo ilegalmente.
5. Betty Friedan, "Up from the Kitchen Floor", *The New York Times Magazine*, 4 de março de 1973.

6. Chisholm foi a primeira afro-americana, homem ou mulher, a concorrer à presidência por um grande partido. É instrutivo que ela tenha afirmado que considerava o gênero uma barreira muito maior do que a raça na política.
7. Isso seria provado mais tarde quando o candidato republicano à presidência John McCain escolheu Sarah Palin para concorrer à vice-presidência como sua parceira de campanha. O apoio dado a ela veio mais dos eleitores homens do que das mulheres — majoritariamente brancos em ambos os casos.
8. Renomeado "Right Candidates, Wrong Question" [Candidatos certos, pergunta errada], *The New York Times*, 7 de fevereiro de 2007.
9. Presença no *Morning Joe* da MSNBC, 9 de janeiro de 2008.
10. Conduzido pelo Centro Nacional de Pesquisa de Opinião da Universidade de Chicago para *The New York Times*, Associated Press, *The Washington Post, The Wall Street Journal*, CNN, *St. Petersburg Times, The Palm Beach Post*, Tribune Company, *Los Angeles Times, Chicago Tribune, Orlando Sentinel* e *The Baltimore Sun*.
11. Mais sobre a Parábola dos Pregos: se Gore tivesse sido eleito em vez de Bush, não teríamos travado uma segunda guerra opcional no Iraque; uma educação sexual baseada apenas na abstinência não seria aplicada com o financiamento de fundos federais nas escolas públicas; não teríamos a maior taxa de gravidez indesejada do mundo desenvolvido; uma ordem executiva não destinaria bilhões de dólares dos impostos a centros de poder político de direita "de base religiosa"; não haveria a regra da mordaça global que priva os países pobres de toda a ajuda dos Estados Unidos se eles oferecerem informações sobre aborto, mesmo que com fundos próprios; não haveria lucro corporativo em guerras privatizadas em outros países bem como em prisões privatizadas nos Estados Unidos; não teríamos uma porcentagem maior da população em prisões do que em qualquer outro país no mundo; executivos cujos salários eram trinta vezes o salário do trabalhador comum antes que a revolta da direita tomasse conta de Washington não passariam a ganhar em média de 475 vezes mais que o salário do trabalhador comum; não existiria uma indústria financeira sem regulação que levou a um colapso econômico mundial — e muito mais.

CAPÍTULO VI: O SURREALISMO NO DIA A DIA

1. Em 2013, três mil caminhoneiros — revoltados com os baixos salários, o alto preço do combustível e uma suspensão das atividades em Washington — planejaram dirigir em marcha lenta pelas vias expressas ao redor da capital, além de fazer uma manifestação pacífica dentro da cidade. Embora fosse, em sua maioria, direcionada de forma equivocada ao presidente Obama, e a chuva tenha mascarado o efeito da marcha lenta, foi uma demonstração de força política que intimidou a polícia e fez com que os protestantes que não tinham caminhões ficassem com inveja.
2. Enquanto escrevo isto, quase meio século depois, os empregadores têm que pagar aos trabalhadores do setor de serviços apenas 2,10 dólares por hora se eles ganham ou têm a possibilidade de ganhar gorjeta, de acordo com a legislação federal. Grupos desses trabalhadores, compostos na quase totalidade por mulheres, estão se organizando para exigir serem protegidos pelas leis do salário mínimo. Departamento do Trabalho dos Estados Unidos, "Minimum Wages for Tipped Employees", 1º de janeiro de 2015, disponível em: <http://www.dol.gov/whd/state/tipped.htm>.
3. Jo Freeman, "Trashing: The Dark Side of Sisterhood", *Ms.*, abril de 1976.
4. Rachel K. Jones, Jacqueline E. Darroch e Stanley K. Henshaw, "Patterns in the Socioeconomic Characteristics of Women Obtaining Abortions in 2000-2001," Alan Guttmacher Institute, *Perspectives on Sexual and Reproductive Health* 34, n. 5 (setembro-outubro de 2002).
5. Nunca chegou a ser publicado. Eu ainda não entendia que dividir as notícias em "pesadas" e "leves" era mais uma ideia de que o gênero é uma realidade em vez de uma criação política.
6. Gloria Steinem, "Ho Chi Minh in New York", *New York*, 8 de abril de 1968.
7. "Gloria Steinem's Sermon Protested", *Lodi News-Sentinel*, 21 de setembro de 1978.
8. A igreja regulou o aborto até cerca de 1860. Por exemplo, um feto feminino podia ser abortado em até oitenta dias, e um feto masculino em até quarenta dias porque considerava-se que o homem, sendo superior, amadurecia mais cedo. A questão sobre ter uma alma ou sobre quando a

vida começa ficava restrita ao momento do batismo. John T. Noonan (org.), *The Morality of Abortion: Legal and Historical Perspectives* (Cambridge, MA: Harvard University Press, 1970).

CAPÍTULO VII: SEGREDOS

1. Gloria Steinem, "Getting Off the Plantation with Lorna, Bessie, Joyce, and Bernadette", *Ms.*, agosto de 1980.
2. Johnnie Tillmon, "Welfare Is a Women's Issue", *Ms.*, primavera de 1972.
3. Clare Chapman, "If You Don't Take a Job as a Prostitute, We Can Stop Your Benefits", The Telegraph, 30 de janeiro de 2005.
4. Judith Lewis Herman, "Hidden in Plain Sight: Clinical Observations on Prostitution", in Melissa Farley (org.), Prostitution, Trafficking and Traumatic Stress (Nova York: Haworth Press, 2003).
5. Rachel Moran, "The Dangerous Denialism of 'Sex Work' Ideology", in Caroline Norma e Melinda Tankard Reist (orgs.), Prostitution Narratives: Stories of Survival in the Sex Trade (North Melbourne, Australia, Spinifex Press, 2016).
6. Apenas os estados de Maine e Vermont permitem que eleitores votem da prisão. Todos os outros estados restringem esse direito em variados graus, alguns de forma permanente.
7. De acordo com um estudo realizado em 2013 pelo Independent Budget Office, cada detento custa à cidade de Nova York 167.731 dólares por ano em alimento, alojamento e proteção. O custo de um ano de estudos na Harvard University é de 45.278 dólares. Acrescentando o alojamento, a alimentação e as taxas, o total chega a 60.659 dólares por ano.

CAPÍTULO VIII: O QUE ACONTECEU UMA VEZ PODE ACONTECER DE NOVO

1. Alice Kohn, *No Contest: The Case Against Competition* (Boston: Houghton Mifflin, 1992).
2. William Loren Katz, *Black Indians: A Hidden Heritage* (Nova York: Atheneum, 1986), p. 2.
3. Papa Nicolau V, Bula Papal *Dum Diversas*, 18 de junho de 1452.

4. Paula Gunn Allen, *The Sacred Hoop: Recovering the Feminine in American Indian Traditions* (Boston: Beacon Press, 1992), pp. 13-15.
5. Stuart J. Fiedel, *Prehistory of the Americas* (Cambridge: Cambridge University Press, 1987), p. 238; e Robert Silverberg, *The Mound Builders* (Columbus: Ohio University Press, 1986), pp. 280-89.
6. Jack Weatherford, *Indian Givers: How the Indians of the Americas Transformed the World* (Nova York: Fawcett Columbine, 1988), pp. 59-97.
7. Citado por John Mohawk et al., *Exiled in the Land of the Free: Democracy, Indian Nations and the U.S. Constitution* (Santa Fé, NM: Clear Light, 1992), p. 69.
8. Para um documentário sobre a vida e o trabalho de LaDonna Harris, ver *Indian 101*, um filme de Julianna Brannum, disponível em <http://www.indian101themovie.com>.
9. Aqui está um exemplo de muitos: "Walter Ashby foi o primeiro escrivão do Escritório de Estatísticas Vitais da Virgínia, que registrava nascimentos, casamentos e mortes. Ele aceitou o emprego em 1912. Nos 34 anos seguintes, se dedicou a purificar a raça branca na Virgínia, ao forçar indígenas e outras pessoas não brancas a se classificarem como negras. Isso significava um suicídio burocrático." Warren Fiske, "The Black-and-White World of Walter Ashby Plecker", *Virginian Pilot*, 18 de agosto de 2004.
10. Ayi Kwei Armah, *Two Thousand Seasons* (Portsmouth, NH: Heinemann International Literature and Textbooks, 1979).
11. Citado por J. N. B. Hewitt, "Status of Women in Iroquois Polity before 1784", *Annual Report to the Board of Regents of the Smithsonian Institution for 1932* (Washington, D.C.: U.S. Government Printing Office, 1933), p. 483.
12. Para uma visão geral sobre as culturas nativas norte-americanas como a principal fonte de democracia e de estrutura democrática, ver Weatherford, *Indian Givers*, pp. 133-50.
13. "Native Women Send Message", *Wassaja* 4, n. 8 (agosto de 1976), p. 7.
14. Na cultura iorubá da África, há um *trickster* chamado Exu, e na Índia, há o sempre brincalhão Krishna — e muitos mais. Para focar a mitologia nativa norte-americana e também encontrar esses paralelos, ver Lewis Hyde, *Trickster Makes This World: Mischief, Myth, and Art* (Nova York: Farrar, Straus and Giroux, 1998). [Edição brasileira: *O trickster cria o mundo: travessura, mito e arte*, Rio de Janeiro: Civilização Brasileira, 2017.]

15. Allen, *The Sacred Hoop*.
16. Wilma finalmente ajudaria a quebrar o círculo de dependência para levar água corrente a Bell, uma comunidade isolada de cerca de trezentas famílias cheroquis nas florestas do interior de Oklahoma. O filme *The Cherokee Word for Water* (2013), da cineasta Kristina Kiehl, é uma dramatização da história de Bell e um testemunho da liderança e do senso de comunidade de Wilma.
17. Os europeus não acreditavam que os habitantes que eles mataram e dominaram pudessem ser descendentes daqueles que desenvolveram a agricultura, a farmacologia, o maior sistema de terraplanagens e fortificações do mundo e a própria democracia. Algumas pessoas afirmam que os egípcios devem ter vindo para cá e depois ido embora. Ao longo da minha vida, a estimativa de tempo desde que as culturas migratórias se estabeleceram nessa terra aumentou de nove mil para doze mil e em seguida para trinta mil anos. "The Untold Saga of Early Man in America", *Time*, 13 de março de 2006.
18. Wilma Mankiller, *Every Day Is a Good Day: Reflections by Contemporary Indigenous Women* (Golden, CO: Fulcrum, 2004).
19. Weatherford, *Indian Givers*, pp. 82-84.
20. Ibid.; ver capítulo 7, "Liberty, Anarchism, and the Noble Savage".
21. Robin Morgan, *The Burning Time* (Brooklyn, NY: Melville House, 2012).

ÍNDICE

GS = Gloria Steinem

Abernathy, Ralph 281-2
aborto 36, 53, 77, 87, 91, 94, 125, 146, 153, 155, 230
　ataques a clínicas de, 162, 251
　Igreja Católica e, 90, 162-3, 209, 268-9, 272
　morte de Rosie Jimenez e, 165-6
　GS visada como uma das defensoras, 162, 164
　Emenda Hyde e, 165-6
　Inquisição, Holocausto de mulheres e, 273
　Planned Parenthood atacado, 162
　protestos em Minneapolis 266, 270, 271-2, 273-4
　manifestantes que fizeram abortos 251-2
　para vítimas de estupros, 165
　opositores do interior de Oklahoma 90, 164-5, 166
　sacramento se os homens pudessem engravidar, 124
　assassinato do dr. Tiller 252
Abu Ghraib, prisão de, Iraque, 304
abuso sexual 24, 142, 161-2, 163, 245, 272, 302, 306-7, 310, 325
abuso sexual no campus 140, 142, 147, 153, 163
Abzug, Bella 199, 200, 201
　conflito de Friedan com, 202, 204-5, 206
　"disparidade entre gêneros" e, 208

Ano Internacional da Mulher e, 87
Conferência Nacional da Mulher e, 88-9, 90, 92, 95
campanha para o Congresso em 1970, 183, 199, 200
fundação do Fórum Político Nacional da Mulher e, 201-2, 203-4, 206
Abzug, Martin 200
Adamson, Rebecca
　na diretoria da Fundação Ms., 338-9
　Land Rich, Dirt Poor [Em terras ricas, na pobreza extrema] 338
Aeromoças pelos Direitos das Mulheres 132, 135
Afeganistão, Guerra do 234
Agricultura/agronegócio 87, 280, 285, 342, 318, 322, 327, 342
　trabalhadores das plantações de cana-de-açúcar 275-6
　trabalhadores rurais imigrantes 279, 280-1, 282, 284-5, 286, 288
Alemanha
　prostituição legalizada, 294
　reformas de assistência social, 294
　tráfico sexual na, 301
Alexander, Joyce 312
Aliança para a Ação da Feminina 155

Allen, Paula Gunn
  "feminismo é memória" e, 330
  The Sacred Hoop 319
  sobre a Mulher Serpente 319
American Legislative Exchange Council 305
Anderson, Benedict
  Imagined Communities 323
Anderson, Marian, 72
Angelou, Maya 93
Ano Internacional da Mulher 87, 325
  comissários de Carter para o, 88
Arábia Saudita 24
arrecadação de fundos 254-5, 337
Armah, Ayi Kwei 326
assédio sexual 80, 142
  às aeromoças 130, 133, 144
  como algo ilegal, 210-1
  campanhas políticas, 1950 179, 180
  "Provocação de Eva" 61
assistência social 91, 146, 259
  acusações falsas de fraude 293
  grupos em prol de direitos, 78, 87, 202, 292
  movimento das mulheres e mães que dependem da assistência social 69, 76, 79, 165, 205, 292
  tentativas de forçar os beneficiados a ingressar no trabalho sexual, 292-3, 294
Associação de Jovens Mulheres Cristãs 78, 202, 271
Atwood, Margaret 24
autoestima 141
"aventureiro" *versus* "aventureira" 24
Awakening the Dreamer [Despertando o sonhador], (grupo ambiental) 274

Bancada Feminista, Partido dos Trabalhadores Rurais Democratas 91
Baker, Ella 71
Baker, Josephine 366
Baldwin, James 70
Bar Bonnie & Clyde, Nova York 278
Bates, Daisy 366
Baudelaire 57
beleza 82, 84, 259, 340
Bell, Oklahoma 334-5, 337
Bellow, Saul 76, 189, 321
Belmont, Alva 254
Belton, Sharon Sayles 108

Benitez, Celeste 98
Benton, Brook, *Rainy Night in Georgia* [Noite chuvosa na Geórgia] 242-3
Berg, Alan 109
Bhatt, Ela 297
Bhave, Vinoba 63-4
Biden, Joe 223
Billings, Montana 108
Black Pearl, serviço de táxi 125-6, 127
Blue Mountain, Clínica, Missoula 251
Bob Jones, Universidade 147
Bourg, Lorna *312*
Bourgeois, Bessie *312*
Breslin, Jimmy 182
bula papal promovendo a escravidão e o genocídio 318
Bush, Barbara 209, 213
Bush, George H. W. 197, 213, 223, 233, 250
Bush, George W. 107, 198, 208, 213, 216, 223, 225, 234, 300
  eleição presidencial de 2000 231-2, 233-4, 235
  operação para tirar foto no Iraque e peru falso 248
  privatização prisional no Texas 305

Café Figaro, West Hollywood 245
Calvert, almirante James 123
Caminho, O 346-7
Campanha por Serviço Militar,
campanha para candidatas mulheres, 15, 84, 108, 181, 183-4, 199, 210, 228-9, 230, 336-7, 351
  Abzug 87-8, 199, 207
  Clinton 135, 155, 211, 214-5, 225, 227-8
  Ferrara 208-9
campanha, três estágios do trabalho em 183-4
Campbell, Joseph 23
Capote, Truman 181
Carlson, Tucker 222
cartazes do Cinturão Bíblico 146-7
Carter, Jimmy 88, 193
Carter, Rosalynn 93
Catalan, George 283, 285
  aborto e, 90, 162-3, 209, 268-9, 272
  Congregação para a Doutrina da Fé 273

ÍNDICE | 377

catolicismo
  controle de natalidade, 268, 271
  HIV/aids e o, 289
  Inquisição como o Holocausto das mulheres e, 273
  freiras, mudanças defendidas por, 272-3
  contra Ferraro, 209
  patriarcalismo e, 268
  Católicos pela Liberdade de Escolha (Católicos pela Escolha) 268
Chattopadhyay, Kamaladevi 67-8
Chatwin, Bruce, 34
  Anatomy of Restlessness [Anatomia do desassossego] 7
Chavez, Cesar 193, 267, 280, 286
Cher 112
Cherokee Word for Water, The [A palavra cheroqui para água] (filme) 335
creches 77, 109, 147, 172, 185, 201
China 263, 283
  colonialismo da, 111, 140
Chisholm, Shirley
  Ano Internacional da Mulher e, 87
  corrida para a presidência de 1972, 184
  fundação do Fórum Político Nacional da Mulher e, 201-2, 207
  Obama e, 216
  oposição à Guerra do Vietnã, 78-9, 207
Churchill, Winston 262
círculos de conversa
  nas igrejas dos negros, 66
  época da luta pelos direitos civis, 74-5
  livrarias/sessões de autógrafos e, 84
  movimento feminista e, 66-7, 70, 71, 78
  governança e, 327-8
  GS falando sobre educação e,
  na história humana, 66
  na Índia, 66
  mulheres do território indígena, 92
  Mankiller e, 335-6
  Conferência Nacional da Mulher em Houston (1977) e, 87, 92
  como uma comunidade portátil 69, 70
Cleaver, Eldridge
  Soul on Ice [Alma no exílio] 135-6
Cleland, Max 248
  anúncios mentirosos contra, 249
Clinton, Bill 218, 290, 337
  política de "Don't Ask, Don't Tell" 291
Clinton, Hillary Rodham
  eleitores negros e, 217
  feminismo e, 192, 218
  GS e, 211, 221, 223, 225-6, 337
  detratoras de, 212-3, 214-5
  casamento de, 212-3, 214, 223
  imprensa e, 219, 220
  campanha para o Senado, 214
  retórica sexista contra, 222-3, 250
  corrida presidencial de 2008 135, 155, 215-6, 217, 227-8
Clinton, James 328
Collins, Judy
  "The Blizzard" 20
Colorado 23
  eleição presidencial de Obama, como um estado decisivo, 186, 300
  tiroteio na escola Littleton, 116
Colombo, Cristóvão 74, 97, 316, 346
comissárias de bordo 127-8, 129, 130, 134-5, 136
  anúncios sexistas das
  assédio sexual das, 130, 133, 144
  companhias aéreas e, 132
  desigualdade salarial e, 130
  Frankovich e a greve da TWA, 133
  Hutto-Blake e, 135
  protesto contra a política de "sem homens, sem casamento", 133
  racismo e, 135-6
  restrições sexistas para contratação, 134
  tomada de consciência das, 132-3
Comissão para a Igualdade de Oportunidades de Emprego 133, 150, 155, 202, 233
Conferência dos Bispos Católicos dos Estados Unidos 273
Conferência das Superioras Religiosas dos Estados Unidos 272-3
Conferência Nacional da Mulher em Houston (1977) 86, 88
  Abzug e, 88-9, 90, 92, 95
  as lições de GS resultantes da, 323
  ativistas com deficiência e, 92
  bancada das mulheres negras na, 97-8, 99
  buttons EU APOIO O PLANO e BARRE A EMENDA 91
  cerimônia de abertura, 89
  cerimônia de encerramento da, 100

como algo transformador 86
delegação do Mississippi na, 99
delegados mórmons na, 89, 90
delegadas da, 96, 135
fórum político dos índios americanos e nativos do Alasca na, 89, 92, 95, 98
grupos anti-igualdade e, 90
GS como comissária e organizadora do Ano Internacional da Mulher, 88
GS como escrevente dos fóruns políticos das mulheres de cor, 95-6
mulheres do território indígena e, 93, 96-7, 102
opositores religiosos da, 90-1
Plano de Ação Nacional na, 87
plataforma da "preferência sexual" ou orientação sexual, 94
Plataforma das Minorias Femininas, 95-6, 97, 99, 204
questões raciais abordadas, 86-7, 88, 90
xale cerimonial e colar de GS, 101
Conforte, Joe 293
Conselho Nacional da Mulher Judia 202
Conselho Nacional da Mulher Negra 71, 202
Constituição dos Estados Unidos 250, 272
Confederação Iroquesa e, 140, 328
Pais Fundadores e, 164, 329
consumismo 67-8, 193
controle de natalidade 53, 166
Convenção Nacional do Partido Democrata, 1972, Miami 203, 207
1984, São Francisco 208
2004, Boston 216
Cooper, Gary 32-3
Coreia do Sul 105, 126, 266
Cosby, Bill 244-5
Countryman, Vernon 151

Danforth, John 229, 230, 233
Daughters of Bilitis 278
Davis, Angela 303
Davis, Ossie 75
Democrata, Partido 184, 186, 190, 193-4, 198, 201, 203, 206, 219, 229 *ver também candidatos específicos; políticos específicos*
grupos de eleitores negligenciados por, 185-186
posição com relação aos direitos reprodutivos, 206

depressão 35, 176-7, 310
desemprego 99, 292
desigualdade de riqueza/renda nos Estados Unidos 19, 67
difamação 144, 249
Dinesen, Isak 31
direitos das pessoas com deficiência 92, 157-8, 159
Direito 53, 66, 70-1, 72, 74, 76, 78-9, 80-1, 84-5, 87, 89, 92-3, 94, 96, 98, 123, 132, 134-5, 137, 142, 145, 148-9, 150-1, 152-3, 156, 158-9, 164, 166-7, 169, 172, 181, 193, 197-8, 199, 202-3, 207, 217, 219, 231-2, 234, 238, 245, 269, 278, 281, 286, 288, 292-3, 306, 326, 328, 338, 351
discriminação racial e de gênero,
casta, raça e opressão 68, 80-1, 95, 130, 133, 153, 155, 290, 293
disparidade de gênero 146, 208
disparidade salarial para as mulheres 82, 132, 147, 185
distúrbios alimentares 307
dívida estudantil 19, 141, 305
Dole, Robert
como garoto-propaganda do Viagra, 246
dominância, dominação, uso de sexo como 268, 300, 301-2
Dominican College 162
Douglass, Frederick 171
Du Bois, W. E. B. 324
Duncan, Isadora 254
dupla-consciência 324

Earhart, Amelia 24
East Toledo, Ohio 35, 101, 254, 256
Edwards, John 223
Egan, padre Harvey 266-7, 268-9, 270, 271, 274
"Celibato, uma velha cruz indefinida nas costas eclesiásticas" 271
Eisenhower, Dwight D. 178, 180, 198, 300, 303
Eleitores pela Liberdade de Escolha (Pró-Escolha) 184, 215
Emenda da Igualdade de Direitos 84, 197
grupos anti-igualdade 89
Schlafly como opositora 132
Emenda da Vida Humana 250, 272

ÍNDICE | 379

Emerson, Larry 339
EMILY's List 230
Engels, Friedrich 254
Ensler, Eve
Necessary Targets [Alvos necessários] 212
Ephron, Nora 206
escrita humorística 238
Estadual de East Texas, Universidade 152
estupro 65, 74, 141, 150, 247, 300, 307-8, 327
ver também abuso sexual
Etiópia-Eritreia, conflito 110
Evers, Myrlie 366

falando em público 17, 69, 77-8, 81, 148, 189, 212, 283
Farber, Barry 201
Farenthold, Sissy 206
Feigen, Brenda 148
Felker, Clay 181, 194, 264
Ferraro, Geraldine
GS e a campanha para a vice-presidência em 1984, 208-9
Fey, Tina 239
Fonda, Henry 285
Fonda, Jane 293
Fonteyn, Margot 76
Ford, Betty 93
Ford, Gerald 87
Fórum Político Nacional da Mulher 128, 184-5, 207
Convenção Nacional do Partido Democrata de 1972, em Miami, 203
Convenção Nacional do Partido Democrata de 1984, em São Francisco, 208
Friedan e o conflito, 204-5, 206
GS e, 202-3
Fórum Político das Mulheres de Massachusetts 185
Frankel, Max 197
Franklin, Benjamin 125, 322, 328
Frankovich, Vicki
capa de Mulher do Ano da *Ms.*, 133
Freiras no Ônibus 273
Friedan, Betty 79, 94, 202, 205-6
Mística feminina 204
Friedman, Bob 353

Fundação *Ms.* para Mulheres 335, 339
mulheres do território indígena no conselho diretor, 329, 331
Fundo de Defesa e Educação da Lambda Legal 288

Gallaudet, Universidade 157-8, 159
Gandhi, Indira 62
Gandhi, Mahatma 63, 66-7, 68, 201, 254
garçonetes 11, 129, 241, 244-5, 248, 262, 294, 297
Garvey, Marcus 265
Gelobter, Ludwig 184
Ginsburg, Ruth Bader 148
Gold, Judy 227
Goldman, Emma 254, 279
Goldwater, Barry 184, 197
Gore, Al
decisão da Suprema Corte e, 234
eleição presidencial de 2000, 231
injustiça na votação da Flórida e, 232
Parábola do Prego e, 370
Grande Depressão (1929) 33, 176-7
Green, Rayna
no conselho diretor da Fundação Ms., 330
Greene, Jehmu 155
Grim, Gloria 351-2, 353
Grimké, irmãs 171
Grover, John 52-3
Guggenheim, Peggy 254

Hamer, Fannie Lou 71, 74, 202
Hamill, Pete 106
Harris, Fred 323
Harris, Katherine 233
Harris, LaDonna 202-3, 323
Harvard, Faculdade de Direito 148
"Dia das Moças" na, 149
mulheres na, 148-9, 150
GS discursando no jantar da *Harvard Law Review* da, 148, 151-2
hassídicos, judeus 245
Haudenosaunee 254
Hedgeman, Anna Arnold 366
Height, Dorothy 71, 96, 202, 279
Helms, Jesse 198
Hernandez, Aileen 133, 202

Heumann, Judy 158
Hill, Anita 210
hispano-americanos 287
história vertical 321, 341
HIV/aids 253, 288-9
Ho Chi Minh 262-3, 264-5
homofobia, 288
homossexualidade 155, 272, 278 *ver também* lésbicas
   casamento gay 290-1
   HIV/aids e, 288-9
   nas forças armadas, 290-1
   Stoddard como ativista, 288-9, 290-1
Horbal, Koryne 91
Huerta, Dolores 163, 193-4, 283, 286
Hughes, Dorothy Pitman 77, 123, 131
Humphrey, Hubert 196
Hutto-Blake, Tommie 135

Icahn, Carl 133
igualdade de gênero 77, 81, 89, 91, 96, 149, 184, 198-9, 201-2, 208, 313, 354
   aventura e, 18, 23-4
   disparidade salarial e, 147, 185
   necessidade de um movimento feminista e, 80, 203
   sexo e, 301
imigração ilegal 23, 98-9, 107, 110, 117, 156, 279, 280, 284-5, 286-7, 288
imprensa 71-2, 84, 134, 182-3, 188, 190, 194-5, 196, 234, 300
   a beleza de GS e a, 82
   cobertura do catolicismo, 90-1, 99, 163
   cobertura de Chavez e boicote à uva, 280
   a controvérsia do padre Egan e a, 271
   Ferraro e a, 208
   Friedan e a, 205-6
   gancho de notícia 271
   grupos extremistas e a, 107, 109, 111
   misoginia da, 223
   mulheres negras no movimento feminino e, 99, 366
   retrato do feminismo na, 81
   racismo *versus* sexismo na, 224
   realidade e, 197, 204, 213
   sobre Schlafly, 132
   uso da extrema direita da, 214, 219
   viciado em mídias 120

Índia 20-1, 25, 39, 42, 49, 59, 66-7, 70, 80, 93, 104, 137, 140, 193, 220, 234, 243, 248, 263, 297, 304, 316, 324, 356
   controle de natalidade em, 63
   colonialismo na, 68-9
   encontros comunitários na, 64-5
   khadi 62
   luta pela independência, 254
   Miranda House 69
   mulheres mobilizadas contra o *sati* na, 68
   Nova Délhi, 60, 85
   Ramnad e lutas de castas, 64
   restrições às mulheres na, 61, 72, 79
   táticas de gandhianas e, 67
   tongas 61
   transporte público, 60-1
   vagões de trens apenas para mulheres, 61
   "viagem *memsahib*" 60
   votações na, 181
Indígenas, Guerras 318
indústria sexual 294-5, 296-7, 301
Iraque, Guerra do 107-8, 136

Jackson, Andrew 332
Jackson, Jesse 216
Jackson, Mahalia 72-3
Jain, Devaki 67
Jeffrey, Millie 205
Jiang-Stein, Deborah 308
   Prison Baby: A Memoir 308-9
Jimenez, Rosie 165
Johnson, Lady Bird 93
Johnson, Lyndon 184, 188, 190, 195
Johnson, Rafer 194
Johnson, Sonia,
   "Patriarchal Panic: Sexual Politics in the Mormon Church" [Pânico patriarcal: políticas sexuais na Igreja Mórmon] 367
Jordan, Barbara 93
jornalismo 15, 18, 24, 38, 69, 182-3, 189, 195-6, 208, 219, 222, 265, 293
   desigualdade de gênero no, 80, 181, 229, 300
   GS como jornalista *freelance* 17, 39, 51, 70, 82, 181, 187, 282, 284

Koch 198
Kansas, EUA 23, 131, 246, 252
Kaufman, George S. 238

Kennedy, Caroline 73, 112
Kennedy, Edward "Ted" 188, 209, 281
Kennedy, Florynce 18, 80, 83, 131, 152, 184, 205, 227, 244, 292, 296
  Abortion Rap 124
  Fórum Político Nacional da Mulher e, 205-6
  sabedoria de, 228, 244
Kennedy, John F. 110, 213, 222, 282
  assassinato de, 188, 196
  GS escrevendo sobre a Casa Branca de Kennedy 187
Kennedy, Robert F. "Bobby" 182-3, 188-9, 190-1, 192-3, 196, 280
  apoio à greve dos trabalhadores rurais, 193
  assassinato de, 194, 196
  assassinato de Martin Luther King e, 193
  corrida presidencial, 191
  GS e a campanha para o Senado 182, 184, 188-9
Kerouac, Jack 15, 104
Kerry, John
  campanha difamatória contra, 249
Kiehl, Kristina 353, 374
Kills Straight, Birgil 339
King, Bernice 73
King, Coretta Scott 74, 99
King, Martin Luther, Jr. 74, 109, 281
  assassinato, 193, 196
  discurso "Eu tenho um sonho", 73, 75
  Guerra do Vietnã e, 76
  marcha em Washington 70
  sobre a justiça negada, 74
King, Stephen 33
King, Yolanda 74
Kirk, Claude 196
Koch, irmãos 198
Kuhn, Maggie 266
Kunstler, William 293
Kyle, Texas 120

La Raza Unida 153
Langer, Susanne 237
Las Vegas, Nevada 41-2, 256
  industria do sexo em, 292-3, 296-7, 298, 300
Last Perch, Casa de Repouso 279
Laurel, Maryland 258, 261

Le Guin, Ursula K. 26
Lerner, Gerda 140
lésbicas 79, 142, 266, 278, 288, 290
  "Ameaça Lavanda" e, 94
  comunidades, 278-9
  comunidades LGBTQ 279
  Conferência Nacional da Mulher em Houston (1977) e, 86
  feminismo e, 83, 87, 205
Leslie, sra. Frank 254
Lewis, Jane Galvin 155
  liberdade reprodutiva 153, 164, 166-7, 173, 185, 203, 206, 230
  aborto, 87
  ataques a clínicas de aborto, 252
  controle das mulheres sobre seu próprio corpo, 53, 166, 268, 272
  doador inesperado, 167-8
  Igreja Católica e, 269
  Palin como uma opositora da, 250
  Partido Democrata e, 186, 201, 203, 230
Limbaugh, Rush 223, 250
Lincoln, Abraham 159
  Lincolnln Memorial (Washington, DC) 71-2, 73, 366
Lindsay, John 199
Long Island, Nova York,
Louisiana
  furacões Katrina e Rita, 276
  SMHA em, 276
  trabalhadores das plantações de cana-de-açúcar, 275
Lua de papel (filme) 43
Lupu, Ira 149, 151
Lyons, Oren 354

"*memsahib*", viagem 60
"mística feminina" 79
*M*A*S*H versus Ms.* 259, 260
Malcolm X 71, 75-6
Mankiller Flats, Oklahoma 332-3, 351
Mankiller, Wilma 331-2, 333-4, 346-7, 350
  dança dos pés cheroqui 348-9
  Every Day Is a Good Day 354
  Medalha da Liberdade 214, 337
  morte de, 351-2, 353-4, 355-6, 357
  no conselho diretor da Fundação Ms. 331, 338
  projeto de água para Bell 334-5, 336-7

Marcha de Washington (1963) 70-1, 73, 75
ausência de mulheres discursando na, 72
Marshall, Thurgood 234
Marx, Karl 253
Masters, Billie Nave 98, 101
Matthews, Chris 222
Matthews, Deborah 317
McCain, John 186, 223
McCarthy, Eugene 182, 190, 193, 200
corpo de imprensa e, 194
GS e a campanha presidencial de, 191-2, 195-6
McGee, Wilie 199
McGovern, George 184, 190, 206-7
McMurtry, Larry 344
Médicos a Favor da Saúde e da Liberdade Reprodutiva 252
Mead, Margaret 93
Médicos a Favor da Saúde e da Liberdade Reprodutiva 252
meio ambiente 220, 339, 340
Melville, Herman 34
Metodista do Sul, Universidade 152
Michigan Womyn's Music Festival 278
Midler, Bette 85
migração 31, 185
intercontinental ancestral feita pelas mulheres, 24
Mikulski, Barbara 210
Millett, Kate 205
Mink, Patsy 87, 201
Minneapolis 308
Belton eleita a primeira prefeita afro-americana, 108
refugiados de Hmong e, 273-4
Centro da Vida Humana,
Igreja Católica de Santa Joana D'Arc, GS discursando na e controvérsia, 266, 270-1, 272
motorista de táxi como analista político em, 108
Mirren, Helen 346
Mitch, organizador do Alabama 284-5, 286
Mondale, Walter 208, 281
Monte da Serpente, Ohio 315, 318-9
moradores da Ilha do Estreito de Torres 20
Morgan, Eva e Anne 254
Morgan, J. P. 254
Morgan, Robin 205, 356, 364

"Goodbye to All That" 20
mórmons 90, 121, 277-8
mulheres mórmons 89, 367
Moses, Marion 282
motoristas de caminhão 201, 240-1, 243.371
hino "Rainy Night in Georgia" dos, 242
mulheres como 242
motoristas de táxi 105-6, 107-8, 109, 110, 111-2, 113-4, 115
artista trabalhando como motorista de táxi 113
ataques terroristas de 11 de setembro e, 86, 108-9, 110, 234
em Minneapolis-St. Paul, 108
em Montana, 108
estudante de Annapolis e as lembranças de GS da conversa na Academia Naval, 123
intimidade ao andar de táxi, 106, 113
mitos modernos e, 109
motorista chicana perto de Austin, 121
motoristas de cidades pequenas, observações sobre o clima político, 120-1
motorista italiano com esposa judia, 105-6
motorista que fazia figuração em filmes, 113
motorista se recuperando do vício em mídias, 119, 120
motorista transexual de Detroit, 121-2
motorista ucraniano intolerante, 117-8
motoristas de táxi de Nova York, 107-8, 112-3, 125, 281
mulheres como, 111-2, 121
novos imigrantes como, 107, 110
opinião pública e previsões políticas, 107-8
serviço de táxi Black Pearl, 125-6, 127
Movimento das Mulheres, surgimento do, 1970 17, 67, 79, 132, 134-5, 199, 201, 251, 306, 326-7
movimento sufragista 68, 217, 254, 354
Mulhauser, Karen 228
Mulheres de Todas as Nações Vermelhas 326
Mulheres em Luta pela Paz 200
Mulheres RV (RV Women) 278
Murphy, George 281
Mustang Ranch, Nevada 292-3

Nações Unidas 87, 108, 177
Conferência sobre a Mulher, na Cidade do México (1975) das, 67

ÍNDICE | 383

Nativo-americano, Faculdade dos Serviços Educacionais 340
nativos norte-americanos ver também território indígena
 agricultura dos, Três Irmãs e *milpa* 342
 abuso sexual e, 325
 ancestralidade misturada e, 315
 antiguidade das culturas nas Américas 298-9, 314, 322-3
 Caminho das Lágrimas, 332
 cheroquis 11, 97-8, 214, 317, 327, 330-1, 332, 334-5, 336-7, 338, 347, 356
 clínicas de saúde rurais cheroquis, 351
 Coalizão dos Conselhos Escolares Controlados por Indígenas, 338-9
 como residentes urbanos 332
 Confederação Iroquesa 66, 328-9, 354
 culturas matrilincares entre os, 326
 dança dos pés cheroqui, 348-9
 democracia e, 66, 328-9, 354
 educação e, 323, 240
 esforços de realocação do governo 332
 esterilização forçada e, 327
 Flint Ridge, Ohio 318
 gerações para reparar um ato de violência, 266, 326
 história oral dos, 322
 ignorados nos livros de história, 324
 Lakota Sioux 11
 Lei da Liberdade Religiosa dos Indígenas Norte-Americanos, 348
 Lei de Remoção dos Índios 332
 línguas dos, 22, 97, 325-6. 327, 349
 matança de, 318, 325-6, 327
 moicanos, mito da coragem dos, 321-2
 montes funerários 343
 Mulher Aranha 345
 Mulher Serpente 319, 320, 345
 mulheres brancas se juntando aos 323, 354
 Nação Cheyenne do Norte 324
 paradigma do círculo 269, 328
 pilhagem de antiguidades dos, 343-4
 população nos Estados Unidos 325
 problemas de saúde 326, 341
 representação em faroeste 322
 trickster 330
 Uma Grande 356
Nehru, Jawahardal 62

grupos neofascistas 108
Nevada 43
 assistência social e injustiça 292
 GS investigando a indústria sexual de Las Vegas em, 292, 300
 prostituição em, 296
Newfield, Jack 189
Nixon, Richard M. 182-3, 197, 201, 282, 300
 corpo da imprensa e, 196
 escândalo de Watergate e, 201
 falta de apoiadores negros na campanha de, 197
 GS e a campanha de, 185, 190
Norte-americanos pela Igualdade dos Indígenas 324
Novo Jornalismo 182
Nova York (cidade) 38-9, 44, 77, 85, 89, 92, 95, 126, 128, 152, 155-6, 182, 184, 187-8, 189,199, 203, 211, 252, 270, 282-3, 304-5
 epidemia de HIV/aids em, 289, 290
 fórum político das mulheres de Manhattan, 203
 GS em casa em, 51, 106, 167, 193, 240, 244, 317, 320
 Ho Chi Minh em, 263-4, 265
 motoristas de táxi em, 107-8, 112-3, 125, 281
 resposta aos ataques terroristas de 11 de setembro em, 86, 108-9, 110, 234
 uma capital para quem não dirige, 104
 revista *New York* 77, 182, 194, 196-7, 264-5
 "The City Politic" 106
New York Times
 ataques terroristas de 11 de setembro, 86, 108-9, 110, 234
 Frankel cobrindo a campanha de Nixon para o, 197
 Friedan e o, 204-5
 artigos de GS, 220, 224-5, 226
 palavra *homofobia* e, 288
 reportagem sobre o pronunciamento do papa proibindo a homilia de pessoas leigas, 270-1
Nixon, Richard M. 182-3, 197, 201, 282, 300
 corpo da imprensa e, 196
 escândalo de Watergate e, 201

falta de apoiadores negros na campanha de, 197
GS e a campanha de, 185, 190
nômade 25, 31, 34, 43
North, Olivier
  Under Fire 85
Norton, Eleanor Holmes 155, 203
profissão de enfermagem 128, 153, 156, 165, 282, 294, 351
nushu, "escrita feminina" 25

Obama, Barack 73, 198, 221, 225-6, 355
  Convenção Nacional do Partido Democrata de 2004, 215-6, 217
  corrida presidencial de 2008, 155, 186, 192-3, 211, 218-9, 220, 222-3, 224, 227-8, 300
  família na Casa Branca e, 301
  projeto de lei da saúde, 272
Oberlin College *138*
Oklahoma 90, 167, 248, 323, 356 *ver também* Bell, Oklahoma; Mankiller Flats, Oklahoma
  ativista comanche em, 323
  cheroquis 337, 343-4, 346
  dirigindo do Texas para, 249-50
  feriado nacional cheroqui 347
  GS discursando em, 166-7
  manifestantes contra o aborto, 164
Oklahoma City 344
  atentado a bomba em, 109
O'Neill, Eugene 23
organização
  abolicionistas e sufragistas, 100, 186, 219
  como algo surrealista, 253-4
  estudantes da Universidade para Mulheres do Texas e, 156
  GS como organizadora itinerante, 171, 185
  Huerta sobre o mantra da, 163
  importância de organizar pessoalmente, 236
  modelo polinizador, 144
  na Índia 70, 193
  para a Conferência Nacional da Mulher, 88-9
  Poo e, 85
  princípio para a, 353

sabedoria de Gandhi para a, 68
táticas de Gandhi para os movimentos das mulheres, 67
Organização Nacional das Feministas Negras 155
opositores inconvenientes 152
Organização Nacional da Mulher 78, 133, 202
Organização Nacional pelos Direito à Assistência Social 78, 202, 292-3

padres 66, 163, 297, 269, 271-2, 354
Palin, Sarah 250
Panteras Negras 284
Parábola dos Pregos *ver em* Gore, Al
Parker, Cynthia Ann 323
Parker, Dorothy 76
Parks, Rosa 74
Patch, Sue (irmã de GS) 28, 30, 35-6, 37-8, 39, 43-4, 45, 52, 175, 178
patriarcado 80, 223, 229, 268-9, 270, 272, 294, 319
patriarcalismo 11
Peebles, Larry 53-4, 56
Pena de morte (pena capital) 185, 199, 200, 303
Perera, Ana Maria 98
períodos abolicionista e sufragista, 100, 171, 186, 197, 219
Pine Ridge, Reserva, Dakota do Sul
  encontro de ativistas na, 339
Planned Parenthood 162
política *ver candidatos específicos; eleições específicas*
políticas sexuais 82
Poo, Ai-jen 85
pornografia 130
povo cigano 20
Prime Suspect (série de TV) 346
prisões
  como se envolver 301, 305, 308
  "encarceramento em massa" 304-5
  estupro e abuso sexual 307-8
  motivo lucrativo e privatização das, 144, 172, 303-4, 305
  mulheres em, 306, 309, 310
  número de prisioneiros dos EUA 302
  orçamento para a educação vs., 19, 304

pena de morte, 185, 199, 200, 303
programa feminino de revistas *Ms.* 259, 306
Projeto unPrison, 308
raça, classe e encarceramento 302
superlotação 309, 310
vício em drogas e, 303
votação e, 304
profissão de enfermagem 128, 153, 156, 165, 282, 294, 351
prostituição 253, 296-7, 302
　como trabalho sexual, 292, 294
　em Nevada, 292-3
　GS investigando em Las Vegas, 297, 300
　idade média de entrada na, 294
　legalização vs. criminalização, 295
　na Alemanha, 294
　na Índia, 297
　pessoas prostituídas e 292, 295-6, 301
　Síndrome do Estresse Pós-Traumático, 296
　sobreviventes da, 19
　tráfico sexual e, 300
Profeta da Lanchonete 263, 265-6

Quinn, arcebispo John 162-3
"queimadoras de sutiãs" 145

raiva 16, 37, 44, 82, 114, 117-8, 151, 190, 195, 223, 290
　alimentando os protestos, 94
　organizadores e, 253
　como depressão internalizada, 177
　supressão feminina da, 177
Rapid City, Dakota do Sul 11-2
Reagan, Ronald 192, 208-9, 288, 300
Rebozo, Bebe 300
Redford, Robert 112
relações, igualdade nas 80-1, 89, 91, 94, 96, 147, 149, 184-5, 198-9, 201-2, 203, 207-8, 301, 313, 354
Republicano, Partido 125, 196, 198, 201, 203, 215, 217, 221, 229, 250 *ver também membros específicos; políticos específicos*
　como brancos ultraconservadores, 198
　"Guerra Contra as Mulheres" 186
Revista *Ms.* 13, 18, 128, 133, 258, 364

apoio por meio de contribuições, 83, 157, 205, 259, 343-4
artigo sobre *los feminicidios*, 247
artigo sobre sistema de assistência social, 292
trabalhadores da construção e, 247, 307
artigo sobre trabalhadores das plantações de cana-de-açúcar, 276
avaliação dos candidatos políticos, 185
prisioneiros homens e, 306-7
programas para prisioneiras mulheres, 306
Richardson, Bill 223
Rieman, Walter 290
Ringgold, Faith 155
riso 34, 57, 68, 75, 83, 171, 227, 239, 246, 255, 268, 283, 290, 298, 315, 330, 351, 356
Roach, arcebispo John 270
Rockefeller Center 132
Rockefeller, David 110
Rockefeller, Nelson 190
Rockefeller, os 213
romances de busca de identidade 24
Romney, Mitt 125, 185, 223
Roosevelt, Eleanor 96, 175-6, 206, 212, 279
Roosevelt, Franklin Delano 175-6, 177-8, 213, 262
Rousseau, Jean-Jacques 322
Rumi 20
RV, Mulheres (RV Women) 278

Sackville-West, Vita 68
Santa Joana, Igreja Católica de D'Arc, Minneapolis 266-7, 270-1, 273-4
St. Petersburg Times 82
Salt Lake City, Utah 110, 277
Sanders, Beulah 202
Sax, Jana 151
Schlafly, Phyllis 91-2, 131-2
Schoenbrun, David 265
segredos
　cana-de-açúcar e, 275-6
　comunidade gay, HIV/aids e, 288
　escondidos na cidade: templos mórmon, 277-8
　escondidos na terra: trabalhadores de campos de
　para segurança: lésbicas e, 290
　poder de, 311

poder de: trabalhadores rurais imigrantes, 279, 280-1, 282, 284-5, 286, 288
prisões e, 302
prostituição, indústria sexual e, 253, 294-5, 296-7, 301-2
quatro passos para criação de mudança, 310-1
segregação 179, 261
Seidenberg, Robert 57
Self-Employed Women Association 297
Serrano-Sewell, Sandy 98
sexo, mulheres e homens mais jovens 170-1
sexismo
  aeromoças e, 127-8, 129, 130, 134-5, 136
  contra Clinton, 222-3, 225, 250
  mulheres caminhoneiras e, 242
  racismo e, 81, 150, 155-6, 202, 220
  religião e, 246
  sem ser levado a sério, 224
Shabazz, Attallah 75
Shakopee, prisão, Minnesota 308
Shelton, Robert,
Silko, Leslie Marmon
  Ceremony 344
Sinatra, Barbara 256
Sinatra, Frank 256-7
Síndrome de Estocolmo 308
Sistema Nacional de Contas 339
60 Minutes (Sixty Minutes)
  "Behind the Cane Curtain" [Por trás da cortina de cana] 275
Sloan, Margaret 80, 152
Small, Gail 354
Smith, Faith
  no conselho diretor da Fundação *Ms.*, 340
Smith, Liz 246
Smith College 74-5, 310, 342, 363
Sociedade de Engenharia e Ciência dos Índios Norte-americanos 314
Soap, Charlie 334
Sorensen, Ted 187
Soros, George 215
África do Sul 68, 198, 254, 302
Southern Mutual Help Association (SMHA) 276
Stanton, Elizabeth Cady 132

Steinem, Gloria
  beleza e, 82
  a Conferência Nacional da Mulher como um divisor de águas 86
  arrecadação de fundos e, 254-5, 337
  casas temporárias e, 37, 51
  comissão de HIV/aids e, 289
  como "a garota repórter" da *New York*, 182, 189, 196
  como "garota escritora" para o *TW3*, 238
  como jornalista *freelance*, 17, 39, 51, 70, 82, 181, 187
  como organizadora, 171, 185
  desejo de uma vida estável, 15, 33-4
  educação, 30
  em casa, 51, 106, 167, 193, 240, 244, 317, 320
  em East Toledo, 35, 101, 254, 256
  em piquetes, 183, 283
  falando em público, 17, 69, 77-8, 81, 148, 189, 212, 283
  infância e primeiras viagens, 28-9, 30, 32
  influência do pai, 45-6, 47-8, 49, 50, 51-2, 58
  irmã de, 28, 30, 35-6, 37-8,
  lembranças do pai, de cartas, 16, 39, 40, 53, 55, 56-7, 58
  mãe de, 16, 28-9, 30, 35-6, 37-8, 39, 43-4, 45-6, 47, 49, 51-2, 57-8, 69, 70, 103, *138*, 175-6, 177, 181, 187, 205-6, 235, 286, 320, 361
  morte do pai e, 43-4, 45, 52
  na Europa, como jovem adulta, 39
  na Índia, 21, 39, 42, 49, 59, 60, 61-2, 63, 66-7, 68-9
  pai, histórias de GS, 17, 28, 30-1, 35, 37
  parceiras de discurso, 80, 83, 131, 152, 184, 205, 227, 244, 292, 296
  relação do pai com, 27, 41-2, 43
  relacionamentos inter-raciais e, 104-5
  religião e espiritualidade, 267-8
  revista *Ms.* e, 13, 18, 128, 133, 258, 364
  revista *New York* e, 182, 189, 196, , 220, 224-5, 226
  separação dos pais, 35
  sobre não dirigir, 104
  viagem para a Dakota do Sul (1994) 11
  voar e, 127-8, 135

Steinem, Gloria, escrevendo sobre
"After Black Power, Women's Liberation" [Depois do poder para os negros, a libertação das mulheres], 77
"Coalition vs. Competition" [Coalizão versus Competição], 220
"Ho Chi Minh in New York", 264
"Ruth's Song: Because She Could Not Sing It" [A canção de Ruth: Porque ela não pôde cantá-la], 52
"The City Politic" [A Política da Cidade], 106
"Trying to Love Eugene" [Tentando amar Eugene], 194
"Women Are Never Front-Runners" [As mulheres nunca são as favoritas], 224
Outrageous Acts and Everyday Rebellions [Atos revoltantes e rebeliões diárias], 84
Steinem, Leo
 caráter e personalidade, 29, 33, 40
 como um quebrador de regras, 33, 43, 45, 49, 57
 como vendedor de antiguidades, 16, 28, 30, 35, 43, 45
 ideias de negócios, sonhos e negociações, 35, 37, 39, 42-3, 58
 infância, influência de, 28-9, 30, 32
 influência de, 45-6, 47-8, 49, 50, 51-2, 58
 morte de, 43-4, 45, 52
 peso e aparência, 41, 49
 prazer de viajar e a vida na estrada, 27-8, 29, 31-2
 relação com GS, 27, 41-2, 43
Steinem, Ruth Nuneviller 43-4, 48-9, *138*, 177
 depressão e, 35-6, 38-9, 51-2, 177, 181
 desprezo de Friedan, 205
 fim do casamento, 35
 a Grande Depressão e, 175
 insubordinação de, 57
 lições que ela ensinou, 30, 36, 39, 70, 103, 187
 morte de, 82
Stern, Howard 116, 118
Stevenson, Adlai 178
 o começo de GS em campanhas e, 179, 180

Stevenson, Bryan,
 Just Mercy: A Story of Justice and Redemption 303
 quatro passos para criação de mudança de, 311
Stewart, Bernadette *312*
Stoddard, Tom 288-0, 290-1
Sturgis Motorcycle Rally 12
Suprema Corte dos Estados Unidos,
 Clarence Thomas e, 210-1, 234-5, 250
 eleição presidencial Bush-Gore e, 233-4, 235
swiftboating (ataques políticos difamatórios) 249
Swit, Loretta 259

Talese, Gay 189, 190
Tea Party 198
Terceira Via (modelo norueguês ou succo) 295-6
Texas, Universidade para Mulheres do 152-3
 mudanças na, 155-6
Thatcher, Margaret 218
That Was the Week that Was (TW3) 237-8, 239
Thelma e Louise (filme) 24
Thomas, Clarence 210, 211, 230, 233, 235, 250
Tiller, George 252
Title IX 142
tráfico sexual 19, 147, 247, 300
Traitz, Linda Joy 245
transexuais, transgêneros 142
Triangle Shirtwaist, incêndio da fábrica 254
Truman, Harry 71, 262, 264
Trump, Donald 112
Truth, Sojourner 172
 "But Ain't I a Woman?" [Mas eu não sou uma mulher?] 82
Tse, Mariko 98
Tubman, Harriet 254
Tunney, John 281
turnê de divulgação de um livro 84-5, 342
Trabalhadores Rurais Unidos 193

União Norte-americana das Liberdades Civis, Projeto dos Direitos das Mulheres da, 148
UnPrison, Projeto 308

viajar, significado de 16-7, 20, 28, 30, 42, 60, 81, 83, 103-4, 127, 236-7, 239, 245, 261, 360 *ver também lugares específicos*
vício 70, 302-3, 306, 309, 310
Vietnã, Guerra do 66, 76, 124, 165, 196, 201, 238, 249, 262, 365
 agente laranja usado na, 230, 266
 esforços para sonegar o dinheiro dos impostos, 282
 Estados Unidos derrotados na, 265-6
 GS sobre Ho Chi Minh, 262-3, 264-5
 McCarthy como candidato contrário à guerra, 190-1
 mortos e feridos, 248, 266
 movimento antiguerra, 78-9, 140, 172, 199
 oposição pública à, 207
 refugiados hmong, 273-4
violência contra as mulheres 74, 147 *ver também* violência doméstica; estupro; violência sexual
violência sexual 140, 142, 147, 153, 326 *ver também* estupro
 nas universidades,
 Take Back the Night e,
 vítimas culpadas pela,
Viva Zapata! (filme) 23

Wackenhut Services, Inc. 144
Walker, Alice 13, 316, 336
 "My Father's Country Is The Poor" [O país do meu pai são os pobres] 20
 Revolutionary Petunias 75

Wallace, Michele 155
Washington, D.C. 11, 37-8, 43, 87, 89, 97, 109, 125, 128, 150, 157, 178-9, 187, 202, 214, 222, 228, 230, 233, 248, 258, 261, 270, 278, 290, 323, 330, 332, 336-7, 363
 segregação em, 70-1, 72, 75, 179, 183
 taxistas em, 110
Washington Post 222
Waters, Maxine 98
White, Theodore H. 207
Wichita, Kansas 252
Williams, Calvin 126
Williams, Tennessee 53, 104
Wilson, Woodrow 264
Winfrey, Oprah 73, 156, 228
Wolfe, Thomas 182
Woods, Harriett
 derrota na corrida para o Senado e a Parábola do Prego, 229, 230, 231, 233
Woolf, Virginia 103
Wouk, Herman 123

Young, Whitney 134

Ziegfeld Girls 252

SOBRE A AUTORA

G LORIA STEINEM É ESCRITORA, PALESTRANTE, ATIVISTA política e organizadora feminista. Foi uma das fundadoras das revistas *New York* e *Ms*. É autora de *Moving Beyond Words, Revolution from Within* e *Outrageous Acts and Everyday Rebellions*, todos publicados nos Estados Unidos, e *As If Women Matter*, publicado na Índia. Seus textos também foram incluídos em muitas antologias e livros. É cofundadora do Fórum Político Nacional das Mulheres, da Fundação Ms. para Mulheres, da Free to Be Foundation e do Centro de Imprensa da Mulher dos Estados Unidos. Em conexão com outros países, ajudou a fundar a Equality Now, a Donor Direct Action e a Direct Impact Africa. Por seus escritos, Steinem recebeu o prêmio de jornalismo Penney-Missouri, os prêmios Front Page e Clarion, o prêmio National Magazine, o prêmio por sua carreira como jornalista conferido pela Sociedade dos Jornalistas Profissionais dos Estados Unidos, o prêmio da sociedade dos escritores das Nações Unidas e o prêmio da faculdade de jornalismo da Universidade do Missouri pelos serviços prestados ao jornalismo. Em 1993, sua preocupação com o abuso infantil a levou a coproduzir para a HBO um documentário de TV vencedor do Emmy intitulado *Multiple Personalities: The Search for Deadly Memories* [Múltiplas personalidades: a busca por memórias mortais]. Atualmente está trabalhando com a Sophia Smith Collection, do Smith College, na documentação das origens de base do movimento das mulheres dos Estados Unidos e em um Centro para Organizadores em homenagem a Wilma Mankiller, chefe da Nação Cheroqui. Steinem foi assunto de três documentários de televisão, incluindo *Gloria: In Her Own Words* [Gloria: em suas próprias palavras], da HBO, e está entre os assuntos do documentário produzido pela PBS em 2013, *Makers*, um projeto contínuo para registrar a vida das mulheres que fizeram os Estados Unidos. Depois de se formar como Phi Beta Kappa no Smith College, em 1956, passou dois anos com uma bolsa de estudos Chester Bowles na Índia, onde foi influenciada pelo estilo de organização de Gandhi. Foi agraciada com muitos títulos honoríficos, incluindo o primeiro doutoramento em justiça humana pelo Simmons College, o prêmio Bill of Rights da União Americana pelas Liberdades Civis do Sul da Califórnia, o prêmio nacional dos Defensores dos Direitos dos Gays e a Medalha Ceres das Nações Unidas. Em 2013, o presidente Obama a premiou com a Medalha Presidencial da Liberdade, a mais alta honraria civil do país. A Universidade Rutgers está criando a Cátedra Gloria Steinem de Mídia, Cultura e Estudos Feministas. Steinem vive na cidade de Nova York e passa cerca de metade do seu tempo viajando pelos Estados Unidos e por outros países.

Impresso no Brasil pelo
Sistema Cameron da Divisão Gráfica da
DISTRIBUIDORA RECORD DE SERVIÇOS DE IMPRENSA S.A.
Rua Argentina, 171 – Rio de Janeiro, RJ – 20921-380 – Tel.: (21)2585-2000